Diogenes Taschenbuch 24394

MARTIN WALKER, geboren 1947 in Schottland, ist Schriftsteller, Historiker und politischer Journalist. Er war 25 Jahre lang Journalist bei der britischen Tageszeitung *The Guardian*. Heute ist er im Vorstand eines Think Tanks für Topmanager in Washington, den er sieben Jahre präsidierte, und ist außerdem Senior Scholar am Woodrow Wilson Center in Washington DC. Seine *Bruno*-Romane erscheinen in 18 Sprachen. Martin Walker lebt in Washington und im Périgord.

Martin Walker
Eskapaden

Der achte Fall für Bruno,
Chef de Police

ROMAN

Aus dem Englischen von
Michael Windgassen

Diogenes

Titel der 2015 bei
Quercus, London, erschienenen Originalausgabe:
›The Dying Season‹
Copyright © 2015 by Walker & Watson, Ltd.
Die deutsche Erstausgabe
erschien 2016 im Diogenes Verlag
Covermotiv: Foto von Ille Oelhaf
Copyright © Ille Oelhaf / plainpicture

Veröffentlicht als Diogenes Taschenbuch, 2017
Alle deutschen Rechte vorbehalten
Copyright © 2016
Diogenes Verlag AG Zürich
www.diogenes.ch
20/20/44/6
ISBN 978 3 257 24394 9

Dieses Buch ist drei wundervollen Frauen gewidmet: Micheline Morissonneau von Périgord Tourisme sowie Marie-Pierre Tamagnon und Anne Lataste von Vins de Bergerac. Ich danke ihnen für ihre unermüdliche Hilfe, Unterstützung und Freundschaft. Ohne sie hätte ich nicht annähernd so viele der Reize unserer herrlichen Region kennengelernt.

Benoît Courrèges, *Chef de police* der Kleinstadt Saint-Denis und allen bekannt als Bruno, hatte sich so sehr auf diesen Tag gefreut, dass er nie auf die Idee gekommen wäre, er könnte tragisch enden. Die Aussicht darauf, den Helden seiner Jugend zu treffen, von ihm auf sein Schloss eingeladen zu werden und die Hand eines der illustresten Söhne Frankreichs zu schütteln, ließ ihn vor Ehrfurcht erschauern. Was bei ihm nur selten der Fall war.

Bruno interessierte sich für den Patriarchen, seit er als Junge im Wartezimmer eines Zahnarztes in einer zerlesenen *Paris Match* auf einen Artikel über ihn gestoßen war und von seinen Heldentaten gelesen hatte, und zwar so brennend, dass er am liebsten ein Album über ihn angelegt hätte, um sämtliche Bilder und Reportagen über ihn darin zu sammeln. Aber weil er als Waisenkind und später als Mündel seiner Tante keinen direkten Zugriff auf Zeitungen oder gar Illustrierte hatte, musste er mit Büchereien vorliebnehmen, zuerst mit der des kirchlichen Waisenhauses und später mit der öffentlichen Bibliothek von Bergerac. Die Bilder waren ihm unauslöschlich im Gedächtnis haftengeblieben: sein Held vor einem Kampfflieger in Tarnfarben in hohem Schnee; in kurzen Hosen und mit einem schweren Bajonett bewaffnet in der Wüste; mit einem Drink in der Hand in einem eleganten Schloss oder Salon. Auf seinem Lieblingsbild war er als Pilot zu sehen, mit zerzaustem Haar, den Fliegerhelm in der Hand, mit dem er einer Gruppe Mechaniker und Fliegerkameraden zuwinkte, die jubelnd auf ihn zuliefen, um ihn als ersten Franzosen zu feiern, der die Schallgrenze durchbrochen hatte.

Jetzt war der große Moment gekommen, und Bruno musste unwillkürlich grinsen, als ihm bewusst wurde, wie aufgeregt er war. Als ehemaliger Soldat kannte er das Durcheinander von Befehlen und Gegenbefehlen, all die aufreibenden Spannungen, die der Krieg mitbrachte, nur zu gut und wusste, dass im öffentlichen Bild des Patriarchen alle Makel, Misserfolge und gescheiterten Operationen einfach ausgeblendet waren. Und eigentlich hätte Bruno aus seiner Heldenverehrung mittlerweile herausgewachsen sein sollen. Aber ein Rest jugendlicher Schwärmerei für diesen Mann, den er für den letzten französischen Helden hielt, glühte wohl noch immer in ihm.

Als er sich in die Schlange der Gratulanten einreihte, die darauf warteten, dem Jubilar die Hand zu schütteln, wurde Bruno bewusst, dass er noch nie einem so prunkvollen und exklusiven Ereignis beigewohnt hatte. Das Château war zwar nicht besonders groß – nur dreigeschossig und mit jeweils vier Fenstern zu beiden Seiten des imposanten doppelflügeligen Portals –, dafür perfekt proportioniert und liebevoll restauriert. Der angrenzende Turm mit seiner trutzigen Brustwehr stammte aus dem Mittelalter, während das Schloss selbst die diskrete Eleganz des 18. Jahrhunderts ausstrahlte. Auf der breiten Terrasse mit Blick auf den französischen Garten spielte ein Streichquartett den Herbstsatz aus Vivaldis ›Vier Jahreszeiten‹, der vor Brunos innerem Auge die bukolischen Gemälde von Fragonard erstehen ließ, die er sich sehr gut als Wandschmuck in den unteren Salons vorstellen konnte.

Am Fuß der Treppe in den Schlosspark hatten sich über hundert Gäste eingefunden, die an Champagnergläsern nippten, miteinander plauderten und über die Kieswege zwischen den symmetrisch angelegten Beeten schlenderten. Oben auf der Terrasse, wo Bruno stand, drängten sich fast ebenso viele Menschen, die sich von Kellnern in Luftwaffenuniformen mit Getränken bedienen ließen und sich auf Französisch, Englisch, Deutsch, Russisch und Arabisch unterhielten. Bruno zählte mindestens ein Dutzend unterschiedliche Paradeuniformen und erkannte Politiker aus Paris, Toulouse und Bordeaux wieder, fast ausschließlich Mitglieder der konservativen Partei, aber auch einige sozialistische Bürgermeister und Minister der aktuellen Regierung in Paris.

Alle Männer hatten nur Augen für eine blonde, überaus attraktive Frau, von der Bruno nun seit wenigen Minuten wusste, dass sie die Schwiegertochter des Patriarchen war, Madeleine hieß und seine, Brunos, Tischdame sein würde. Sie hatte ihn, als er ihr vorgestellt wurde, mit kühlem Lächeln taxiert und, kaum dass er ihr die Hand gegeben hatte, mit einstudierter Bewegung an ihren Gatten weitergereicht, der neben ihr stand.

Hinter dem Schlosspark erstreckten sich zur Rechten bis ans Dordogne-Ufer nichts als Felder und Wiesen, auf denen spielzeugkleine Charolais-Rinder grasten, während man zur Linken zwischen zwei Felsvorsprüngen die Vézère im Sonnenlicht glitzern sah. Selbst das Wetter, dachte Bruno, spielte beim 90. Geburtstag des distinguierten Sohnes Frankreichs mit.

»Ist das nicht das schönste Panorama, das man sich vorstellen kann?«, schwärmte neben ihm eine alte Dame, genannt die Rote Komtesse, und sah verschmitzt lächelnd aus ihrem Rollstuhl zu Bruno auf. »Besonders mit dem Kirchturm auf dem einen Flussufer und der Schlossruine auf dem anderen. Marco hat das alles hier sehr günstig erstanden. Es war ein Spontankauf, wobei«, fuhr sie mit einem zufriedenen Lächeln fort, »der Umstand, dass mein eigenes Château ganz in der Nähe liegt, durchaus eine gewisse Rolle gespielt haben mag.«

»Wo hast du ihn eigentlich kennengelernt, *grand-mère*?«, fragte Marie-Françoise, ihre Urenkelin, die in ihrem farblich auf ihre blauen Augen abgestimmten schlichten Seidenkleid einfach bezaubernd aussah, in fast akzentfreiem, flüssigem Französisch. Seit sie vor kurzem aus ihrem Geburtsland Amerika nach Frankreich gekommen war und besonders seit sie an der Universität in Bordeaux studierte, hatten sich ihre Sprachkenntnisse deutlich verbessert.

»In Moskau. Es war nach Stalins Beisetzung während eines Empfangs im Kreml. Er sah einfach umwerfend aus in seiner Uniform, am Revers den Goldenen Stern am roten Band, das ihn als Helden der Sowjetunion auswies. Jeder kannte ihn, und unser Botschafter war ziemlich echauffiert, weil er neben Marco kaum beachtet wurde. Chruschtschow ging auf Marco zu und nahm ihn in den Arm – es heißt, sie waren sich nach der Schlacht um Stalingrad persönlich begegnet, irgendwo an der Front in der Ukraine.«

Die Komtesse lachte fröhlich, was sie um Jahrzehnte jünger aussehen ließ. »Ich werde die frostigen Blicke der anderen Frauen nie vergessen, als Marco auf mich zukam und mir seinen Arm reichte. Was für ein bemerkenswerter Mann! Ist er ja irgendwie immer noch.«

Bruno folgte ihrem Blick zur Flügeltür, die von der Terrasse ins Schloss führte und wo der alte Herr mit der weißen Löwenmähne und dem markanten Kinn kerzengerade in dunkelblauem Anzug und zum Band der Ehrenlegion passender roter Krawatte die Honneurs machte. Als Bruno und die Rote Komtesse in ihrem Rollstuhl mit Gratulieren an der Reihe gewesen waren, hatten sich Marcos braune Augen, denen nichts entging, neugierig auf Bruno gerichtet, doch kaum hatte die alte Dame ihn als den hiesigen Chef de police vorgestellt, dem sie ihr Leben verdankte, war ein warmes, anerkennendes Lächeln in sein Gesicht getreten.

»Das ist das Magische an dieser Frau«, hatte er mit überraschend jugendlicher Stimme gesagt und sich zu einem Kuss über ihre Hand gebeugt. »Sie wird immer einen Ritter finden, wenn sie Hilfe braucht.«

Colonel Jean-Marc Desaix wurde von seinen Fliegerkameraden und den Frauen, die er geliebt hatte, Marco genannt. Für das übrige Frankreich war er der Patriarch, ein Kriegsheld zweier Länder, Träger des Großkreuzes der *Légion d'honneur* und als Held der Sowjetunion ausgezeichnet mit dem goldenen Stern am roten Band. Die Ehrenlegion war ihm von seinem Freund Charles de Gaulle verliehen worden, der Stern von Stalin während einer glanzvollen Zeremonie im Kreml.

Wie die meisten französischen Jungen hatte Bruno schon

als Kind gewusst, dass das Jagdfliegergeschwader Normandie-Njemen, das während des Zweiten Weltkriegs auf Seiten der Roten Armee der Sowjetunion gegen die Achsenmächte kämpfte, aus französischen Piloten bestand, die in ihren sowjetischen Jak-3-Jagdfliegern mehr feindliche Flugzeuge abgeschossen hatten als jede andere französische Fliegerstaffel. Nach den sowjetischen Luftstreitkräften, die 273 Abschüsse vorzuweisen hatten, war es das erfolgreichste Geschwader überhaupt.

22 feindliche Flugzeuge waren allein von Marco Desaix vom Himmel geholt worden, damals ein blendend aussehender junger Mann, der ständig in sowjetischen Wochenschauen und Zeitungen zu sehen war. Im besetzten Frankreich, das von seinen Husarenstücken in den Rundfunknachrichten der BBC hörte, wurde Marco in einer Zeit zum Helden, als Frankreich diese bitter nötig hatte.

Bruno hatte in den illustrierten Geschichtsbüchern im Waisenhaus die exotischen Namen der Etappen des jungen Fliegers in Syrien und Persien auszusprechen versucht und sich die lange Zugreise von der Wüstenhitze in die russische Kälte vorgestellt. Bis heute wusste er auswendig, dass die französischen Flieger am 5. April 1943 den ersten Treffer gelandet hatten, und zwar auf ein deutsches Jagdflugzeug vom Typ Focke-Wulf. Gegen Ende des Sommers hatten sie siebzig weitere Maschinen abgeschossen und selbst nur noch sieben überlebende Piloten in den eigenen Reihen. Trotzdem hatten sie mehr gewonnen als nur ihre Kurvenkämpfe. Feldmarschall Wilhelm Keitel, der diese Männer als Aufrührer und Verräter an ihrer von Vichy aus regierten Heimat anprangerte, hatte den Befehl erlassen, die gefangengenommenen französischen Piloten standrechtlich zu erschießen und ihre Familien in Frankreich festzunehmen und in Konzentrationslager zu deportieren.

Als Junge hatte Bruno unbedingt Pilot werden wollen, wie sein Held. Doch dann hatte er sich von einem überarbeiteten Lehrer an seiner überfüllten Schule in harschen Worten anhören müssen, seine Noten in Mathematik und Physik seien so schlecht, dass er sich keine Hoffnungen zu machen brauche, von der *Armée de l'air* aufgenommen zu werden. Als Nächstbestes hatte er sich deshalb noch vor seinem 17. Geburtstag freiwillig zur französischen Armee gemeldet. Was nicht hieß, dass er nicht weiter die Berichte über die abenteuerliche Karriere von Marco Desaix verschlang, der 1945 an der Spitze von 40 Jak-Jägern nach Frankreich zurückgekehrt war, die Stalin den Piloten von Normandie-Njemen mitgegeben hatte, damit sie nach Hause fliegen und sich der wiederauferstandenen *Armée de l'air* anschließen konnten.

Von höchsten Stellen diskret gedeckt, flog Marco dann 1948 Einsätze für den jungen Staat Israel. Im Cockpit eines Messerschmidt-Jägers, der Israel von der tschechischen Regierung geschenkt worden war, erwies er sich einmal mehr als Ass am Steuerknüppel. Zurück in Frankreich, arbeitete er als Testpilot für Dassault Aviation und durchbrach als erster französischer Pilot die Schallmauer. Er half Dassault, seine Düsenjäger vom Typ Mystère und Mirage zu verkaufen, die zum Kernbestand der israelischen Luftstreitkräfte avancierten, und startete seine nächste Karriere als Geschäftsmann, indem er ins Management bei Dassault und später bei Air France und Airbus aufstieg. In Anerkennung seiner patriotischen Verdienste wurde er schließlich in den Senat gewählt.

Es war ein abenteuerliches Leben, und Bruno war überglücklich gewesen, als er die Einladung zum 90. Geburtstag des Patriarchen erhalten hatte, obwohl er ahnte, dass er nicht um seiner selbst willen, sondern in erster Linie als Begleiter der Roten Komtesse eingeladen worden war, als Mann, dem man einen Rollstuhl und seine gebrechliche Fracht anvertrauen konnte.

2

Unter den Gästen im Garten entdeckte Bruno eine Handvoll Leute, die er kannte. Der Bürgermeister und Dr. Gelletreau aus Saint-Denis plauderten mit Hubert, dem Eigentümer des berühmten Weinkellers der Stadt, und mit Clothilde Daunier, der modebewussten Kuratorin des prähistorischen Museums in Les Eyzies und Wissenschaftlerin von internationalem Ruf. Hinter ihnen stand Brunos Freund Jack Crimson, angeblich ein ehemaliger britischer Meisterspion, der sich in einem Haus außerhalb von Saint-Denis zur Ruhe gesetzt hatte. Er unterhielt sich mit dem französischen Außenminister.

Neben Crimson entdeckte Bruno Pamela, seine Geliebte seit einiger Zeit, obwohl ihn zunehmend der Gedanke beschlich, dass die Affäre wohl nicht mehr lange Bestand haben würde. Zu ihrer großen Freude hatte Crimson sie gebeten, ihn zum Geburtstag des Patriarchen, dem Ereignis der Saison, zu begleiten. Höflichkeitshalber hatte sie Bruno daraufhin gefragt, ob er damit einverstanden sei. Natürlich, hatte er mit einem Anflug von Neid gesagt, der sich aber sofort legte, als er von der Komtesse gebeten wurde, sie und ihre Urenkelin zu begleiten. Als er nun sah, dass auch sie ihren Blick auf ihn richtete, winkte er sie herbei, weil er die Komtesse nicht allein lassen wollte. Doch zu seiner Verwunderung zuckte Pamela nur kühl mit den Achseln und richtete ihre Aufmerksamkeit wieder auf Crimson.

»Wer ist das?«, wollte die Komtesse wissen.

»Eine Freundin«, antwortete Bruno und wechselte sofort das Thema, indem er sich nach der Familie des Patriarchen erkundigte. Die Komtesse kannte die Verhältnisse offenbar genau. Sein Sohn Victor, ebenfalls ein ehemaliger Pilot, leitete die Geschäfte des im Familienbesitz befindlichen Weinguts. Er und seine Frau Madeleine hatten die alte Dame zur Begrüßung herzlich umarmt. Bruno schätzte Victor um die sechzig, seine lebhafte Frau dagegen sehr viel jünger, Anfang dreißig. Umso überraschter war er, als deren Tochter Chantal auftauchte, die die zwanzig offenbar überschritten hatte und zufällig eine Kommilitonin von Marie-Françoise war. Somit musste ihre Mutter mindestens vierzig sein, in Brunos Alter.

Als Chantal die Komtesse und ihn begrüßte, tauchte plötzlich ihre Mutter neben ihr auf. Sie stellte sich zwischen ihre Tochter und deren Freundin, legte beiden jungen Frauen eine elegante Hand auf die Schulter und sagte nach einem kurzen, kritischen Seitenblick auf Bruno zur Komtesse: »Marie-Françoise ist Ihnen ja wie aus dem Gesicht geschnitten. Sie sind bestimmt sehr stolz auf sie.«

»In meinem Alter, liebe Madeleine, ist es ein großes Privileg, das Urenkelkind zu einer schönen jungen Frau heranwachsen zu sehen«, erwiderte die Komtesse. »Von Marco weiß ich, dass er es kaum erwarten kann, dass eines Ihrer Kinder ihn zum Urgroßvater macht.«

»Hör nicht auf sie, *chérie*«, sagte Madeleine zu ihrer Tochter mit einem Lachen, das wohl weniger unbeschwert klang als beabsichtigt. »Ich hab es durchaus nicht eilig, Großmutter zu werden, weder durch dich noch durch deinen Bruder.« Und dann, nachdem sie Bruno von Kopf bis Fuß gemustert hatte, wieder zur Komtesse: »Das ist also der Polizist, der Sie vor Ihrer schrecklichen Schwester gerettet hat.«

»Mich hat er ebenfalls gerettet, in der Höhle«, ergänzte Marie-Françoise. »Ich werde nie vergessen, wie sich diese Schüsse in der Felskammer angehört haben.«

Bruno erinnerte sich an den entsetzten Blick des Mädchens, an sein blutverschmiertes Gesicht und den von einem Pistolenknauf eingeschlagenen Mund. Davon waren keine Spuren geblieben, und die Zähne sahen so perfekt aus, wie sie nur von extra teurer Dentalkosmetik wiederhergestellt werden konnten.

»Kommen Sie doch bitte einmal zum Lunch aufs Weingut, und erzählen Sie uns, was in der Höhle passiert ist«, sagte Chantal. »Ich habe nie die ganze Geschichte gehört.«

»Gute Idee«, entgegnete Madeleine. »Vielleicht zusammen mit Großvater. Ich weiß, dass auch er gern mehr darüber hören würde. Und Sie müssten auch kommen, Hortense«, sagte sie zur Komtesse. »Sie wissen ja, wie gern Großvater Sie in seiner Nähe hat. Ich rufe Sie demnächst an und schlage einen Termin vor.«

Bruno spürte Madeleines Augen auf sich gerichtet, als ihre Tochter die Komtesse um Erlaubnis bat, Marie-Françoise zu entführen, um ihr die anderen jungen Gäste im Garten vorzustellen. Die beiden gingen, gefolgt von Madeleine. Bruno schaute ihnen nach. Von hinten sahen alle drei verblüffend ähnlich aus, schmal in den Hüften, langbeinig und elegant, anmutig und selbstbewusst in ihren Bewegungen.

Bruno erkundigte sich bei der Komtesse nach den nicht-französischen Familienmitgliedern des Jubilars und bekam zur Antwort: »Es gibt da eine sehr nette Frau, die Sie kennenlernen sollten, Marcos Tochter aus der Ehe mit seiner israelischen Frau. Marco hatte sich gerade von ihr scheiden lassen, als wir uns begegnet sind. Raquelle, die gemeinsame Tochter, lebt nun schon vierzig Jahre hier im Périgord und ist seit eh und je mein Liebling. Sie ist Künstlerin und hat an der Rekonstruktion der Lascaux-Höhle mitgewirkt. Und dann wäre da noch Jewgeni, Marcos Sohn von einer russischen Frau aus der Kriegszeit. Als ich Jewgeni das erste Mal in Moskau sah, war er ein kleiner Junge – und da ist er.«

Ein bulliger Mann mit breiten Schultern, Mitte bis Ende sechzig, war wie aufs Stichwort neben dem Rollstuhl aufgetaucht. Er beugte sich über die Komtesse, gab ihr einen geräuschvollen Kuss auf die Wange und hockte sich dann vor ihr auf die Fersen, um auf Augenhöhe mit ihr sprechen zu können.

»Man hat mir gesagt, du seiest bettlägerig«, sagte er mit starkem Akzent. »Wie schön, dass das offensichtlich nicht stimmt.«

»Auch wenn manches übertrieben dargestellt wird – was mir meine Schwester und ihr betrügerischer Enkel angetan haben, war trotzdem schlimm genug«, entgegnete sie. »Du kannst dich bei diesem Mann hier dafür bedanken, dass die Sache nicht schlimmer ausgegangen ist.« Sie deutete auf Bruno, worauf sich Jewgeni erhob und ihm die Hand schüttelte. »Wie alt warst du noch, als wir uns das erste Mal begegnet sind, sieben oder acht?«, fragte sie.

»Acht. Und so jemanden wie dich hatte ich bis dahin

nicht gesehen, in Kleidern von Dior und mit einer langen Zigarettenspitze, wie aus einem Kinofilm«, sagte Jewgeni lächelnd. »Du hast mir französische Schokolade geschenkt. Seitdem liebe ich dich, weißt du das?«

»Nach allem, was man so hört, sagst du das zu vielen Frauen, Jewgeni. Stimmt es, dass du seit neuestem in der Nähe wohnst?«

»Ja, ich habe ein Haus in der Nähe von Siorac, mit einer großen, hellen Scheune, die ich als Atelier nutze. Du musst unbedingt kommen und dir meine neuen Bilder ansehen.« An Bruno gewandt, sagte er: »Ich habe eine Reihe von Porträts der Komtesse gemalt und sie *Parischanka* genannt, die Frau aus Paris. Die ersten habe ich aus der Erinnerung gemalt, aber als sie dann später wieder nach Moskau kam, hat sie mir Modell gestanden.«

»Das ist lange her«, sagte die Komtesse. Bruno rechnete innerlich nach. Wenn Jewgeni im Todesjahr Stalins acht Jahre alt gewesen war, musste er 1944 oder 1945 geboren worden sein. Die israelische Tochter Raquelle war ein kleines Mädchen gewesen, als ihr Vater, frisch von ihrer Mutter geschieden, 1953 die Komtesse kennengelernt hatte. Jewgenis Halbschwester war somit einige Jahre jünger als er. Das machte mit Victor, der das Weingut bewirtschaftete, drei Kinder von drei verschiedenen Müttern, die alle in der Nähe lebten und jetzt den Geburtstag ihres Vaters feierten.

Es sagte viel über den alten Mann aus, dass er seinen Kindern so nahestand, dass diese ihm auch örtlich nahe sein wollten. Vielleicht lag die eigentliche Attraktion aber auch in dem zu erwartenden Erbe, dachte Bruno und blickte vom Château über den sorgfältig gepflegten Park.

Dem Vernehmen nach war der Patriarch ein vermögender Geschäftsmann, durch seine diversen Aufsichtsratsposten reich geworden. Das Weingut der Familie in den Hügeln oberhalb von Lalinde war gut angesehen und produzierte vor allem rote und weiße Bergerac-Weine. Dann gab es noch einen kleineren Weinberg in Monbazillac, der ebenfalls der Familie gehörte. Doch beide Güter waren wohl nicht das, was man als Goldmine bezeichnen konnte. Bruno kannte die alte Volksweisheit, nach der es für jemanden, der mit Wein ein kleines Vermögen machen will, unabdingbar ist, mit einem großen zu beginnen.

Die Gratulanten in der Schlange bekamen Zeit, die Fotos an den Wänden der Eingangshalle zu betrachten, auf denen Marco mit jedem Präsidenten Frankreichs zu sehen war, ebenso mit zwei amerikanischen Präsidenten, außerdem mit Stalin und Chruschtschow, Breschnew, Gorbatschow, Jelzin, Putin und Deng Xiaoping. Auch mit Päpsten, deutschen Kanzlern, britischen Premierministern, etlichen Generälen, Astronauten, Filmstars und Opernsängern war er abgelichtet worden. Der Komtesse dürfte ein Foto geschmeichelt haben, das sie während der Filmfestspiele in Cannes an seiner Seite zeigte, zusammen mit einer blutjungen Brigitte Bardot; doch der Patriarch schien nur Augen für die Komtesse gehabt zu haben.

Plötzlich wurde die kultivierte Atmosphäre durch das Zersplittern von Glas gestört. Irgendwo unterhalb der Terrasse schien es Streit zu geben. Stimmen wurden laut, und in die Gästeschar geriet Bewegung. Ein älterer, offenbar betrunkener, wenn auch tadellos gekleideter stattlicher Mann im Zweireiher und mit dem roten Band der Ehrenlegion im

Knopfloch versuchte, Chantal am Arm mit sich zu ziehen, was diese, mit Unterstützung von Marie-Françoise, vehement ablehnte. Der Mann schwankte, seine Augen wirkten glasig, und die dichten grauen Haare, die ihm ständig in die Stirn fielen, wirkten verwildert.

Nun bahnte sich Victor, der jüngste Sohn des Patriarchen, gefolgt von Dr. Gelletreau, einen Weg durch die Menge. Aus einer anderen Richtung eilten Pater Sentout, der Pfarrer von Saint-Denis, und ein hübscher junger Mann herbei, der dem Patriarchen verblüffend ähnlich sah.

Ehe Bruno die Treppe zum Garten erreichen konnte, hatten die vier Helfer Chantal aus dem Griff des Betrunkenen befreit, und ein weiterer Mann, großgewachsen und robust, in Tweedjackett, Stiefeln und Gamaschen, die ihm das Aussehen eines altmodischen Wildhüters verliehen, schlang beide Arme um den Betrunkenen, hob ihn in die Luft und trug ihn um die Terrasse herum auf den mittelalterlichen Turm zu. Die anderen folgten bis auf den hübschen jungen Mann, der bei Chantal zurückblieb. Dankbar sank sie ihm an die Brust, schien aber keinen ernstlichen Schaden davongetragen zu haben.

Die Geräuschkulisse war für einen Moment verstummt, weil alle die Hälse reckten, um zu sehen, was es mit dem Tumult auf sich hatte. Das Streichquartett aber spielte tapfer weiter, und bald setzte sich auch das Geplauder fort, zumal es nichts mehr zu sehen gab.

»Wer waren diese jungen Männer?«, fragte Bruno die Komtesse.

»Den großen kenne ich nicht – scheint einer der Bediensteten zu sein. Der hübsche ist Raoul, Victors Sohn, Marcos

Enkel. Er macht sich mit dem Familiengeschäft vertraut, bevor er zum Studium nach Amerika geht. Marco findet, dass er gut zu Marie-Françoise passen würde. Der Meinung bin ich auch, deshalb sorgen wir dafür, dass sich die beiden möglichst oft sehen. An einer Heirat wäre beiden Familien gelegen.«

Bruno wunderte sich. Er hatte gedacht, die Zeit solcher Arrangements wäre längst vorbei. Aber vielleicht währte für die Komtesse und das Château das Althergebrachte fort. Das Geld des Patriarchen und die Besitztümer und Titel der Komtesse würden wohl eine gute Kombination ergeben.

»Haben Sie je an eine Verbindung mit dem Patriarchen gedacht?«, fragte er sie.

Sie blickte amüsiert zu ihm auf. »Es gibt Männer, mit denen man eine Familie gründet, und solche, mit denen man ins Bett geht, ausschließlich zum eigenen Vergnügen. Es wäre wohl wenig sinnvoll, das eine mit dem anderen zu verwechseln.«

»Wer war der Betrunkene, der an Chantal herumgezerrt hat?«

»Gilbert, ein alter Freund der Familie«, antwortete sie. »Einer der jungen Draufgänger, die davon geträumt haben, in Marcos Fußstapfen treten zu können. Dumm für ihn, dass es keinen Krieg mehr gab, der ihm Ruhm und Ehre hätte einbringen können.«

Sie erklärte, dass Gilbert und Victor Freundschaft geschlossen hatten, als sie als Kadetten auf dem Luftwaffenstützpunkt in Salon-de-Provence stationiert gewesen waren und anschließend bis zu Victors Wechsel zur zivilen Luftfahrt in derselben Staffel als Kampfpiloten gedient hatten.

Gilbert war beim Militär geblieben und als Luftwaffen-Attaché an die Französische Botschaft in Moskau gegangen, wo er offenbar für einen kleineren Skandal gesorgt hatte. Genaueres wusste die Komtesse nicht. Immer noch schneidig und charmant, aber als ausgemachter Alkoholiker mit einer Altlast aus Affären, Schulden und gescheiterten Ehen war er im Grunde zu nichts mehr tauglich. Doch der guten alten Zeiten wegen hatte Victor ihn in einem kleinen Haus des Familienbesitzes untergebracht und mit einem nominellen Job ausgestattet: Er sollte die Archive des Patriarchen katalogisieren.

Bruno machte sich auf den Weg, um die Komtesse mit Canapés zu versorgen. Der Rollstuhl hatte eine kleine, ausklappbare Tischplatte, von der sie essen konnte. Als er, zwei gefüllte Champagnergläser und zwei Teller balancierend, zu ihr zurückkehrte, unterhielt sie sich mit einer elegant gekleideten Frau, durch deren weiße Haare sich eine pechschwarze Strähne zog. Die braunen lachenden Augen verrieten die Verwandtschaft mit dem Patriarchen.

»Darf ich vorstellen?«, sagte die Komtesse, »das ist Raquelle, Marcos Tochter, die inzwischen bestens über Sie informiert ist. Ach, geben Sie ihr doch bitte mein Glas Champagner. Ich halte mich lieber an den Weißwein.«

Bruno gab Raquelle die Hand, sagte, wie sehr er ihre Arbeit an der Höhlenkopie von Lascaux bewundere, und fragte, womit sie zurzeit beschäftigt sei.

»Mit Tierdarstellungen für den prähistorischen Park von Le Thot«, antwortete sie in einer tiefen attraktiven Stimmlage. »Nach Vorlage der Plastiken schaffen wir virtuelle Realitäten und Animatronics, bewegte Mammuts und Auerochsen, die am Computer entwickelt werden. Nächste Woche kommen ein paar Familienmitglieder, um bei mir zu Mittag zu essen und sich anzusehen, was bislang entstanden ist. Vielleicht haben Sie Lust mitzukommen.« Sie reichte ihm ihre Visitenkarte, auf der wild aussehende Männer in Fellen ein Wollhaarmammut umzingelten und mit Speeren bedrohten. Auf der Rückseite standen Telefonnummer und E-Mail-Adresse.

Plötzlich schlug jemand einen Löffel gegen ein Glas, zum Zeichen, dass er eine Rede halten wollte. Das Streichquartett verstummte, und der Patriarch trat mit ausgebreiteten Armen an die Terrassenbrüstung und bat um Ruhe.

»Exzellenzen, Generäle, Freunde, ihr wisst, dass ich keine Reden schwinge, schon gar keine längeren«, begann er und legte eine kurze Pause für den Applaus ein. »Ich möchte mich einfach nur dafür bedanken, dass ihr bis in mein geliebtes Périgord gekommen seid, um meinen neunzigsten Geburtstag mit mir zu feiern, und ich hoffe, ihr werdet in zehn Jahren zur Doppelnull wieder hier sein.« Viele lachten, es gab vereinzelte Hurrarufe.

»Wenn die heutige *Armée de l'air* noch so pünktlich ist wie zu meiner aktiven Zeit, empfehle ich euch jetzt, euch die Ohren zuzuhalten. Ich wünschte nur, ich säße selbst am Knüppel.« Damit wandte er den Blick nach Westen und zeigte auf den Horizont.

Bruno hörte ein fernes Dröhnen, das stetig anschwoll, und sah dann die Sonne auf Tragflächen blitzen. Mit einem schließlich monströsen Geheul, das ihm durch Mark und Bein ging, zogen drei *rafales* über ihn hinweg, unglaublich tief und rasend schnell. Frankreichs jüngste Kampfjäger, ein jeder über hundert Millionen Euro teuer und in der Spitze zweimal schneller als der Schall, zündeten ihre Nachbrenner und setzten zu fast vertikalem Steigflug an, rote, weiße und blaue Rauchfahnen im Schlepp, Seite an Seite, um schließlich auseinanderzustieben. Irgendwo über Sarlat kamen sie wieder zusammen, machten kehrt und flogen von Osten herbei, und als sie über den Kopf des Patriarchen hinwegbrausten, vollführte jede der drei Maschinen eine Siegesrolle.

»*Mon Dieu*, das hat mir gefallen«, sagte der Patriarch, als der Düsenlärm verhallt war. »Ich bedanke mich bei meinen Freunden, dem Verteidigungsminister und bei General Dufort für diese prächtige Demonstration und möchte in diesem Zusammenhang auch an meinen alten, hochverehrten Chef Marcel Dassault erinnern, der so viele vorzügliche Flugzeuge für Frankreich entwickelt hat. Schließlich möchte ich auch den französischen Steuerzahlern danken, die dieses wunderschöne Geburtstagsgeschenk finanzieren. Und nun amüsiert euch, genießt den Rest der Party.«

Die Komtesse war müde und ließ sich von Chantal versprechen, Marie-Françoise später nach Hause zurückzubringen. Nachdem sich die alte Dame verabschiedet hatte, rollte Bruno sie in ihrem Stuhl durchs Schloss hinaus zu ihrem Wagen und fuhr sie zu ihrem eigenen Château. Ein bemerkenswerter Tag, sinnierte er. Dem Patriarchen persönlich zu begegnen hatte seine jugendliche Bewunderung nicht im Geringsten geschmälert. Und er war sogar zu einem Lunch auf seinem Weingut eingeladen worden, wo er den großen alten Mann erneut erleben und vielleicht ein paar Geschichten von ihm hören würde. Bruno übergab die

Komtesse ihrer Pflegerin und fuhr nach Hause, wo er seinen Hund ausführte, die Hühner fütterte und im Gemüsegarten nach dem Rechten sah. Als er sich Pamela und ihr auffallend kühles Benehmen in Erinnerung rief, ahnte er nichts von dem Drama, das sich in dem Schloss abspielte, das noch vor kurzem vom Donnergetöse der *rafales* erschüttert worden war.

3

Die Sonne war gerade aufgegangen, und Bruno hatte mit seinem Basset Balzac zu frühstücken begonnen, als Brunos Handy klingelte. Am anderen Ende war ein völlig aufgewühlter Bürgermeister, der vom Schloss des Patriarchen aus anrief. Es habe einen Todesfall gegeben. Bis Bruno, dem es vor Schreck die Sprache verschlug, nach Einzelheiten fragen konnte, hatte der Bürgermeister bereits aufgelegt.

Seltsam, dachte Bruno, als er etwas später in seine Uniform schlüpfte und nach draußen zu seinem Polizeitransporter eilte. Normalerweise wurde er bei überraschenden Todesfällen entweder von der Feuerwehr, einem Arzt oder einem Priester davon in Kenntnis gesetzt. Als Polizist war Bruno Angestellter der Stadt von Saint-Denis und direkt dem Bürgermeister unterstellt. Es war das erste Mal, dass dieser ihn über einen Todesfall informierte, und Bruno fragte sich, was der Bürgermeister zu so früher Stunde am Wohnsitz des Patriarchen zu suchen hatte.

Das Château wirkte vollkommen anders im Morgenlicht, fast düster und ganz ohne jenen Glanz, den ihm die heitere Gesellschaft am Vorabend verliehen hatte. Bruno stellte seinen Transporter ab und ging, als er im Eingangsbereich niemanden antraf, laut rufend um das Gebäude herum zur

Terrasse. Fast glaubte er schon, zum Narren gehalten worden zu sein, als endlich der Bürgermeister heraustrat.

»Sie müssen sich nur um ein paar Formalitäten kümmern«, sagte er und führte Bruno ins Haus. »Doktor Gelletreau hat den Totenschein bereits ausgefüllt.«

Der Tote befand sich im Erdgeschoss des mittelalterlichen Turms, in einem großen, halbrunden Raum, in dem Gartenmöbel und Werkzeuge aufbewahrt wurden. Er lag auf einem Liegestuhl, und in der Luft hing der Geruch von Alkohol und Erbrochenem, und obwohl es drinnen so dunkel war, dass man kaum etwas sehen konnte, schien der Raum voller Menschen zu sein. Für Licht sorgten nur der schmale Schlitz eines Fensters und die offene Tür, die zum Hauptgebäude führte. Als sich Brunos Augen an die Düsternis gewöhnt hatten, erkannte er Victor und Madeleine, die Hand in Hand neben dem Liegestuhl standen. Mit der freien Hand bedeckte Victor seine Augen, und seine Schultern bebten. Seine Frau hielt sich ein Taschentuch vor die Nase.

Dr. Gelletreau war gerade dabei, sein Stethoskop in seinen uralten Arztkoffer zu packen. An den feuchten Stellen auf Augen und Stirn des Toten sah Bruno, dass Pater Sentout, der ebenfalls anwesend war, bereits die Letzte Ölung an ihm vollzogen hatte. »Tod durch Unfall«, sagte der Arzt. »Todeszeitpunkt irgendwann in der Nacht. Er war schwer betrunken. Verdachtsmomente liegen keine vor.« Er trat neben Bruno und flüsterte ihm ins Ohr: »Der arme Kerl ist an seinem eigenen Erbrochenen erstickt.«

Bruno wunderte sich über den schnellen Befund. Normalerweise ließ sich Gelletreau dafür immer sehr viel Zeit. »Wer hat ihn gefunden?«

»Ich. In aller Frühe. Ich habe ihm sein Frühstück gebracht und dachte, dass er wieder mal seinen Rausch ausschläft«, antwortete Victor sichtlich verstört. Er ließ die Hand seiner Frau los, trat auf Bruno zu und zeigte auf einen kleinen Beistelltisch, auf dem ein Tablett stand, darauf eine Kaffeekanne, eine Tasse und ein Glas Orangensaft. »Ich habe versucht, ihn wach zu rütteln, doch er war schon ganz steif, so dass mir nichts anderes übrigblieb, als Doktor Gelletreau anzurufen.«

»Die Nacht war nicht allzu kalt, deshalb vermute ich, dass er um Mitternacht gestorben ist, kurz davor oder danach«, sagte der Arzt. »Dafür sprechen die Leichenflecken und die Körpertemperatur. Er ist da, wo er liegt, gestorben und ist nicht bewegt worden.«

Bruno trat an den Liegestuhl und betrachtete die Leiche des Mannes, der Chantal bedrängt hatte und von einigen jungen Männern in die Schranken gewiesen worden war. Jemand hatte ihm Gesicht und Kinn abgewischt, doch auf der Brust und auf dem Liegestuhl waren noch Reste des erbrochenen Mageninhalts zu sehen. Bruno erinnerte sich an den Namen des Toten, Gilbert, und daran, dass er ein Luftwaffenkamerad Victors gewesen war und, als er für schnelle Jets zu alt wurde, als Attaché nach Moskau gegangen war.

»Mein Beileid«, sagte Bruno zu Victor. »Es tut mir leid, aber Sie werden verstehen, dass ich Ihnen noch ein paar Fragen stellen muss. Ich habe gesehen, dass Ihr Freund gestern Nachmittag weggebracht wurde, kurz bevor die Fliegerparade für Ihren Vater abgehalten wurde. Wohin? In diesen Raum hier?«

»Ja. Er bot sich an, weil er ganz in der Nähe war«, antwortete Victor. »Gilbert war sturzbetrunken, voll wie eine Haubitze. Ich wusste, dass die Fliegerstaffel bald kommen würde, und wollte nicht riskieren, dass er meinem Vater den großen Augenblick verdirbt. Der Patriarch hatte sich seit Wochen darauf gefreut.«

»Mir ist aufgefallen, dass Gilbert von jemandem weggebracht wurde, der kein Gast zu sein schien«, entgegnete Bruno. »Wer war das?«

»Fabrice, unser Wildhüter«, antwortete Madeleine. »Die Weisung kam von mir.«

»Haben Sie anschließend noch einmal nach Gilbert gesehen?«

»Ja. Irgendwann kurz nach sieben, als alle außer den Übernachtungsgästen gegangen waren«, sagte Madeleine. »Er schnarchte und hatte sich zu dem Zeitpunkt offenbar noch nicht übergeben. Das hätte ich gerochen. Eine Flasche war auch nicht da. Die hätte ich mitgenommen. Ich habe ihn mit der Decke da zugedeckt und bin gegangen.«

»Es war das Gleiche so gegen zehn, als ich vor dem Schlafengehen bei ihm reingeschaut habe. Kein Erbrochenes, und er war zugedeckt, als hätte er sich die ganze Zeit nicht gerührt.«

»Es heißt, er war Alkoholiker. Stimmt das?«

»Er hat immer viel getrunken«, antwortete Victor. »Als er aus Moskau zurückkam, war kaum mehr was mit ihm anzufangen. Wir haben ihn mehrmals in ein Sanatorium eingeliefert und darauf gedrängt, dass er sich von den Anonymen Alkoholikern helfen lässt. Leider ist er immer wieder rückfällig geworden und hat erneut zu trinken angefangen. Vor allem Wodka. Er muss wohl in Russland auf den Geschmack gekommen sein.«

»War er öfter so betrunken, dass er sich im Schlaf erbrochen hat?«

»Nicht, dass ich wüsste.« Er richtete den Blick auf die Leiche seines Freundes. Der Kummer ließ sein Gesicht viel älter wirken, so dass er beinahe als Madeleines Vater durchgegangen wäre. »Auch dass ich ihn ins Bett gebracht hätte, kam selten vor.«

»Ich habe mit eigenen Augen gesehen, dass er noch auf den Beinen stand, kurz bevor er weggetragen wurde«, sagte Bruno. »Hat er sich danach sofort schlafen gelegt?«

»Ja, als wir hier angekommen sind, konnte er sich kaum noch auf den Beinen halten, und als wir ihm die Schuhe ausgezogen, die Krawatte abgenommen und ihn hingelegt hatten, war er schon völlig weggetreten.«

Bruno wandte sich an Dr. Gelletreau. »Gewohnheitstrinker können doch ziemlich viel vertragen. Ist die beschriebene Reaktion nicht untypisch?«

»Vielleicht. Aber wir haben auch noch das gefunden.« Gelletreau zeigte auf einen mit Leder bezogenen Flachmann, etwa doppelt so groß wie Brunos Jagdversion, den der Tote mit einem Arm an die Brust gepresst hielt. Bruno streifte ein Paar Latexhandschuhe über, zog die Flasche vorsichtig hervor und führte sie an seine Nase. Sie war leer und roch nach Alkohol. Die Verschlusskappe fand er unter dem Liegestuhl. Beides steckte er in eine Beweismitteltüte. Unter dem Boden der Flasche entdeckte er eine Gravur. Er hielt sie in den schmalen Lichtstreifen, der durch den Fensterschlitz fiel, und las *Made in England, 12 oz.* Er kannte das englische Flüssigkeitsmaß von Whiskyflaschen und wusste, dass zwölf Unzen ungefähr einem Drittelliter entsprachen. Anscheinend hatte Gilbert deutlich über seine Verhältnisse getrunken.

»Was hat er denn für gewöhnlich getrunken?«

»Einen russischen Wodka, Stolichnaya Blue«, antwortete Victor. »Er besteht zu fünfzig Prozent aus reinem Alkohol.«

Bruno runzelte die Stirn. Gilbert war schon um fünf Uhr sturzbetrunken gewesen. Mit dem Inhalt der Flasche hätte er, vorausgesetzt, sie war voll, den Pegel gut und gern bis Mitternacht halten können.

»Wissen Sie, ob er ein Testament hinterlassen oder wo er seine persönlichen Dokumente aufbewahrt hat? Die würde ich mir gern einmal ansehen.«

»Ich bezweifle, dass er ein Testament aufgesetzt hat. Es gab ja nichts zu vererben. Gilbert war bankrott. Er wohnte in einem kleinen Haus auf unserem Weingut und besaß nichts als ein klappriges altes Auto. Das bisschen Geld, das ihm blieb, ging fast ausschließlich für Alkohol drauf.« Victor fuhr sich mit der Hand über die Augen. »Sie hätten ihn vor Jahren sehen sollen. Er war ein guter Mann, ein fantastischer Pilot, mutig wie ein Löwe.«

»Ans Steuer hat er sich schon seit Jahren nicht mehr gesetzt«, ergänzte Madeleine. »Das hätten wir auch nicht zugelassen. Er fuhr Fahrrad, und wenn er nach Bergerac musste, haben wir ihn mitgenommen.«

»Wenn für mich hier nichts mehr zu tun ist, würde ich jetzt gern in die Klinik fahren«, sagte Dr. Gelletreau und reichte Bruno den Totenschein, in den er »natürliche Todesursache, Alkoholabusus« eingetragen hatte.

»Haben *Sie* den Bürgermeister informiert? Warum nicht wie sonst zuerst mich?«, fragte Bruno, mehr als erstaunt – er war brüskiert. Vermögende und gut vernetzte Leute in ihren großen Häusern schienen allzu häufig zu glauben, über dem Gesetz zu stehen und rechtliche Probleme dadurch umgehen zu können, dass sie einen befreundeten Politiker einschalteten.

»*Ich* habe den Bürgermeister angerufen und Victor den Doktor«, erklärte Madeleine. »Tut mir leid, wir hätten wohl zuerst die Gendarmerie verständigen sollen, aber der Schock … Wir waren so durcheinander.«

»Ist Gilberts Familie im Bild?«, fragte Bruno Victor, nachdem Gelletreau gegangen war.

»Er hat keine, nur eine geschiedene Frau und einige verflossene Geliebte«, antwortete Madeleine etwas säuerlich. »Und die meisten von ihnen werden die Nachricht wahrscheinlich feiern.«

»Wissen Sie von irgendwelchen Angehörigen?«, fragte Bruno nach. »Brüdern, Schwestern, Cousins? Er muss doch Verwandtschaft gehabt haben.«

»Formell hat er immer mich als seinen nächsten Angehörigen angegeben«, erwiderte Victor. »Wir waren jahrelang in derselben Staffel und standen uns sehr nah. Wenn ich mich richtig erinnere, gab es eine Schwester, die ist aber schon lange tot.«

»Ich werde den Bestatter anrufen und dafür sorgen, dass der Leichnam abgeholt wird«, erklärte Bruno und dachte, wie traurig doch das Leben dieses Mannes zu Ende gegangen war, der sich früher einmal als Herr der Lüfte hatte bezeichnen dürfen. Er erinnerte sich, wie sehr er sich in jungen Jahren selbst gewünscht hatte, Pilot zu werden. »Sie werden wohl selbst entscheiden müssen, ob er begraben oder eingeäschert werden soll.«

»In der Hinsicht kann ich helfen«, schaltete sich Pater Sentout ein. »Ich schlage vor, ich rufe Sie später am Tag noch einmal an, und wir reden miteinander, wenn Sie sich alle vom ersten Schreck erholt haben.«

»Nun, dann wäre wohl alles geregelt«, sagte der Bürgermeister auf seine forsche Art, die er immer in Ratsversammlungen hervorkehrte, wenn die wichtigsten Entscheidungen getroffen waren. »Mein aufrichtiges Beileid, Victor, es muss sehr schmerzlich für Sie sein, einen alten Freund und Kameraden verloren zu haben. Ich kann Ihnen jedenfalls versichern, dass unser Chef de police alles, was noch zu erledigen ist, gewohnt diskret und effektiv abwickeln wird.« Er warf Bruno einen scharfen Blick zu. »Wir wollen schließlich nicht, dass ein Schatten auf das Jubiläum des Patriarchen fällt.«

Bruno nickte freundlich. Er langte mit der Hand hinter den Rücken des Toten und zog eine abgegriffene Brieftasche aus der Gesäßtasche hervor. Darin steckten ein Personalausweis, ein alter Führerschein, der noch aus pinkfarbenem Textilkarton bestand, eine Kreditkarte, eine Krankenversicherungskarte und vier Zwanzigeuroscheine. In einer anderen Tasche fand er einen abgelaufenen Ausweis des Außenministeriums und einen Mitgliedsausweis der Kampffliegervereinigung. Aus einem Etui am Gürtel zog er ein billiges Handy, öffnete die Anrufliste und stellte überrascht fest, dass nur wenige Eingänge verzeichnet waren und Gilbert am Vortag nur eine Nummer gewählt hatte, die Bruno als Victors identifizierte.

»Er hat Sie gestern Morgen angerufen?«

»Ich habe den Anruf entgegengenommen«, sagte Madeleine. »Er wollte wissen, wann wir ihn abholen.«

»Sind Sie nach der Party nach Hause zurückgefahren?«

»Nein, wir haben hier übernachtet«, antwortete Victor ruhig. Seine Frau ergänzte: »Wir leben zwar auf dem Weingut, haben aber hier immer noch eine Wohnung.«

»Hatte Gilbert auch bleiben wollen?«

Victor zuckte mit den Achseln und schaute seine Frau an. Es schien, dass er ihr oft die Führung überließ.

»Nein, die Zimmer im Château waren samt und sonders mit Auswärtigen belegt. Ich schätze, Raoul oder jemand anders hätte ihn zurückgefahren«, sagte sie. »Übrigens, vermutlich werden die ersten Gäste inzwischen aufgewacht sein. Ich müsste mich jetzt um das Frühstück kümmern.«

»Mein Chef de police wird Ihre Gäste nicht stören«, sagte der Bürgermeister mit Nachdruck und schaute demonstrativ auf seine Uhr.

»Eins noch«, sagte Bruno. »Ich möchte mir ein Bild von Gilberts Unterkunft auf Ihrem Weingut machen. Wo genau finde ich sie?«

Madeleine erklärte ihm noch, wie er fahren musste, dann verabschiedete sie sich und ging, gefolgt von Pater Sentout, der vor sich hin murmelte, dass die Messe gleich beginnen werde. Der Bürgermeister trat einen Schritt vor, ergriff Victors Hand und schüttelte sie feierlich. Dann legte er die Hand auf Brunos Schulter und lenkte ihn mit leichtem Nachdruck zur Tür.

»Sie haben doch wohl keinen Grund zur Annahme, dass hier irgendetwas nicht mit rechten Dingen zugegangen sein könnte, oder?«, fragte der Bürgermeister, als sie draußen waren.

Bruno legte sich gerade eine ausweichende Antwort zurecht, indem er feststellte, dass er ungern unter Zeitdruck entschied, als sein Handy am Gürtel zu vibrieren begann. Auf dem Display erkannte er die Nummer Alberts, des Hauptmanns der Pompiers.

»Auf der Straße nach Rouffignac, gleich hinter dem Abzweig zum Campingplatz, hat's einen Unfall gegeben«, sagte Albert. »Wieder mal mit Wildschaden. Bring dein Gewehr mit, für den Fall, dass das arme Tier noch lebt.«

4

Es war kein schwerer Unfall, jedenfalls nicht für die beteiligten Personen. Ein kleiner Citroën Berlingo hatte ein Reh angefahren. Die Motorhaube war eingedrückt und ein Scheinwerferglas zersplittert. Bruno kannte die Fahrerin: Adèle, eine Frau Mitte vierzig, deren Mann für die Milchkooperative arbeitete. Sie war mit ihrer verwitweten Mutter auf dem Weg zur Kirche gewesen. Adèle stand unter Schock und weinte. Ihre Mutter hingegen schien aus härterem Holz geschnitzt. Sie lehnte an dem Lieferwagen, rauchte eine filterlose Zigarette und betrachtete das Reh mit kritischem Blick. Es hatte beide Vorderläufe gebrochen, wimmerte kläglich und versuchte verzweifelt, sich auf die Hinterläufe zu erheben. Es war so erbärmlich dünn, dass sich durch das hellbraune Fell die Rippen abzeichneten, die beim Keuchen auf und ab gingen.

»Zu wenig Fleisch dran, als dass es sich lohnen würde, das Ding nach Hause zu schaffen«, bemerkte die Alte. »Ist bestimmt wieder eins von der Verrückten am Hügel da hinten.«

Bruno bat sie, ihre Tochter im Wagen Platz nehmen zu lassen, während er sich um das Reh kümmern wollte. Aus dem Heck des Polizeitransporters holte er eine Plane hervor und bat Albert, das leidende Tier vor Adèles Blick abzuschirmen, dann erlöste er es mit einem Schuss hinter die Ohren. Nachdem ihm Albert geholfen hatte, das Reh in die Wachsleinwand einzuwickeln und in Brunos Transporter zu hieven, fuhren die beiden Männer die Frauen in deren Berlingo zur Kirche; Adèle, so vermutete er, würde sich nach dem Gottesdienst wieder so weit erholt haben, dass sie sich wieder selbst ans Steuer setzen konnte. Das Tier zum Schlachter fuhr Bruno dann alleine.

»Das lohnt nicht«, sagte auch Valentin, als Bruno das tote Reh auf das Hackbrett im Hinterraum seines Ladenlokals legte. Rot- und Rehwild, so hatte man es in Saint-Denis geregelt, wurde zum Schlachter gebracht, und das Fleisch kam den Bewohnern des Seniorenheims zugute. »Nur Haut und Knochen. Muss wohl eins von Imogène sein. Ich wiederhole mich, Bruno, Sie sollten etwas gegen diese verfluchte Frau unternehmen.«

»Wir tun unser Bestes, haben aber keine gesetzliche Handhabe, um härter durchzugreifen«, entgegnete Bruno. »Für den Zaun hat ihr das Gericht eine Frist gesetzt, und die läuft erst in ein paar Wochen ab. Vielleicht wird sie vorher Einspruch einlegen.«

»Eines Tages«, warnte der Metzger, »wird noch jemand wegen dieser Tiere ums Leben kommen, das sage ich Ihnen.« Valentin griff nach seinem Fleischerbeil.

Bruno hielt seine Sorge für begründet und fuhr auf direktem Weg zum Haus von Imogène Ducaillou, einer ziemlich exzentrischen Witwe, die als Kassiererin und Verwalterin einer der kleinen prähistorischen Höhlen arbeitete, von denen es in der Region etliche gab. Mit ihrem unersättlichen Appetit auf Liebesromane und Tierbücher war sie außerdem eine der fleißigsten Besucherinnen der Stadtbücherei. Sie lebte auf einem großen, mehrheitlich bewaldeten Stück Land, das ihr gehörte und an eine der Hauptzufahrtsstraßen nach Saint-Denis grenzte. Als engagiertes Mitglied der Grünen Partei und strikte Vegetarierin liebte sie alle Tiere, hasste die Jagd und hatte auf ihrem Grund und Boden überall Schilder mit der Aufschrift *Chasse interdite* aufgestellt, während die städtischen Jagdvereine die Wälder ringsum als Jagdreviere nutzten. Das Rehwild war nicht dumm. Es wusste zwischen bejagtem oder geschütztem Terrain zu unterscheiden und suchte, kaum dass die Jagdsaison begonnen hatte, Zuflucht in Imogènes Wäldern.

Das war anfangs nicht weiter schlimm gewesen, wenngleich sich die Jäger über den geringen Bestand in ihren traditionellen Jagdgründen ärgerten. Bald aber gab es Probleme ganz anderer Art: Die Population auf Imogènes Boden explodierte, worunter vor allem die Vegetation litt, wodurch wiederum die Rehe abmagerten und auf der verzweifelten Suche nach Nahrung den Jägern manchmal direkt vor die Büchsen liefen. Es war nun schon das dritte Mal in diesem Jahr, dass ein Reh von Imogènes Land gewechselt war und – allen Warnhinweisen und Geschwindigkeitsbegrenzungen auf der Strecke zum Trotz – einen Unfall verursacht hatte. Dennoch weigerte sich Imogène weiterhin störrisch, den Bestand auf ihrem Grund und Boden kontrollieren zu lassen. Allerdings hatte der Präfekt nun als letztes Mittel einen Gerichtsbeschluss erwirkt, der sie dazu verdonnerte, innerhalb der nächsten sechs Monate einen Schutzzaun zwischen Straße und Wald zu errichten. Fünf Monate waren bereits vergangen, doch sie hatte, vermutlich auch aus

Kostengründen, mit den Arbeiten noch nicht einmal angefangen.

Überall sah Bruno Rotwild, als er die gewundene Schotterpiste zu Imogènes Haus hinauffuhr. Es schälte die Rinde von den Bäumen und wühlte den Waldboden auf, der völlig kahlgefressen war. Am Rand des Grundstücks erhoben sich dunkel und drohend die Hochsitze, die Bruno immer an Bilder von Konzentrationslagern erinnerten, die von ähnlichen, mit Scharfschützen besetzten Türmen überragt wurden.

Bruno hielt an und stieg aus seinem Transporter, um sich das Phänomen aus der Nähe anzusehen: auf der linken Seite völlig abgefressener Waldboden, auf der rechten gesunder Niedrigbewuchs. Plötzlich bemerkte er am Rand seines Blickfelds eine Bewegung und sah, dass einer der fernen Hochsitze bemannt war. Da griff er durch das offene Seitenfenster seines Transporters, drückte auf die Hupe, winkte, und auf ein entsprechendes Signal hin stapfte er durch dichter werdendes Gestrüpp auf die Warte zu. Zwei Männer in Tarnjacken, der eine groß und kräftig, der andere klein und schlank, blickten neugierig auf ihn herab.

»Sind Sie gekommen, um unsere Jagdscheine zu kontrollieren?«, fragte der Größere. An der flachen Tweedmütze erkannte Bruno den Wildhüter des Patriarchen wieder, der am Vorabend Gilbert fortgebracht hatte. Der kleinere Mann hielt sich im Hintergrund, fast als wollte er unerkannt bleiben.

»Könnte ich bei der Gelegenheit gleich auch«, erwiderte Bruno freundlich. »Aber eigentlich wollte ich nur fragen, ob Imogène zu Hause ist.«

»Dieses Miststück!«, antwortete der große Mann. »Hat sich heute noch nicht blicken lassen. Und wir haben auch noch kein Reh vor die Büchse gekriegt, nicht einmal eins ihrer ausgemergelten.«

»Wahrscheinlich wissen die, dass Sie auf der Lauer liegen«, sagte Bruno. Als der kleinere Mann eine Hand hob, um den Schirm seiner Baseballkappe tiefer ins Gesicht zu ziehen, erkannte Bruno Guillaume, der im Sommer auf einem der großen Campingplätze an der Bar bediente und sich für den Rest des Jahres arbeitslos meldete. Die Gendarmerie hatte ihn im Auge, weil er im Verdacht stand, mit Drogen zu dealen, hatte aber bisher nichts Konkretes gegen ihn in der Hand. Guillaume war ein bekannt schlechter Schütze, hatte aber trotzdem seine Abschüsse frei, und andere Jäger, die mit ihrer Quote nicht genug hatten, nahmen Guillaume einfach mit auf die Jagd, schossen an seiner Stelle und teilten das Fleisch mit ihm.

»*Bonjour,* Guillaume«, grüßte Bruno. »Stellen Sie mir Ihren Freund vor?«

»Ich heiße Fabrice und komme aus Bergerac«, antwortete der Wildhüter. »Hat sich zufällig so ergeben, dass wir hier ansitzen.«

»Arbeiten Sie nicht für den Patriarchen? Ich war auch auf der Party und habe gesehen, wie Sie den Betrunkenen weggebracht haben.«

»Stimmt. Er war ziemlich voll, hat aber keine Scherereien gemacht. Ich habe ihn schlafen gelegt.«

»Haben Sie gehört, dass er tot ist? Einfach eingeschlafen und nicht mehr aufgewacht. Ich komme gerade vom Schloss.«

Sichtlich überrascht schüttelte Fabrice den Kopf. »Armes Schwein«, sagte er achselzuckend. »Aber es gibt wohl schlimmere Arten abzutreten.«

Bruno überlegte, ob er sich die Jagdscheine ansehen sollte, doch die Zeit drängte, und so wünschte er den beiden Weidmannsheil, sagte, dass er gleich wiederkommen werde, und fuhr dann im Schritttempo weiter, weil er immer wieder vor Rehen anhalten musste, die ihn neugierig beäugten und anscheinend ahnten, dass sie nichts zu befürchten hatten. Ihre Zutraulichkeit gefiel ihm. Ein sicheres Asyl wäre doch ideal, dachte er, wenn es nur ausreichend zu fressen gäbe und Überpopulationen durch geeignete Maßnahmen vermieden würden. Vielleicht könnte man ja mit Spenden Imogène helfen, den Zaun zu errichten und Futter zu kaufen. Aber mit einer Auslese und kontrollierten Dezimierung des Bestandes würde sie wahrscheinlich nicht einverstanden sein. Trotzdem wollte er versuchen, sie zu überreden und darauf hinzuweisen, wie erbärmlich ausgemergelt die erwachsenen Tiere und wie schwach die Kitze waren.

Als er vor ihrem baufälligen Haus aus seinem Transporter stieg und den Blick über das löchrige Dach und einige aus den Angeln gerutschte Fensterverschläge gleiten ließ, näherten sich Rehe mit weit nach vorn gereckten Hälsen. Wahrscheinlich, dachte er, hatte Imogène sie daran gewöhnt, ihr aus der Hand zu fressen. Ihr alter Renault parkte neben dem Haus, ihr Fahrrad lehnte an der Stütze des Vordachs, doch sie selbst ließ sich nicht blicken. Er klopfte und rief ihren Namen, doch erst als er ein lautes »Ich bin's, Bruno« nachschickte, hörte er hinter der Tür eine misstrauische Stimme fragen:

»Was wollen Sie?«

»Es gab wieder einen Unfall auf der Straße. Eins Ihrer Rehe wurde angefahren.«

»Und Sie haben es wahrscheinlich erschossen, stimmt's? Was Besseres fällt euch ja nicht ein! Töten, jagen, töten. Warum können Sie die Tiere nicht in Frieden lassen?«

»Weil sie sonst verhungern, Imogène. Die Jungtiere sterben, und die erwachsenen sind so verzweifelt, dass sie ihre Scheu verlieren. Das kann so nicht weitergehen. Machen Sie auf, lassen Sie uns darüber reden. Ich habe da eine Idee.«

Die Tür ging auf. Imogène musterte ihn mit argwöhnischem Blick. »Was denn für eine Idee?« Anders als Bruno erwartet hatte, wirkte sie nicht ungepflegt. Die kurzen grauen Haare waren gekämmt, die braune Kordhose und der weite Sweater, die sie trug, machten einen ordentlichen Eindruck. Im Hintergrund spielte ein Klavierkonzert.

»Ihnen bleibt nicht mehr viel Zeit, den Zaun zu ziehen, wie es der Richter von Ihnen verlangt, und wahrscheinlich fehlt Ihnen auch das Geld dafür. Wenn er aber nicht fristgerecht installiert wird, droht Ihnen eine saftige Buße; womöglich müssen Sie sogar Ihren Besitz verkaufen, es sei denn, Sie lassen zu, dass der Wildbestand auf ein natürliches Maß reduziert wird. Sie sind für die armen hungernden Rehe inzwischen eine größere Gefahr als die Jäger.«

»Sie wiederholen sich. Ich versuche, bei Tierfreunden Geld lockerzumachen. Es findet sich bestimmt eine Lösung für das Problem. Aber was ist das für eine Idee, über die Sie mit mir reden wollten?«

»Auf dem Weg hierher ist mir durch den Kopf gegangen, dass es doch wunderschön wäre, wenn es eine echte Schonung für die Rehe mit einem ausreichenden Angebot an Nahrung gäbe, ein umzäuntes Revier, für Autos gesperrt, aber offen für Schulkinder, die zwischen frei laufendem Wild herumtollen könnten. Die Touristen wären vielleicht sogar bereit, Eintritt zu bezahlen. Und mit dem Geld könnte dann Futter zugekauft werden. Voraussetzung wäre natürlich dieser Zaun, doch der ließe sich womöglich über Spenden finanzieren.«

»Da ist doch bestimmt ein Haken dran«, sagte Imogène. »Zugegeben, was Sie sich da vorstellen, wäre ideal für Kinder. Aber ... Na gut, kommen Sie rein! Ich mache uns Tee, und dann reden wir miteinander.«

Er betrat ein großes Wohnzimmer, das die Hälfte des Grundrisses einnahm und ganz hinten in eine Küche überging, in der Imogène einen Wasserkessel auf einen altmodischen Holzofen stellte. Das Klavierkonzert war zu Ende, und die Stimme des Ansagers des Senders *France Musique* kündigte das nächste Stück an. Auf einem alten Sofa hatten es sich drei Katzen bequem gemacht. Davor stand ein großer runder Tisch, übersät mit Skizzenblöcken, Illustrierten und Fotos von Rehen. Ähnliche Fotos mit noch mehr ausgemergelten Rehen bedeckten auch jedes Stück Wand, wo keine Bücherregale standen. Auf einem entdeckte Bruno zu seiner Überraschung Raquelle, die Tochter des Patriarchen, wie sie ein Kitz fütterte.

»Eine Freundin aus der Partei«, erklärte Imogène. »Wir haben zusammen eine Aktion vorbereitet.« Sie reichte Bruno einen angeschlagenen Becher mit einer heißen Flüssigkeit, die nach Pfefferminztee roch. »Mir ist klar, dass mich die meisten Leute aus der Stadt für verrückt halten.

Aber glauben Sie mir, ich bin völlig klar im Kopf. Ich weiß, dass die Rehe hungrig sind und mein Land sie nicht ernähren kann.«

Imogène berichtete, dass ihr von mehreren Tierschutzgruppen Unterstützung versprochen worden sei, doch die reiche nicht aus. Allein vierzehntausend Euro würden sie die zweihundert Meter Zaun entlang der Straße kosten.

»Mein Besitz ist beliehen, und was ich an Zinsen zu zahlen habe, übersteigt schon jetzt meine Möglichkeiten«, fuhr sie fort. »Noch mehr Futter für meine Tiere kann ich mir nicht leisten, geschweige denn diesen Zaun. Ich weiß mir nicht mehr zu helfen. Mittlerweile wäre ich zu allem bereit, Hauptsache, die Tiere werden nicht gejagt oder getötet.«

Bruno hoffte auf einen Kompromiss. Von ihren Tieren sprach Imogène mit fast religiösem Eifer. Dagegen war wahrscheinlich nicht anzukommen. Dennoch wollte er es versuchen. »Wir müssen ausrechnen, wie viele Rehe auf Ihrem Land maximal leben können. Der jetzige Bestand ist jedenfalls deutlich zu groß. Ihre Bäume sterben an Wildverbiss.«

»Aber was soll aus den überzähligen Tieren denn werden?«, fragte sie.

»Wir könnten versuchen, sie in Zoos oder Tierheimen unterzubringen, oder in Naturschutzparks …«, schlug er vor, selbst auch nicht überzeugt.

»Als hätte ich das nicht alles schon versucht!«, entgegnete sie. »Sämtliche Tierasyle in Frankreich stehen vor den gleichen Problemen. Mancherorts werden sogar Verhütungsmittel eingesetzt, um die Nachkommenschaft zu begrenzen. Und schändlicherweise darf heutzutage in den meisten

Naturparks gejagt werden. Nein, Bruno, danke für den Versuch. Dass Sie helfen wollen, weiß ich zu schätzen, aber wir wissen doch beide, dass Ihre Lösung nicht ohne eine jährliche Abschussrate auskommt. Und damit werde ich mich nie und nimmer einverstanden erklären.«

»Imogène! Sie haben nur noch die Wahl, hier entweder eine Art Tierasyl einzurichten und möglichst vielen Rehen zu einem guten Leben zu verhelfen oder Ihren Besitz definitiv zu verlieren, entweder an den Staat oder an den Hunger. Wenn eins Ihrer Rehe einen Unfall verursacht, bei dem Menschen zu Schaden kommen, werden Sie Klagen am Hals haben, die Sie nie mehr auf die Beine kommen lassen.«

»Schon klar. Für mich heißt die Alternative jedoch ganz simpel: Entweder die Tiere überleben, oder sie werden geschlachtet«, sagte sie mit fester Stimme und setzte abrupt ihren Teebecher ab. Plötzlich warf sie sich in die Brust und deklamierte, als stünde sie auf der Bühne: »Und sie *werden* überleben, koste es mich, was es wolle.«

Bruno sah ihr an, dass sie diese Szene so oder ähnlich im Stillen schon öfter geprobt hatte und nun die Chance auf ihren großen Auftritt witterte. Ganz offensichtlich hatte er es hier mit einer Frau zu tun, die sich im Kampf für ihre gerechte Sache womöglich sogar als Märtyrerin aufopfern würde. Dennoch ließ Bruno nicht locker, indem er die Bedürfnisse der Tiere mit den Erfordernissen eines ökologischen Gleichgewichts in Beziehung setzte, bis Imogène schließlich, vielleicht aus schierem Überdruss, versprach, seine Argumente zu überdenken. Dennoch beschlich ihn auf der Rückfahrt das bange Gefühl, in seinen Bemühungen gescheitert zu sein.

5

Das Haus, in dem Gilbert gewohnt hatte, war auf Anhieb nicht zu finden. Bruno musste im Büro der Winzerei nach dem Weg fragen. Schließlich stand er vor einer kleinen Hütte, die früher vielleicht einem Schafhirten als Unterkunft gedient haben mochte. Davor parkte ein nagelneuer Range Rover. Die Frontseite des Gebäudes hatte zwei kleine Fenster, und durch die offene Tür sah Bruno Victor und Madeleine, über einen Schreibtisch gebeugt, in Unterlagen kramen. Beide wirkten wenig überrascht, ihn zu sehen. Ohne eine Miene zu verziehen, winkte Victor ihn ins Haus.

Der Raum maß höchstens vier auf vier Meter. Unter dem einen Fenster stand ein Polstersessel mit Armlehnen, vor dem Schreibtisch ein Thonet-Stuhl, wie man ihn meist nur in Cafés sah. Geheizt wurde offenbar mit einem altmodischen gusseisernen Öfchen, neben dem säuberlich aufgestapelte Holzscheite lagen. Bruno nahm einen nicht unangenehmen Geruch von Holzrauch war. Vor der Rückwand war eine kleine Küchenzeile mit einer Spüle und mit einem zweiflammigen Herd untergebracht, der mit Propangas aus Flaschen betrieben wurde. Auf dem Küchentisch, der allenfalls zwei Personen Platz bot und mit einer roten Kunststofffolie bedeckt war, stand eine mit Äpfeln gefüllte Glasschale.

»Ein Testament oder irgendwelche persönlichen Unterlagen sind nicht zu finden, dafür aber jede Menge Rechnungen und Bankauszüge, denen zu entnehmen ist, dass Gilbert nur seine Militärpension bezogen hat«, sagte Victor, immer noch über die Papiere gebeugt. In der weiten Jeans und dem uralten Sweater, die er trug, sah er sehr viel älter aus als noch auf der Party. Bruno fiel auf, dass seine Hände voller alter Narben und Kratzer waren, die darauf schließen ließen, dass er im Weinberg viel selbst anpackte. Victor reichte ihm den jüngsten Bankauszug, aus dem hervorging, dass Gilbert bei der Crédit Agricole knapp tausend Euro Guthaben hatte.

»Ich weiß noch, dass er mal gesagt hat, dass er kein Testament macht, weil er ohnehin nichts hat, was er hinterlassen könnte«, erklärte Madeleine und fuhr sich mit der Hand über die Augen, als sei sie müde. Dabei wirkte ihre Haut so frisch wie die eines jungen Mädchens.

Bruno warf einen Blick auf die übrigen Bankauszüge und sah, dass Colonel Gilbert Clamartin, wohnhaft im Weingut der Desaix, monatlich dreitausendvierhundert Euro Pension erhielt. *Mon Dieu,* dachte er. Sein eigenes Gehalt war sehr viel geringer.

»Nicht viel für so viele Jahre Dienst am Vaterland«, meinte Madeleine. Bruno runzelte irritiert die Stirn. Gilberts Dienstjahre waren um etliches höher vergütet worden als seine eigene Armeezeit. »Wir hatten schon früher mit Ihnen gerechnet, Monsieur. Sie haben doch hoffentlich nichts dagegen, dass wir schon angefangen haben, Gilberts Unterlagen zu sortieren. Die Unterkünfte für unsere Saisonarbeiter werden knapp. Deshalb wollen wir dieses Haus hier möglichst schnell räumen.«

Hinter der Tür stand ein Pappkarton mit leeren Wodkaflaschen, daneben ein schwarzer Plastiksack, gefüllt mit verwelkten Blumen, überreifen Bananen und einem halben Baguette. In einem der gelben Plastiksäcke, die für recycelbaren Abfall vorgesehen waren, steckten alte Zeitungen, Joghurtbecher sowie leere Thunfisch- und Fleischdosen.

Als Bruno erklärte, dass er wegen einer Angelegenheit im Zusammenhang mit Imogène aufgehalten worden sei, verzog Madeleine missbilligend ihren Mund. »Diese Frau bringt mich auf die Palme. Tut so engagiert, dabei hat sie von Umweltschutz keine Ahnung. Sie sollten sie wegen Tierquälerei festnehmen.«

»Meine Frau ist seit ihrer Jugend eine passionierte Jägerin«, sagte Victor und schenkte ihr ein liebevolles Lächeln, das, wie Bruno fand, allerdings eher einem nachsichtigen Vater zu Gesicht gestanden hätte als einem Ehemann.

»Manchmal frage ich mich, ob wir mit unseren Büchsen nicht auf die falsche Spezies anlegen«, erwiderte Madeleine und grinste, als versuchte sie, ihre Worte zu entschärfen.

Ihre langen blonden Haare, die sie gestern auf der Party offen getragen hatte, waren zu einem losen Pferdeschwanz zusammengebunden. Sie trug modisch geschnittene Jeans, Stiefeletten, ein grünblau kariertes Flanellhemd und als Schmuck nur einfache goldene Ohrringe und eine maskulin wirkende Armbanduhr. So hockte sie lässig auf der Kante des Schreibtisches, auf dem Gilberts Unterlagen verstreut lagen. Selbst fast ohne Make-up wirkte sie so jung, dass man ihr niemals zugetraut hätte, dass sie schon eine erwachsene Tochter hatte.

»Ich jage auch sehr gern, aber fast ausschließlich *bécasses,* weil sie so gerissen sind – und natürlich lecker«, gestand Bruno.

»Dazu fehlt mir die Geduld – den ganzen Tag darauf zu warten, dass mein Hund einen Vogel aufscheucht, der dann so niedrig davonflattert, dass man ihn nicht erwischen kann«, entgegnete sie und betrachtete ihn mit neuem Interesse. »Außerdem, wo bleibt der Nervenkitzel? Deshalb jage ich lieber Wildschweine. Da ist nie auszuschließen, dass sie den Spieß umdrehen und selbst angreifen. Erscheint mir irgendwie fairer.«

Solche Worte aus dem Mund einer Frau zu hören überraschte Bruno. Einem Mann, der sich im Jagdverein zu einer ähnlich prahlerischen Bemerkung verstiegen hätte, wären Hohn und Spott sicher gewesen. Bruno schaute sich um. Gegenüber dem großen Sessel sah er einen alten Fernseher und an den Wänden mehrere gerahmte Fotos von Kampfflugzeugen und jungen Männern in Cockpits. Außerdem eine gerahmte, in englischer Sprache verfasste Urkunde. Bruno trat näher heran und las, dass Gilbert an einem Lehrgang an einer Jagdflugschule der *us Air Force* in Nevada teilgenommen hatte.

»Da war ich auch«, erklärte Victor stolz. »Jeder von uns hatte seine eigene Mirage, eine Maschine, die damals in den USA weitgehend unbekannt war, so dass wir unsere amerikanischen Kollegen bei den Manövern mehrmals austricksen konnten.« Er stockte. »Wir kannten uns seit vierzig Jahren. Der Gedanke, ihn nie mehr wiederzusehen, ist schrecklich.«

Längere Zeit war es still im Raum, dann sagte Bruno: »Sie kannten ihn so gut. Können Sie sich vielleicht erklären, warum er gestern Ihre Tochter belästigt hat?«

Victor zuckte mit den Achseln. »Er sagte, er müsse sie dringend in einer privaten Angelegenheit sprechen, und sie hat ihn auf einen späteren Zeitpunkt vertröstet. Gilbert war ihr Patenonkel. Vor ein paar Jahren noch standen sie sich sehr nahe. Aber als ihr bewusst wurde, dass er alkoholsüchtig war, ist sie ihm aus dem Weg gegangen. Tja, gestern Nachmittag war es ihm offenbar so wichtig, mit ihr zu reden, dass er handgreiflich geworden ist. Keine Ahnung, was er ihr sagen wollte.«

»War er verwirrt oder wütend, als Sie mit ihm zur Party gefahren sind?«

»Weder noch«, antwortete Madeleine. »Er war wie immer, frisch geduscht und rasiert und piekfein angezogen. Darauf hat er immer sehr viel Wert gelegt, ebenso wie auf seinen Vorrat an Fusel. Wer ihn nicht gut kannte, hat wahrscheinlich gar nicht gemerkt, dass er bereits betrunken war. Er hat das immer gut kaschiert. Chantal sagte, dass sie ihn für nüchtern gehalten habe. Er sei auch nicht verärgert gewesen, aber offenbar entschlossen, mit ihr unter vier Augen zu reden.«

»Haben Sie hier in den Unterlagen irgendetwas von Interesse gefunden, etwas, was ein Hinweis darauf sein könnte, worüber er mit Ihrer Tochter reden wollte?«

»Nicht wirklich. Er scheint nicht viel aufbewahrt zu haben, abgesehen von seinen Logbüchern und all dem anderen Kram, der mit seiner Fliegerei zu tun hatte. Keine Briefe, keine Fotos bis auf die an der Wand, noch nicht mal ein Adressbuch. Die für ihn wichtigen Telefonnummern hatte er wahrscheinlich in seinem Handy gespeichert, das Sie bei ihm gefunden haben.«

»Gibt es hier einen Laptop?«

»Nein, er hatte keinen eigenen Computer«, antwortete Victor. »Wenn er etwas recherchieren oder eine E-Mail verschicken wollte, ist er zu uns ins Büro gekommen. Die Anonymen Alkoholiker haben ihn immer wieder eingeladen, an ihren Treffen teilzunehmen. Genauer gesagt war es eigentlich nur einer, ein Mann namens Larignac. Er wohnt irgendwo in der Nähe von Bordeaux und war früher Mechaniker bei der Luftwaffe. Er hielt große Stücke auf Gilbert und hat alles darangesetzt, dass er trocken bleibt.«

»Nett von ihm«, sagte Bruno. »Apropos Luftwaffe … Wird es eine Beisetzung mit militärischen Ehren geben?«

Victor wirkte ganz erschrocken. »Daran habe ich noch gar nicht gedacht. Vielleicht sollte ich sein altes Geschwader anrufen oder die Jagdfliegervereinigung.«

»Er war immerhin Oberst.«

»Ja, natürlich. Ich erkundige mich.«

»Haben Sie sich schon in den anderen Zimmern umgesehen?«

»Es gibt nur noch ein Schlaf- und ein Badezimmer. Schauen Sie sich um«, sagte Madeleine und rutschte vom Schreibtisch. »Ich mache mich besser mal daran, den Kühlschrank auszuräumen und die Vorräte zusammenzupacken. Viel wird da nicht sein, Gilbert scheint ja kaum etwas gegessen zu haben. Die meisten Kalorien hat er in flüssiger Form zu sich genommen.«

Das Schlafzimmer war kahl wie eine Klosterzelle. An der Wand stand ein metallenes Einzelbett, militärisch akkurat gemacht mit so stramm gespannten Decken, dass, wenn man eine Münze darauf geworfen hätte, sie wieder hochgeschleudert worden wäre. Auf dem Nachttischchen stand nur ein Wasserkrug samt Glas. Daneben lag ein Buch mit kyrillischen Buchstaben auf dem Deckel, Gedichten, wie Bruno beim Durchblättern feststellte. Unter dem Bett lagen ein Paar Frotteepantoffeln, wie sie Gästen in teuren Hotels zur Verfügung gestellt wurden, mit einem eingestickten Wappen und dem Namenszug *Grand Hotel, Vaduz*. Bruno hatte von dem Ort noch nie gehört.

In einem kleinen Regal befanden sich neben etlichen weiteren Büchern in russischer Sprache auch einige französische Klassiker, ein paar reißerisch aufgemachte Spionageromane von Gérard de Villiers, ein französisch-russisches Wörterbuch sowie ein Stoß *Aviation Week*-Ausgaben auf Englisch. Auf dem obersten Regalbrett lagen ein Feuerzeug aus Kunststoff und ein Aschenbecher mit kleinen weißen Papphülsen, die offenbar als Mundstücke für Joints gedient hatten. Bruno steckte eine davon in eine kleine Beweismitteltüte und packte sie in seine Tasche.

Mit dem Gedichtband und dem Aschenbecher kehrte er ins Wohnzimmer zurück. »Kann einer von Ihnen Russisch lesen?«, fragte er und hielt das Buch in die Höhe.

»Ich, ein bisschen«, antwortete Madeleine. »Das da ist von Achmatowa, einer Dichterin, die Gilbert besonders geschätzt hat. Ihr Mann wurde von Stalin interniert.«

»Hat Gilbert Marihuana geraucht?«, fragte er und zeigte den Aschenbecher.

»Das sind Papirossy, russische Zigaretten«, klärte sie ihn mit einem Lächeln auf, das sie, wie Bruno fand, nur noch schöner machte. »Statt Filtern haben sie diese Mundstücke aus Pappe. Ich habe auch immer ein paar geraucht, wenn er welche davon hatte. *Belomorkanal* war seine bevorzugte Marke – Weißseekanal.«

»Wo haben Sie Russisch gelernt?«, wollte er wissen.

»Auf der Uni und in Moskau. Ich war dort mal in den langen Semesterferien Praktikantin in einer französischen Außenhandelsstelle.«

Sie nahm den Aschenbecher und leerte ihn über dem Müllbeutel aus, worauf Bruno ihn wieder mit nach oben nahm. In einem hübschen *armoire* aus Vollholz war eine Fülle von Kleidern sehr sorgfältig aufgehängt; auf Einlegeböden auf der rechten Seite stapelten sich gefaltete Hemden von Chauvet. Bruno durchsuchte sämtliche Taschen und schaute nach, wo Gilbert seine Garderobe gekauft hatte. Auf den Etiketten standen die Namen Londoner Geschäfte, die ihm nichts sagten. In den Schubladen eines Toilettentisches fand er Socken und Unterwäsche, sorgfältig zusammengelegt auf eine Weise, die für einen Mann eher untypisch war.

Sämtliche Taschen, die er durchsucht hatte, waren leer, ebenso der Koffer oben auf dem Kleiderschrank. Als Nächstes nahm sich Bruno nun Gilberts Schuhe vor, die aus kostbarem Leder und handgefertigt zu sein schienen, insgesamt vier Paar, davon zwei klassische schwarze Schnürschuhe und zwei Paar braune Slipper, die, fein säuberlich aufgereiht und mit Schuhspannern versehen, auf dem Boden des Kleiderschrankes standen.

Im Badezimmer fiel Brunos erster Blick auf einen Stapel gefalteter Handtücher und einen Kulturbeutel aus Armeebeständen. Auf einem gläsernen Bord über dem Waschbecken lagen, in Reih und Glied wie zu einer Parade angeordnet, ein Nassrasierer, ein Rasierpinsel, eine Zahnbürste, eine Tube Zahnpasta und zwei Haarbürsten mit silbernen Rücken. Ein Eau de Cologne war nirgends zu sehen, und als Seife hatte Gilbert die übliche weiße *Savon de Marseille* verwendet. Waschbecken, Duschtasse und Toilette glänzten wie gerade erst geputzt. Selbst unter der Brille war sauber-gemacht worden. Ein so sehr auf Reinlichkeit bedachter Trinker war Bruno noch nicht untergekommen. Vielleicht nahm man es bei der Luftwaffe mit dem Drill ja besonders genau, doch Bruno bezweifelte es. Er zupfte ein paar Haare aus einer der Bürsten und steckte sie in eine Plastiktüte.

Irgendetwas störte ihn, auch wenn er die Ursache nicht genau hätte benennen können. Dr. Gelletreau hatte in einer für ihn ungewöhnlichen Eile den Totenschein ausgefüllt und ein Fremdverschulden ausgeschlossen, aber als Gilberts Hausarzt wusste er es schließlich am besten. Der Bürger-meister hatte klargemacht, dass er die Angelegenheit schnell zu Ende gebracht wissen wollte, und Bruno erinnerte sich sogar noch an den genauen Wortlaut: Gewohnt diskret und effektiv werde sein Chef de police die Sache abwickeln, hatte Mangin versprochen. Verständlich, niemand wollte, dass der große Tag des Patriarchen vom Tod überschattet wurde. Chantal war jedoch nicht sicher, ob ihr Patenonkel tatsächlich betrunken gewesen war, als er sie nötigen wollte, mit ihm zu reden. Aber sie musste sich wohl geirrt haben. Bruno hatte nämlich auf den ersten Blick vom Balkon aus vermutet, dass Gilbert alkoholisiert war. Dafür sprachen seine Bewegungen, die Art, wie er die Füße gesetzt, den Kopf gehalten und an Chantal herumgezerrt hatte.

Bruno hatte noch keinen Gewohnheitstrinker kennenge-lernt, der so ordentlich gewesen war, und keinen Menschen, der so wenig an Zeugnissen und Datenspuren zurückgelassen hatte. Normalerweise gab es Notizen, Briefe, alte Rechnungen, Adressbücher, eben das, was jeder moderne Mensch in der Tasche hatte. Nicht dass Bruno Alarmglocken hätte läuten hören, wohl aber ein leises Klingeln, das ihn skeptisch machte. Auch dass statt der Polizei der Bürgermeister gerufen worden war, erschien ihm suspekt. Normalerweise riefen Gelletreau und Pater Sentout ihn immer als Ersten an.

»Ich finde nichts, was für weitere Ermittlungen von Interesse wäre«, sagte Bruno und ging durch das Wohnzimmer hindurch auf den Ausgang zu. An der Tür blieb er noch einmal stehen, drehte sich um und fragte: »Kennt jemand von Ihnen einen Ort mit Namen Vaduz?«

»Das ist die Hauptstadt von Liechtenstein, einem kleinen Fürstentum an der Grenze zwischen Österreich und der Schweiz. Früher war sie bekannt als Hauptstadt der falschen Zähne, weil dort die entsprechende Keramik hergestellt wird«, antwortete Victor.

Bruno war überrascht. »Woher wissen Sie das?«

»Ich spiele mit den Kindern Trivial Pursuit.«

»Scheint ein nützliches Spiel zu sein«, erwiderte Bruno lächelnd. »Danke für Ihre Hilfe und noch einmal: mein herzliches Beileid zum Verlust Ihres Freundes.«

Madeleine rief ihm nach: »Wegen des Mittagessens mit Marco und der Komtesse melde ich mich noch bei Ihnen.«

6

B runo fuhr nach Hause, um seine Uniform abzulegen und Balzac abzuholen. Eigentlich hätte er an diesem Tag frei gehabt, doch nun waren ihm Gilberts Tod und der Verkehrsunfall dazwischengekommen. Würde er der Stadt alle seine Überstunden in Rechnung stellen, wäre er fast so reich wie der verstorbene Colonel Gilbert, dachte er. Dafür war er noch am Leben und konnte sich an dem strahlenden Sonnentag erfreuen, den buntbelaubten Bäumen und der klaren Luft, die schon den Winter ahnen ließ. Ein perfekter Tag für einen Ausritt.

Er rief Pamela an, um sie zu fragen, ob sie Lust habe, ihn zu begleiten. Sie hatte bestimmt schon die Pferde bewegt. Das tat sie immer, wenn Bruno nicht spätestens morgens um halb acht bei ihr auftauchte. Andererseits wusste sie auch, wenn er nicht kam, war er dienstlich verhindert. Sie ging nicht an ihr Handy. Vielleicht hatte sie kein Netz, oder ihr Handy war ausgeschaltet. Als er vor ihrem Haus ankam, sah er, dass ihr Auto weg war. Im Stall schien sein Pferd Hector ebenso ungeduldig auf Bewegung zu drängen wie er selbst. Der Wallach schüttelte den Kopf und scharrte mit den Hufen. Balzac trippelte auf ihn zu und begrüßte den großen Freund, in dessen Box er schon manche Nacht verbracht hatte, eingerollt in einem Nest aus warmem Stroh.

Victoria, die ältere Stute, ignorierte Bruno und den Basset und widmete ihre ganze Aufmerksamkeit dem Heu in ihrer Krippe, wie um deutlich zu machen, dass sie sich an diesem Tag schon genug bewegt habe.

Dicht gefolgt von Balzac, trabte Bruno die Straße entlang, bremste dann ab und stieg im Schritt auf freiem Feld bergan. Pamela war vor wenigen Tagen von einer Reise nach Schottland zurückgekehrt, wo sie das Haus ihrer verstorbenen Mutter verkauft hatte. Seitdem hatten sie gemeinsam einige Ausritte unternommen, aber noch nicht miteinander geschlafen, wie schon seit Wochen nicht mehr, was selbst für ihre Verhältnisse ungewöhnlich war. Pamela war eine Frau, die streng auf ihre Privatsphäre achtete, und obwohl sie sich immer zu freuen schien, wenn sie ihn sah, hatte er den Eindruck, als lade sie ihn nie mehr allein, sondern nur noch mit anderen Gästen zum Essen ein, wonach sie ihn dann wie die anderen mit einem herzlichen »Gute Nacht« verabschiedete.

Bruno glaubte, die Zeichen lesen zu können. Vielleicht suchte sie ja ganz bewusst nach einem sanften Ausstieg aus ihrer Affäre, um sicherzustellen, dass sie Freunde und Reitpartner blieben. Nicht zum ersten Mal ärgerte er sich darüber, dass er bei Pamela gegen seine eigene Regel verstoßen hatte, sich nie auf eine Liebschaft mit einer Frau aus seinem Dienstbezirk einzulassen. Ihre Beziehung stand damit ständig unter Beobachtung, was ein Scheitern umso delikater machte. Wenn Pamela ihn manchmal nach mehreren Tagen Funkstille wiedersah, konnte sie äußerst liebenswürdig und anhänglich sein, was ihn zunehmend irritierte. Jedenfalls kam es ihm so vor, als ginge sie bewusst auf Distanz, und zwar nicht, weil sie ihn quälen wollte, sondern weil es ihr wichtig war, in der Beziehung die Oberhand zu behalten.

Jetzt aber schien sie ihm zu verstehen zu geben, dass sie sich aus der Liaison zurückzuziehen wünschte. Pamela hatte oft genug betont, dass sie keine Zukunft darin sehe und dass sie überhaupt entschlossen sei, nie wieder zu heiraten. Und Bruno war klar, dass er mit einer Frau, die ein Jahr mit ihm das Bett geteilt hatte, keine engere Verbindung würde aufrechterhalten können. Der Höflichkeit halber würde er ihr zu verstehen geben müssen, dass er sie immer noch begehrte, obwohl beiden bewusst wäre, dass keine Intimität mehr in Frage käme. Ein französischer Mann konnte gar nicht anders als jeder Frau, egal, welchen Alters, so zu begegnen, als sei sie *très charmante* und voll sinnlicher Reize.

Bruno war ein Romantiker und sich dessen wohl bewusst. Er konnte sich unmöglich mit einer Frau einlassen, ohne in sie verliebt zu sein, zumindest so sehr, dass er auch außerhalb des Schlafzimmers gern mit ihr zusammen war. Pamela gegenüber empfand er eine tiefe und innige Zuneigung, und er redete sich ein, dass es um der gemeinsamen Freundschaft und ihrer Selbstachtung willen dringend geboten sei, dass sie in Bezug auf die Zukunft ihrer Beziehung das letzte Wort behielt. Wenn sie es für nötig hielt, ein bisschen Druck aus der Verbindung zu nehmen, mochte es so sein. Unabhängig von seinen Neigungen und Wünschen, sollte Pamela davon ausgehen dürfen, dass sie diejenige war, die die Beziehung beendete. Seine Rolle würde es sein, ihren Beschluss zu akzeptieren und den Eindruck eines Mannes zu vermitteln, der leidet und dennoch Fassung bewahrt.

Als er auf seinem Pferd die Anhöhe erreicht hatte und in

das dahinterliegende Tal blickte, empfand er eine gewisse Befriedigung darin, sich endlich zu einem Entschluss durchgerungen zu haben. Er beugte sich über Hectors Nacken, tätschelte seinen Hals und fand wieder einmal bestätigt, dass er, wenn er im Sattel unterwegs war, viel klarer denken konnte. Mit sanftem Fersendruck trieb er Hector an, der von einem leichten in einen gestreckten Galopp wechselte und schließlich über den Hügelgrat zu fliegen schien. Balzac rannte, so schnell er konnte, und ließ die langen Ohren flappen, kam aber natürlich nicht mit. Immerhin war er jetzt alt genug, seinem Herrchen auf Sichtweite zu folgen. Am Waldrand angekommen, zügelte Bruno seinen Wallach und lenkte ihn auf den Pfad, der zum Steinbruch hinunterführte, wo er in den Forstweg einbog.

Als er auf Pamelas Anwesen zuritt, sah er ihren Citroën *deux chevaux* im Hof stehen. Der Wagen war älter als er selbst und als Oldtimer inzwischen mehr wert, als Pamela vor Jahren für ihn ausgegeben hatte. Als unter Hectors Hufen der Kies knirschte, kam sie zur Küchentür heraus, beugte sich über Balzac, um ihn zu begrüßen, und umarmte Bruno, sowie er vor dem Stall aus dem Sattel gestiegen war. Nachdem er seinem Pferd das Geschirr abgenommen hatte, machten sich beide wie selbstverständlich daran, ihn trockenzureiben.

»Hast du morgen deinen freien Sonntag?«, fragte sie. Er bejahte. »In der Nähe von Meyrals gibt es einen Reitstall, der zum Verkauf steht«, fuhr sie fort. »Es sollen ein paar erstklassige Pferde darin stehen, und ich dachte, dass du mir vielleicht helfen würdest, eines auszusuchen. Victoria kann das Tempo nicht mehr halten, an dem ich Freude habe.«

»Du kennst dich mit Pferden sehr viel besser aus. Ich kann dir nicht viel raten, komme aber trotzdem gern mit«, antwortete er. Wie nach jedem Ausritt gab er Hector einen Apfel zu fressen und warf eine Decke über seinen Rücken. Bruno hatte von Pamela reiten gelernt. Sie ritt sehr viel besser als er, war aber seit ihrem Unfall mit Bess, ihrem Lieblingspferd, deutlich vorsichtiger geworden. Das Tier hatte sich in einem Kaninchenbau den Vorderlauf gebrochen. Manchmal schien es Bruno, als sei Pamela ihm böse, dass er Bess daraufhin erschossen hatte, obwohl ihm keine andere Wahl geblieben war.

»Fabiola hat mir eine SMS geschickt«, fuhr Pamela fort. »Sie und Gilles kommen heute Abend zurück. Zur Feier des Tages habe ich eine Lammschulter gekauft. Würdest du sie vielleicht zubereiten, nach deinem tollen Rezept mit Monbazillac?«

»Eigentlich fehlt dafür die Zeit«, erwiderte er, war aber in Gedanken schon bei den Zutaten Rosmarin und Minze, von denen es genug im Garten gab. »Für die klassische Version braucht man zwölf Stunden, aber mal sehen, was sich machen lässt.«

»Ich habe noch geräucherte Forellen und Rettich. Außerdem könnte ich eine Apfeltarte machen. Du weißt, wo der Wein ist. Im Kühlschrank steht noch eine angebrochene Flasche Monbazillac, die du für das Lamm aufbrauchen könntest.«

Ihren Wein bewahrte Pamela in einer kleinen Höhle auf, die sie mit Brunos Hilfe unter den steinernen Stufen des Taubenturms eingerichtet hatte. Er holte einen 2011er-Weißwein vom Château Monestier La Tour für den Fisch und eine Flasche Pécharmant vom Château de Tiregand zum Lamm. Nachdem er sich im Garten mit Kräutern versorgt hatte, machte er sich schweigend neben Pamela in der Küche zu schaffen, sie rechts und er links der Spüle.

»Hat Fabiola gesagt, wann sie ankommen?«, fragte er und stellte den Weißwein in den Kühlschrank, um gleich darauf den Rotwein zu dekantieren.

»Rechtzeitig zum Aperitif, so gegen sieben. Ich schätze, wir werden so kurz nach acht essen.«

Also blieben Bruno zum Kochen nicht mehr als zwei Stunden. Er drehte Pamelas nicht immer zuverlässigen Ofen auf Stufe sechs – ungefähr zweihundert Grad – und tupfte mit etwas Küchenpapier das Lammfleisch trocken. Mit einem Messer schnitt er die Fettseite der Schulter an und stach Löcher hinein, in die er Knoblauchstifte steckte. Von zwei Zweigen Rosmarin streifte er die Nadeln ab und verstopfte damit alle Löcher. Als Nächstes goss er ein halbes Glas Monbazillac über das Fleisch, gerade so viel, dass die ganze Oberfläche befeuchtet wurde. Mit Salz und Cayennepfeffer, die er schon miteinander vermischt hatte, rieb er die Schulter ein.

Pamela bereitete unterdessen den Teig für die Tarte vor. Dass er ihr jedes Mal perfekt gelang, darüber staunte Bruno immer wieder. Seine Versuche waren allerdings auch nicht schlecht, wenn er ihren Anweisungen folgte und seine Hände in eiskaltes Wasser tauchte, um sie abzukühlen, bevor er den Teig knetete. Dennoch wurden seine Tartes am Ende nie so herrlich locker wie ihre. Sie legte den Teig in den Kühlschrank und schälte einige große grüne Äpfel aus ihrem Garten.

In der Zwischenzeit gab Bruno zwei großzügige Esslöffel Entenfett in einen Bräter und schaltete die Herdplatte darunter ein. Dann bräunte er das Fleisch ringsum an, hob es aus dem Bräter und richtete ein Bett aus Rosmarin und Knoblauch darin ein, auf das er den Braten zurücklegte, den er schließlich mit dem restlichen Süßwein begoss. Er wollte gerade den Bräter in den Ofen schieben, als Pamela eine Hand auf seinen Arm legte.

»Geben wir dem Fleisch mal einen etwas anderen Dreh«, sagte sie. »Vertrau mir, es wird gut. Meine Mutter hat's immer so gemacht.«

Neugierig sah Bruno zu, wie sie eine Flasche Worcestershiresauce zur Hand nahm und einen Esslöffel des dunklen, dicken Saftes über das Fleisch träufelte. Obwohl er wusste, dass er sich auf Pamelas Geschmack verlassen konnte und für Experimente einiges übrig hatte, kniff er skeptisch die Augen zusammen, schob dann aber beherzt den Bräter in den Ofen und stellte den Wecker. Alle fünfzehn Minuten würde er nun die Lammschulter begießen, und gegen acht wäre sie durch. Dann bliebe noch etwas Zeit, um den Braten ruhen zu lassen, während sie die Vorspeise zu sich nähmen. Er freute sich schon auf die geräucherte Forelle, zu der Pamela einen wunderbaren Meerrettichschaum zuzubereiten verstand.

Schnell hatte Bruno eine weitere Aufgabe gefunden und machte sich daran, die Kartoffeln zu schälen. Dabei erzählte er, was an diesem Tag passiert war. Er hatte geglaubt, Imogène und ihre Rehe würden Pamela mehr interessieren als Gilberts Tod.

Doch da hatte er sich geirrt. Erschrocken blickte sie von

ihrer Rührschüssel auf. »Den habe ich kennengelernt. Ein bisschen runtergekommen, aber recht attraktiv. Ein Freund von Jack Crimson. Wenn ich richtig verstanden habe, waren sie zur Zeit von Gorbatschow beide in Moskau an ihren jeweiligen Botschaften beschäftigt. Auf der Party ist er auf Jack zu, hat ihn umarmt und eine Weile mit uns geplaudert. Dann hat Jack ihn beiseitegezogen und noch ein paar Worte unter vier Augen mit ihm gewechselt. Später sah ich, wie man ihn weggetragen hat. Ich dachte noch, seltsam, wie schnell der Alkohol bei ihm anschlägt. Als er mit uns sprach, hatte er noch einen recht nüchternen Eindruck gemacht.«

»Bist du sicher?«, fragte Bruno mit einer Schärfe in der Stimme, die ihn selbst überraschte. »Entschuldige«, fuhr er fort. »Ich wollte deine Bemerkung nicht in Zweifel ziehen. Es ist nur so, dass ich von allen Seiten höre, dass er Alkoholiker war, auf den Hund gekommen. Und jetzt sagst du, dass er nüchtern war. Hältst du es für möglich, dass seine Nüchternheit nur gespielt war?«

»Nein«, antwortete Pamela. »Er unterhielt sich mit mir, mit Jack und diesem Minister aus Paris mal auf Französisch, mal auf Englisch, völlig problemlos. Und als dann auch noch der russische Botschafter zu uns kam, sprach er fließend Russisch mit ihm. Ich war schwer beeindruckt. Zwischen drei Sprachen hin- und herspringen, und zwar gehaltvoll genug, um einen Außenminister und einen Botschafter zu unterhalten, kann keiner, der betrunken ist.«

»Er hatte einen Flachmann bei sich, gefüllt mit hochprozentigem Wodka«, sagte Bruno. »Vielleicht hat er einen Schluck zu viel davon genommen.«

»Wäre mir aufgefallen, wenn er sich die Kante gegeben hätte. Und es war nicht lange nach unserem Gespräch, dass man ihn weggebracht hat. Aber erzähl mir jetzt von dieser Frau mit den Rehen. Warum ist es nicht möglich, auch gegen ihren Willen den Bestand auf ihrem Grund und Boden zu dezimieren?«

»Ich glaube, das hat politische Gründe. Weder der Präfekt noch die Richter wollen es sich mit den Tierschützern verderben. Dass man Imogène dazu verpflichtet hat, einen Zaun zu ziehen, ist wohl der Versuch, sie zum Einlenken zu zwingen.«

»Dann wird geschossen, und wir haben Wildbret für Wochen.«

»Es gibt Schlimmeres«, erwiderte er und gab die Kartoffeln in einen Topf kochendes Wasser. Die Schalen steckte er in eine Plastiktüte, um sie später an seine Hühner zu verfüttern. »Wie hat Fabiola am Telefon geklungen?«

»Sehr glücklich. Es scheint alles bestens aufzugehen.«

»Hoffen wir's.« Fabiola Stern, die junge Ärztin, die im Vorjahr nach Saint-Denis gekommen war und in der Klinik arbeitete, wohnte in einer von Pamelas *gîtes* zur Miete. Sie war für beide, Pamela und Bruno, inzwischen eine gute Freundin und Reitpartnerin. Allerdings widmete sie einen großen Teil ihrer Freizeit als ehrenamtliche Mitarbeiterin dem Frauenhaus in Bergerac. Für das andere Geschlecht hatte sie lange Zeit kein Interesse gezeigt, bis Gilles aufgekreuzt war, ein Journalist, der für die *Paris Match* arbeitete. Wie Bruno war er vor Jahren im Rahmen einer UN-Friedensmission in Bosnien stationiert gewesen, wo sich die beiden Männer auch kennengelernt hatten. Fabiola und

Gilles hatten sich ineinander verliebt, doch war ihr Verhältnis von einem Problem auf Seiten Fabiolas überschattet gewesen, über das sie nicht hatte sprechen wollen. Offenbar litt sie unter irgendeinem mysteriösen Trauma. Zusammen mit Pamela und Yveline, der Chefin der Gendarmerie vor Ort, hatte Bruno eine alte Professorin Fabiolas ausfindig gemacht und von ihr erfahren, dass Fabiola von einem Dozenten des medizinischen Instituts vergewaltigt und dass der Vorfall damals unter den Teppich gekehrt worden war. Bruno hatte daraufhin Fabiolas Vergewaltiger identifiziert und dazu beigetragen, dass dieser nun im Gefängnis saß. Erst nach diesem symbolischen Schnitt war es Fabiola nach und nach gelungen, sich Gilles zuerst emotional und dann auch körperlich zu nähern.

Fabiola mochte keine Großstädte und wollte im Périgord bleiben. Aus Liebe zu ihr hatte Gilles seine Festanstellung bei *Paris Match* aufgegeben und war nach Saint-Denis gezogen. Als Freier schrieb er immer noch für das Blatt. Außerdem hatte er einen lukrativen Vertrag mit einem Verlag abgeschlossen und arbeitete an einem Buch über den berüchtigten afghanischen Bombenbauer alias »Der Ingenieur«, der sich als minderjähriger Autist arabischer Herkunft und in Saint-Denis aufgewachsen entpuppt hatte. Den ersten Entwurf hatte Gilles bereits abgeliefert und mit Fabiola an der Küste von Arcachon gefeiert, wo sie ein paar Tage Urlaub gemacht hatten. Als sie nun Hand in Hand vor Pamelas Tür standen, war klar, dass sie die Zeit zum beiderseitigen Vorteil genutzt hatten. Fabiola strahlte, und Gilles zeigte das verträumte, entrückte Lächeln eines Mannes, der bis über beide Ohren verliebt war. Bruno merkte, dass er über das Glück der beiden vor Freude gluckste, und sah, dass auch Pamela ganz angetan war vom Anblick der Freunde.

Während des Abendessens beschäftigte ihn Gilberts Tod weiter, und er fragte Fabiola, ob es möglich war, dass ein Alkoholiker einen völlig nüchternen Eindruck machen, sich aber Minuten später kaum mehr auf den Beinen halten konnte. Jeder reagiere anders, antwortete sie, aber dass sich die Wirkung von Alkohol von jetzt auf gleich manifestiere, sei eher ungewöhnlich. Dr. Gelletreau aber sei ein erfahrener Arzt. Wenn er eine natürliche Todesursache diagnostiziert habe, wolle sie seinen Befund nicht hinterfragen. Ob er, Bruno, tatsächlich Hinweise auf ein Fremdverschulden sehe, fragte sie. Bruno schüttelte den Kopf, ahnte aber, dass ihm die Sache keine Ruhe geben würde.

7

Die Reitschule erstreckte sich auf einer Länge von gut vierhundert Metern entlang einer schmalen Landstraße. Links davon war ein großer umzäunter Sandreitplatz zu sehen, rechts Stallungen für mindestens zwanzig Pferde. Dahinter erhob sich eine hohe Scheune mit einem Anbau, in dem anscheinend das Büro untergebracht war, und mit einem Schild über der Tür, auf dem *accueil*, Rezeption, stand. Daran schloss sich eine weitläufige Koppel an, die sich zu einem stattlichen Herrenhaus aus dem 19. Jahrhundert mit einem von zwei Steinsäulen getragenen Portikus emporschwang. Die je zwei kleineren Häuser links und rechts davon wirkten wie Anbauten und waren aus demselben Stein gemauert. Ein Sprungbrett, das hinter dem Hauptgebäude zu erkennen war, ließ auf einen Swimmingpool schließen. Bruno war beeindruckt von dem Ensemble, das jedoch ziemlich heruntergekommen und verlassen wirkte. Von den Stallwänden blätterte der Anstrich, und die Fenster starrten vor Schmutz. Reiter waren nirgends zu sehen, und nur ein paar wenige Pferde streckten neugierig ihre Köpfe aus den Boxen.

»War bestimmt mal eine tolle Anlage, scheint aber nicht mehr in Betrieb zu sein – weißt du, warum sie zum Verkauf steht?«, fragte Bruno Pamela, als sie aus seinem Landrover stiegen. Sie berichtete, dass eine der beiden Eigentümerinnen, ein ehemaliger Reitstar, vor fast einem Jahr gestorben sei, und die andere, eine gewisse Marguerite, sei mit dem Betrieb und dem Darlehen, das sie hatte aufnehmen müssen, überfordert gewesen.

Die Tür zum Büro war verschlossen, und auf ihr Klingeln meldete sich niemand. Deshalb schlenderten sie zu den Ställen hinüber und musterten die Pferde, bis sie eine Frau mit einem Kopftuch im Laufschritt aus dem Herrenhaus auf sie zulaufen sahen. Sie wirkte wie Mitte sechzig, trug Reithosen und eine gesteppte Jacke. Als sie vor ihnen stand und wieder zu Atem gekommen war, grüßte sie Pamela bei ihrem Namen, gab ihnen die Hand und stellte sich als Marguerite vor. Bruno wollte sich seinerseits vorstellen, aber sie fiel ihm ins Wort: »Ah, sind Sie nicht der Chef de police aus Saint-Denis? Ich habe gehört, Sie reiten ebenfalls.«

Das Anwesen, erklärte sie, stehe seit mehreren Monaten zum Verkauf, doch es habe sich noch kein ernst zu nehmender Interessent blicken lassen. Um die laufenden Kosten decken zu können, verkaufe sie die Pferde einzeln. Er zuckte mit den Schultern und murmelte »*La crise*«, womit er die Rezession meinte, die dem Land seit einem halben Jahrzehnt zu schaffen machte.

»Allein kann ich die Arbeit nicht bewältigen, und für Helfer fehlt mir das Geld«, fuhr sie fort. »Was die Preise angeht, lasse ich mit mir handeln, vorausgesetzt, die Tiere kommen in die richtigen Hände.«

»Ich bin nur an einem Pferd interessiert«, erwiderte Pamela mit hörbarem Mitgefühl in der Stimme. »Es ist wunderschön hier. Sie haben aus diesem Stück Boden ein prächtiges Anwesen gemacht.«

»Wir waren lange Zeit sehr glücklich hier. Vor wenigen Jahren wurde der Grundbesitz noch auf über eine Million geschätzt, aber diese Summe werde ich wohl nicht annähernd dafür bekommen. Es schmerzt sehr, daran zu denken, wie viele Jahre und wie viel Arbeit Dominique und ich in diesen Hof investiert haben ...« Sie biss sich auf die Unterlippe und rang sichtlich um Fassung. »Notfalls verkaufe ich alles Stück für Stück, die Pferde, das Land, die *gîtes*, das Haus. Es geht wohl nicht anders.«

»Vielleicht sollten wir uns jetzt einmal die Pferde ansehen«, meinte Pamela freundlich. »Am Telefon haben wir uns über Ihre *Selles Françaises* unterhalten. Für diese Zucht habe ich einiges übrig. Sie sprachen von einer Stute, fünfjährig.«

»Ja, wir nennen sie Primrose. Sie ist hier zur Welt gekommen. Allerdings muss ich hinzufügen, dass keines unserer Tiere von Duchesse abstammt, der Stute, mit der Dominique an den Olympischen Spielen teilgenommen hat. Wir mussten deren Nachkommen allesamt verkaufen.«

Marguerite führte sie durch die Stallgasse und nannte alle Pferde beim Namen. Bruno bemerkte, dass die meisten Türen neu gestrichen werden mussten und einige so aussahen, als seien sie nicht mehr zu reparieren. Im Dach fehlten mehrere Ziegel. Die Boxen aber waren mit frischem Stroh eingestreut, die Tränken sauber, und der Hof vor den Ställen glänzte immer noch feucht, weil er am Morgen abgespritzt worden war.

»Wenn Sie ein gutes, kräftigeres Pferd wünschen, könnte ich Ihnen unser Niederländisches Warmblut empfehlen«, sagte Marguerite. Sie führte Primrose nach draußen und wandte sich an Bruno. »Er heißt Rudi. Ich hole ihn gern her. Vielleicht wollen Sie gemeinsam eine kleine Runde drehen. Rudi müsste sich ohnehin noch etwas bewegen. Er ist gutmütig, Sie werden keine Probleme mit ihm haben.«

Nacheinander führte sie beide Pferde am Halfter durch den Hof. Pamela und Bruno machten sich gleich beliebt, indem sie Karotten verfütterten und den Tieren die langen Hälse tätschelten. Mit geübtem Auge begutachtete Pamela Zähne, Beine und Hufe. Dann sattelten sie beide Pferde und führten sie auf den Reitplatz hinaus. Marguerite ließ das Gatter offen stehen und lud sie ein, auch die Koppel zu nutzen. Sie galoppierten bis zur Hügelkuppe hinauf und warfen einen Blick auf das Haus, wo sie neben dem leeren Swimmingpool einen halb zugewucherten Tennisplatz entdeckten. Auf der anderen Seite des Hügels schloss eine weitere Koppel mit einem Dutzend Hindernissen an, die ebenfalls einen Anstrich nötig hatten. Pamela ließ Primrose über zwei kleine Oxer springen, hielt am Rand eines hübschen Obstgartens an und forderte Bruno auf, dass sie die Pferde tauschten.

»Was will sie für die *Selle*?«, fragte er.

»Siebentausend. Ein gutes Pferd, aber ohne nennenswerten Stammbaum. Ich biete ihr höchstens viertausend. Was hältst du von dem Warmblut?«

»Ich habe von dieser Rasse noch nie etwas gehört. Der Name passt jedenfalls zu ihm«, sagte Bruno und kraulte Rudis Nacken. »Er ist stark und hat viel Energie und will immerzu galoppieren. Vielleicht lässt er sich nicht führen.«

Pamela deutete in die Zweige der Apfelbäume. »Was ist das?«

Sie ließen die Pferde näher herantreten und sahen zu ihrer

Verwunderung, dass in jedem Baum ein kleines Kunststoffnetz hing, gefüllt mit Eierschalen. Sie tauschten die Pferde und ritten zum Gehöft zurück, wo Marguerite hoffnungsvoll auf sie wartete.

»Siebentausend sind mir zu viel, zumal ich nicht vorhabe, Wettkämpfe zu bestreiten«, sagte Pamela geradeheraus. »Aber vorher habe ich eine Frage zu Ihren *gîtes*. Vermieten Sie sie?«

»Ja, jeden Sommer. Nach Dominiques Tod hat mich das über Wasser gehalten.«

»Sind sie gut belegt?«, fragte Pamela weiter. Sie redete beiläufig, aber Bruno merkte ihr an, wie aufmerksam sie war. Der leicht zur Seite geneigte Kopf hieß bei ihr, dass sie hoch konzentriert einen Gedanken verfolgte.

Marguerite schüttelte den Kopf. »In diesem Jahr leider nicht. Der Swimmingpool hat ein Leck, und mir fehlt das Geld für eine Reparatur. Deshalb muss ich Primrose ja auch verkaufen. Die Ferienwohnungen lassen sich nur vermieten, wenn ich den Gästen auch einen Swimmingpool anbieten kann.«

»Für die *Selle* gebe ich Ihnen viertausend. Mehr nicht. Wir könnten noch diese Woche handelseinig werden. Mein Tierarzt müsste sich nur vorher die Stute ansehen«, erklärte Pamela entschieden. »Aber wenn Sie mir gestatten, einen Blick in Ihre Bücher zu werfen, würde ich Sie mit einem Freund bekannt machen, der möglicherweise an dem ganzen Anwesen Interesse hätte, vorausgesetzt, der Preis stimmt.«

»Es kommen gleich noch andere Leute, die sich die Pferde ansehen wollen, und dann unterrichte ich eine Reitklasse. Wenn Sie am Nachmittag wiederkommen, könnten wir die Bücher durchgehen. Wie wär's mit fünftausend für die Stute? Für weniger möchte ich sie nicht abgeben, denn sie ist mein Lieblingspferd.«

»Dann muss ich passen. Aber schauen wir uns Ihre Bücher an. Danach können wir uns noch einmal über den Preis unterhalten. Übrigens«, fügte Pamela hinzu. »Warum hängen in Ihren Apfelbäumen Eierschalen?«

»Das ist ein altes Hausmittel gegen Schädlinge. Hält einer wissenschaftlichen Überprüfung wahrscheinlich nicht stand, aber es scheint zu helfen. Dominique wusste viel über solche Hausmittelchen.«

Kurz nachdem sie die Reitschule verlassen hatten, saßen Pamela und Bruno auf der Terrasse von Laugérie Basse, dessen hoher Fels sich über einen *abri* wölbte, in dem schon in der Jungsteinzeit Menschen gewohnt und Auerochsen in den Stein geritzt hatten. Das Restaurant war ein Familienbetrieb und sehr beliebt, weil man hier üppige Portionen zu kleinen Preisen bekam. Während der Jagdsaison war Bruno einmal pro Woche mit seinem Jagdverein zu Gast, und dann nahmen sie unter dem überhängenden Felsen ihre Mahlzeit ein wie die Ureinwohner vor fünfzehntausend Jahren.

»Wenn ich diese *gîtes* auf Vordermann brächte, könnten sie rund hunderttausend im Jahr einbringen«, sagte Pamela und zeigte ihm eine Rechnung über mögliche Mieteinnahmen, die sie in ihrem Notizblock aufgestellt hatte.

»Davon gehen Steuern und die Kosten für Reinigung, Reparaturen, Unterhalt und Werbung ab«, sagte Bruno. »Günstigstenfalls bleiben vierzigtausend übrig, vorausgesetzt, die Wohnungen sind durchgehend von Ostern bis Ende Oktober belegt. Was mir eher unwahrscheinlich vorkommt. Um den Betrieb am Laufen zu halten, braucht man ein Vermögen. Für die Ställe mindestens zwei Vollzeitarbeitskräfte, eine Aushilfe für die Reitschule und Reinigungspersonal in den Sommermonaten. Deine Einnahmen aus Pacht und Vermietung wären damit schon aufgebraucht. Und das Futter und die Tierarztrechnungen sind noch gar nicht eingerechnet.«

»Also *ich* würde den Laden wieder in Schwung bringen«, entgegnete sie und nippte an ihrem Rosé. »Dafür braucht man Geschäftssinn, und den hat Marguerite nicht. Sie erzählt uns, was sie sich alles nicht leisten kann. Im Stillen habe ich jedes Mal ein paar tausend vom Preis abgezogen.«

»Mir scheint, sie ist überarbeitet, müde und deprimiert. Offenbar trauert sie immer noch um die tote Partnerin«, sagte Bruno. Dass er an Pamelas rücksichtslosem Geschäftsgebaren Anstoß nahm, behielt er für sich.

»Für mein eigenes Anwesen würde ich einen guten Preis bekommen«, fuhr sie fort. »Und mit dem Geld aus dem Verkauf des Hauses meiner Mutter hätte ich genügend Barmittel *und* ein gutes Polster. Ich würde ein paar Pferde dazukaufen und Ponys für Kinder. Die Pferde, die wir uns nicht mehr angesehen haben, scheinen recht alt und verbraucht zu sein, genau wie die ganze Anlage.«

»Die Risiken müssten dir bekannt sein, und du weißt, wie viel harte Arbeit zu investieren wäre.« Bruno lehnte sich zurück, als die *rillettes de canard* zusammen mit einem Korb voller Brot und einer Schale Cornichons serviert wurden.

»Die Risiken würde ich nicht allein tragen.« Sie nahm sich von den Rillettes und schenkte beiden Wasser ein. »Dass der Reithof zum Verkauf steht, weiß ich von Jack Crimson.

Er sagte, wenn ich daran interessiert sei, würde er gern als Anteilseigner in das Unternehmen mit einsteigen.«

Bruno legte sein Messer ab. Er sah sie an und wollte sie gerade daran erinnern, dass es Gründe dafür gab, dass viele Reitschulen in der Region schließen mussten, hielt sich aber im letzten Moment zurück. Immerhin war es ihre Angelegenheit und ihr mütterliches Erbe. Pamela begegnete seinem Blick, und ihre Stimme klang betont beiläufig, als sie hinzufügte: »Jack meint, es könnte ein sehr gutes Geschäft sein.«

Bruno staunte. Er mochte Jack und zählte ihn zu seinen Freunden, obwohl es ihn anfangs irritiert hatte zu erfahren, dass der pensionierte Staatsbeamte für den britischen Geheimdienst gearbeitet hatte. Freunde waren sie geworden, als in sein Haus eingebrochen worden war und Bruno die gestohlenen Wertgegenstände hatte sicherstellen können. Crimson, ein gutaussehender Endsechziger, war Witwer. Seine Frau war kurz nach dem Umzug nach Saint-Denis gestorben. Er schien recht vermögend zu sein, denn so manche regionale Wohlfahrtseinrichtung wurde von ihm mit großzügigen Spenden bedacht. Wenn er sich tatsächlich schon mit Pamela über Investitionen unterhalten hatte, war sie nun nicht nur eines Pferdes wegen mit ihm, Bruno, zu diesem Reiterhof gefahren.

»Er ist ein anständiger Kerl und durchaus geschäftstüchtig. Wenn er meint, es lohne sich, hat er wahrscheinlich recht«, erwiderte Bruno und dachte zurück an eines seiner Abendessen, als er Jack und Pamela einander vorgestellt hatte. »Ich wusste gar nicht, dass du ihn so gut kennst.«

»Wir kommen beide von der Insel«, sagte sie ausweichend und blickte auf ihren Teller. »Er wusste, dass ich nach einem Pferd suche, und hat mich in einer E-Mail auf dieses Anwesen aufmerksam gemacht. In London, während eines Dinners mit seiner Tochter Miranda, haben wir uns näher darüber unterhalten. Jack will sie geschäftlich einspannen und ihr mit den Kindern zu einem neuen Start verhelfen. Sie hat eine Scheidung hinter sich, die offenbar sehr unangenehm war. In der Hinsicht haben wir etwas miteinander gemeinsam.«

Bruno schluckte. Von diesem Dinner in London hörte er gerade zum ersten Mal. »Will Jack aktiv in das Unternehmen einsteigen oder nur investieren?«

»Das ist noch offen, aber mit Pferden hat er eigentlich nicht viel im Sinn.« Sie legte ihr Besteck ab und sah ihm ins Gesicht. »Er hat wohl erkannt, dass ich eine neue Herausforderung brauche, etwas, für das ich mich engagieren kann. Mit nur zwei Ferienwohnungen, von denen eine an Fabiola dauervermietet ist, bin ich ziemlich unterfordert. Nach dem Tod meiner Mutter habe ich mich gefragt, ob ich mit meinem durchaus angenehmen, aber sehr überschaubaren Leben wirklich glücklich bin, und ich fand, dass mir ein etwas ehrgeizigeres Projekt guttäte. Noch habe ich die Kraft dazu, und der Reiterhof wäre ein solches Projekt. Mit *gîtes* kenne ich mich aus, ich liebe Pferde und hätte hier die ideale Möglichkeit, beides, Kenntnisse und Neigung, unternehmerisch zu kombinieren.«

»Mir scheint, du hast dich schon entschieden«, sagte Bruno und nahm Messer und Gabel zur Hand. Wenn Pamela eine so wichtige Veränderung in ihrem Leben zu vollziehen bereit war, würde für sie wahrscheinlich auch ein Wechsel in ihrem Liebesleben anstehen. Damit war zu rechnen gewesen, und obwohl es ihn traurig stimmte, spürte er doch auch so etwas wie Erleichterung.

»Ich bin entschlossen, etwas Neues zu wagen«, erklärte Pamela. »Ich glaube, ich habe dir davon erzählt, dass ich mit Florence über die Möglichkeit gesprochen habe, Englischkurse für Erwachsene am *collège* zu geben. Aber etwas mit Pferden zu unternehmen ist mir wohl doch lieber.«

»Dann wäre diese Reitschule genau das Richtige. Ich bin sicher, du würdest Erfolg damit haben.«

»Glaubst du wirklich?«, fragte sie, und ihre Augen strahlten. Die leeren Vorspeisenteller wurden abgeräumt. Stattdessen kamen großzügige Portionen gebackenen Hähnchens und *petits pois* mit Karotten auf den Tisch. »Aber dann bliebe uns wahrscheinlich weniger Zeit füreinander.«

»Wahrscheinlich. Aber morgens und abends käme ich ja immer noch, um die Pferde zu bewegen. Apropos, da du dich demnächst geschäftlich engagieren willst, sollte ich vielleicht schon einmal damit anfangen, Boxenmiete für Hector zu bezahlen.«

»Sei nicht albern«, entgegnete sie. »Ich sehe allerdings ein paar Probleme für die morgendlichen Ausritte voraus, wenn mehrere Pferde bewegt werden wollen.«

»Du solltest genügend Schüler haben, die das für dich übernehmen«, erwiderte er. »Womöglich wirst du Fabiola und mich dann nicht mehr brauchen.«

»Das erinnert mich …«, sagte sie und richtete sich auf. »Fabiola schwärmte heute Morgen noch von deinem Lammbraten. Es ist schön, sie und Gilles so glücklich zu sehen. Fabiola sagte, sie hätten wunderschöne Tage verlebt, bei prächtigem Wetter und köstlichen Austern.«

Bruno lächelte. Fabiola, die tüchtige Ärztin, und Gilles, der Publizist, passten bestens zueinander. Er war leidenschaftlich an nationaler Politik interessiert, pflegte aber gleichzeitig einen trockenen Humor, den Bruno besonders an ihm schätzte. Sein eigenes Interesse an Politik war auf die Angelegenheiten seiner Kommune und des Départements begrenzt, gleichwohl hörte er Gilles sehr gern zu, wenn der seine Ansichten zum Besten gab. Es war neu für Bruno, einen engen männlichen Freund zu haben, der nicht auf die Jagd ging, keinen Sinn für Rugby oder andere Sportarten hatte und die meiste Zeit lesend oder vor seinem Laptop verbrachte. Auch in dieser Hinsicht war er ein guter Partner für Fabiola, deren Radio immer auf den Kanal *France Culture* eingestellt war und deren Lieblingslektüre, von medizinischen Fachzeitschriften abgesehen, *Le Monde diplomatique* zu sein schien. Nach dem Bürgermeister waren die beiden die ersten Intellektuellen, die er näher kennengelernt hatte.

Als sie den Nachtisch – *crème brûlée* – gegessen hatten, bestellten sie Kaffee und genossen die Aussicht vom hohen Fels über das Tal der Vézère. Bruno fragte sich, ob dies wohl das letzte Mal gewesen war, dass sie in diesem Jahr im Freien hatten essen können.

»Soll ich dich zum Reiterhof zurückbringen?«, fragte er.

Sie schüttelte den Kopf. »Ich werde wahrscheinlich mehrere Stunden dort bleiben, über den Büchern sitzen und mir ein Bild davon machen, was alles angepackt und wie viel Geld investiert werden muss. Wenn du mich bitte bei mir zu Hause absetzen würdest, ich fahre dann selbst zurück. Ich will mir die *gîtes* und das große Haus gründlich ansehen.

Auf den ersten Blick erscheint es mir für mich allein zu groß. Vielleicht könnte ich in einer der Ferienwohnungen mein Quartier aufschlagen und alles andere vermieten. So große Häuser werden als Urlaubsdomizile immer nachgefragt. Ich halte dich auf dem Laufenden.«

8

Obwohl ihm der Ort vertraut war, hielt Bruno vor dem Anwesen an und bewunderte Jack Crimsons Haus am anderen Ende der mit Kies bestreuten und auf beiden Seiten von Obstbäumen flankierten Zufahrt. Es war ein kleines Herrenhaus der Art, die man neuerdings als *gentilhommière* bezeichnete. Nach eigenem Bekunden hatte sich Crimson für diese Immobilie entschieden, weil sie ihn an die georgianischen Landhäuser seiner Heimat erinnerte, auch wenn es sehr viel kleiner war. Auf zwei steinernen Säulen ruhte ein hübsches Vordach über dem Eingang. Links und rechts davon verteilten sich auf der Fassade jeweils zwei französische Fenster und darüber fünf Mansardenfenster. Die symmetrische Anordnung hatte eine wohltuend einladende Wirkung, ebenso das mit alten honigfarbenen Ziegeln gedeckte Dach. Ein paar spätblühende Rosen sorgten für rosa und gelbe Farbtupfer.

Balzac bellte freudig, trippelte die Auffahrt entlang und schnupperte an dem einen oder anderen Baum, bevor er sich für einen Kirschbaum entschied, an dem er sein Bein hob. Dann lief er auf das Haus zu und erreichte den Eingang genau in dem Moment, in dem Crimson die Tür öffnete. Er bückte sich und streichelte den Hund, den er schon als Welpen gekannt hatte.

»Meine Lieben, wie schön, euch zu sehen. Bruno, Sie kommen gerade richtig für einen *p'tit apéro*«, grüßte Crimson, der wie immer aussah wie soeben einem englischen Lifestyle-Magazin entstiegen, mit breitem Lächeln. Die grauen Haare waren akkurat gescheitelt, die Falten seiner beigen Freizeithose präzise gebügelt, das karierte Hemd trug er am Hals offen und um die Schultern einen gelben Kaschmir-Sweater. Die braunen Halbschuhe glänzten frisch poliert.

»Ein Glas Scotch, Ricard oder Wein? Ich glaube, es ist noch warm genug, dass wir es uns draußen bequem machen können. Balzac kann sich unterdessen im Garten vergnügen.«

Auf der Terrasse mit Blick über einen sorgfältig gepflegten Rasen und das Tal der Vézère ließ sich Bruno ein kleines Glas schottischen Whisky der Marke Balvenie einschenken, die Crimson zu bevorzugen schien. Der murmelte etwas von einem Bouquet, das es zu befreien gelte, und füllte das Glas mit einem Schuss Wasser auf. Schließlich prostete er seinem Gast mit dem Wort *Slange* zu, was Bruno auf französische Art mit *Chin* quittierte.

»Dass ich hier bin, hat einen dienstlichen Grund«, sagte Bruno. »Wie Sie vielleicht gehört haben, ist einer der Gäste der Geburtstagsfeier des Patriarchen später am Abend gestorben. Gilbert Clamartin.«

Crimson, der gerade sein Glas zum Mund geführt hatte, zuckte unwillkürlich zusammen. »Gilbert? Tot? Das wusste ich nicht. Was ist passiert?«, fragte er sichtlich bestürzt.

»Er war sehr betrunken und starb im Schlaf. Anscheinend musste er sich übergeben und ist erstickt. Der Arzt schließt Fremdverschulden aus.«

»Der gute alte Gilbert ... Ich wusste, dass er zu viel trinkt, aber als ich ihn auf der Party sah, war er gut drauf und kein bisschen betrunken.«

»Sind Sie sicher?«

»Absolut. Er hat von einer Sprache in die andere gewechselt – Französisch, Englisch, Russisch –, spielend wie immer. Kein bisschen genuschelt. Im Gegenteil, er war in Hochform, charmant, geistreich, witzig. Noch am selben Abend ist er gestorben, sagen Sie? Wissen Sie, wann die Beisetzung stattfindet?«

»Nein, noch nicht, aber sobald ich etwas höre, gebe ich Ihnen Bescheid. Aber ... Ist Ihnen auf der Party eine kleine Störung aufgefallen, etwa ein Stimmungsumschwung, Bewegungen in der Menge?«

»Nein, dafür habe ich mich zu gut amüsiert, jedenfalls bis zu dem Moment, als die verflixten Flieger am Himmel auftauchten. Und ich dachte immer, es gäbe die Flugverbote! Von welcher Störung sprechen Sie?«

»Gilbert soll eine junge Frau, Victors Tochter, bedrängt haben. Victor und ein paar andere sind dazwischengegangen und haben ihn weggeführt. Zu diesem Zeitpunkt stand er schon nicht mehr sicher auf den Beinen. Dabei hatte ich ihn erst kurz vorher im Gespräch mit Ihnen, mit Pamela und dem Außenminister gesehen, und da machte er nicht den Eindruck, als ob er betrunken wäre.«

»Verstehe«, sagte Crimson. »Ich hab ihn aus den Augen verloren, als sich unser gemeinsamer Freund, der Brigadier, zu uns gesellt hat.«

Als einen gemeinsamen Freund hätte Bruno den Brigadier nun nicht bezeichnet. Dafür war der Rangunterschied zwischen ihm und dem führenden Offizier des französischen Geheimdienstes zu groß, der enge Kontakte zum Innenministerium unterhielt und dessen Aufgabenbereich die Polizei- und Sicherheitsdienste Frankreichs zu überschneiden schien. Manchmal zog er Brunos Mithilfe heran, wenn es im Périgord Probleme politischer oder diplomatischer Art zu klären gab. Plötzlich erinnerte sich Bruno, dass auch der Brigadier mit Vorliebe Balvenie trank. Vielleicht hatte ja Crimson ihn auf den Geschmack gebracht.

»Kannte der Brigadier Gilbert?« Schon als er die Frage stellte, überfiel Bruno ein ungutes Gefühl. Sooft der Brigadier ins Spiel kam – für gewöhnlich über einen Brief des Ministers an den Bürgermeister –, musste sich Bruno darauf gefasst machen, an ihn ausgeliehen zu werden. Und sich zu weigern war zwecklos, da er immer noch auf der Reserveliste der französischen Armee stand und jederzeit im Ernstfall zwangsverpflichtet werden konnte.

»Anzunehmen. Man wird nicht Militärattaché in Moskau, ohne die wichtigsten Vertreter des eigenen Geheimdienstes zu kennen.« Wahrscheinlich hatten sich die beiden so kennengelernt, vermutete Crimson. Was womöglich auch erklären würde, warum Gilberts Militärakte unter Verschluss blieb, dachte Bruno.

Als Gorbatschow im Kreml saß, war Crimson als Mitarbeiter der britischen Botschaft in Moskau sehr daran interessiert gewesen, Gilberts Bekanntschaft zu machen, da dieser beste Kontakte zur sowjetischen Luftwaffe unterhalten hatte. Er hatte Crimson schließlich auch dem Patriarchen vorgestellt, und zwar während einer seiner berühmten Partys in seiner Wohnung am Arbat, einer der ältesten und vornehmsten Straßen im Zentrum Moskaus. Das Apartment war sehr viel prächtiger als das, was einem Soldaten im Range Gilberts zugestanden hätte, weshalb Crimson vermutete, dass sich der Patriarch für ihn, Gilbert, starkgemacht hatte.

»Der Patriarch wurde vom sowjetischen Militär wie ein Gott verehrt, weil er auf dem Marsch nach Berlin an dessen Seite gekämpft hatte«, führte Crimson weiter aus. Marschall Achromejew, stellvertretender Generalstabschef der Sowjetarmee und der letzte noch dienende Soldat, der mit seinem Panzer 1945 in Berlin eingerückt war, war besonders eng mit dem Patriarchen befreundet gewesen. Jedenfalls hatte der Patriarch Gilberts Weg nach Moskau geebnet und ihn dem Marschall als Fliegerkollegen und engen Freund seines Sohnes vorgestellt.

»Moskau war zu der Zeit der Hotspot schlechthin«, sagte Crimson. »Gorbatschow zerlegte das alte Sowjetsystem, seine Glasnost bescherte der Presse tagtäglich die erstaunlichsten Enthüllungen. Und im Fernsehen und in Versammlungen kamen Dinge zur Sprache, wie man sie bis dato nie gehört hatte.«

Westliche Diplomaten seien fasziniert gewesen, fuhr Crimson fort, aber auch auf der Hut, weil vom eigenen Sicherheitspersonal in Habachtstellung gebracht und noch unter dem Einfluss des Kalten Krieges. Davon aber habe sich Gilbert nie irritieren lassen, sagte Crimson, was einer der vielen Gründe dafür gewesen sei, warum er ihn mochte.

»Gilbert war, wie gesagt, sehr charmant und gesellig. Er hatte wahrscheinlich mehr russische Kontakte als jeder andere westliche Diplomat in Moskau. Jewgeni, der russische

Sohn des Patriarchen, war damals als Bühnenbildner am Tschaika-Theater beschäftigt. Er stellte Gilbert den Künstlern und Theaterleuten vor, die die neuen Freiheiten genossen, und über sie fand er auch Aufnahme in der sowjetischen Elite.«

»Wie war das möglich?«, fragte Bruno. »Ich dachte, beide Welten seien weit voneinander entfernt, vor allem in Moskau.«

Crimson grinste. »Merken Sie sich die erste Regel der Diplomatie, Bruno. In jeder Gesellschaft, nicht zuletzt in einer kommunistischen, versteht sich die herrschende Klasse als Pflegerin der Künste, der Oper und des Balletts, der Symphoniekonzerte und des Theaters. Zumindest verstehen sich so die Gattinnen der mächtigen Männer. Sie möchten den kultivierten Kreisen und der Intelligenzija angehören. Lassen Sie sich mal auf eine Künstlerparty in eine Datscha am Stadtrand einladen, und Sie werden schon bald Bekanntschaft mit den Söhnen und Töchtern der Nomenklatura machen!«

»Der Nomenklatura?«

»Die Parteielite, für die Mitglieder des Zentralkomitees und der Regierung einschließlich ihrer Ratgeber, der Zeitungsherausgeber und Direktoren großer Staatsbetriebe. Gilbert kannte bereits etliche Spitzenmilitärs, als er nach Moskau ging, wo er in kürzester Zeit bestens vernetzt war und mitbekam, was in höchsten Kreisen getuschelt wurde. Ich habe mich ihm angeschlossen, die Ohren gespitzt und viel in Erfahrung gebracht, obwohl Gilbert immer sehr diskret war, besonders was seine Techtelmechtel mit einflussreichen Frauen anging. Wie gesagt, er war charmant, sah gut aus und trat sehr selbstbewusst auf. Damit kam er nicht nur bei den Frauen an, auch Männer fühlten sich wohl in seiner Gesellschaft.«

»Sind Sie auch später noch miteinander befreundet geblieben?«

»Allerdings, auch wenn wir uns nicht mehr so oft gesehen haben. Die gemeinsame Zeit in Moskau war sehr verbindend.« Crimson schenkte nach. »Ich wusste von seinem Alkoholproblem und auch davon, dass man ihm nicht unbedingt anmerkte, wenn er betrunken war. Auf der Party des Patriarchen war er entweder nüchtern oder entschlossen, sich seine Trunkenheit nicht anmerken zu lassen. Ist doch seltsam, oder?«

»Das heißt, Sie halten es für unwahrscheinlich, dass er sich nach der Begegnung mit Ihnen so schnell hat volllaufen lassen, dass er schon wenig später die Kontrolle über sich verloren hat?«

»Ich weiß nicht, wann man ihn weggebracht hat.«

»Kurz vor dem Schauflug des Geschwaders.«

»Das wären ungefähr zehn, höchstens fünfzehn Minuten nach unserem Gespräch gewesen. In dem Fall hätte er eine Unmenge Schnaps in sich hineingießen müssen.«

»Er hatte einen großen Flachmann bei sich, ein englisches Fabrikat, doppelt so groß wie herkömmliche Flaschen dieser Art.«

»Herrje«, platzte es aus Crimson heraus. Er grinste. »Den hatte er von mir. Ein Weihnachtsgeschenk, als wir noch in Moskau waren. Es rührt mich, dass er das alte Ding aufbewahrt hat. Wenn das die Todesursache ist, habe ich mich wohl der Beihilfe schuldig gemacht. Eine Schande ist das, im Ernst, er war ein guter Mann.«

»Haben Sie ihn hier öfter gesehen, nachdem Sie hergezogen sind?«

»Von Zeit zu Zeit haben wir zusammen mittaggegessen. Und ich habe ihn auch zu allen meinen Gartenpartys eingeladen. Letztes Jahr auch. Schade, dass Sie ihn nicht kennengelernt haben, Sie waren doch auch da. Allerdings konnte ich ihn nie zu einem Glas Whisky überreden wie Sie. Gilbert trank ausschließlich Wodka.« Crimson legte eine kurze Pause ein. »Warum wollen Sie das eigentlich alles wissen, Bruno? Glauben Sie, dass an der Sache etwas faul ist?«

»Ich weiß nicht.« Bruno schüttelte den Kopf. »Ich habe mit eigenen Augen gesehen, dass er betrunken war, und so, wie er später tot dalag, kann kaum ein Zweifel darüber bestehen, wie er ums Leben gekommen ist. Nur mit dem zeitlichen Ablauf komme ich nicht klar. Wie konnte er sich so schnell betrinken?«

Crimson zuckte mit den Schultern. »Bei Alkoholikern soll das durchaus üblich sein: Sie erscheinen vollkommen nüchtern und sind von einem Moment auf den anderen sternhagelvoll.«

»Möglich«, erwiderte Bruno und fragte sich, warum nicht auch Crimson Bedenken hatte, was die Todesumstände betraf. Schließlich war Gilbert ein guter Freund gewesen. Erklärte Crimsons Hintergrund vielleicht seinen Mangel an Interesse? Es wunderte Bruno, dass er der Einzige war, der Gilberts Tod hinterfragte. Er nippte an seinem Glas und schwankte, ob er ansprechen sollte, was ihn sonst noch beschäftigte, oder nicht, rang sich aber schließlich dazu durch und sagte: »Sie lieben Pferde? Pamela ließ durchblicken, dass Sie an dieser Reitschule interessiert sind.«

Crimson verzog das Gesicht zu einem Lächeln. »Darauf hatte ich schon gewartet. Möchten Sie prüfen, ob meine Absichten im Hinblick auf Ihre Pamela auch wirklich ehrbar sind?«

»Sie ist nicht *meine* Pamela. Sie ist eine unabhängige Frau«, antwortete Bruno schärfer als beabsichtigt. In milderem Tonfall fuhr er fort: »Und nein, prüfen wollte ich Sie schon gar nicht. Ich würde einfach nur gern wissen, aus welchem Grund Sie glauben, dass ausgerechnet Pamela Erfolg haben könnte mit einem Reiterhof, den seine jetzige Besitzerin nicht mehr halten kann, obwohl ihr bis vor kurzem eine anerkannte Fachfrau zur Seite gestanden hat, eine Olympiareiterin.«

»Nicht ein Grund – zwei Gründe. Erstens weiß Pamela, dass ein solches Anwesen am besten als touristisches Unternehmen geführt wird, als Vermietgeschäft, dem zufällig eine Reitschule angeschlossen ist. Sie investiert also nicht viel Geld in teure Pferde. Zweitens habe ich eine Tochter, die kürzlich geschieden wurde und schon immer davon geträumt hat, einen Reiterhof zu führen. Sie war schon als kleines Mädchen verrückt nach Pferden und hat vor ihrer Heirat auf mehreren Gestüten gearbeitet. Es wäre für sie und ihre Kinder ein neuer Start.«

»Sie haben sich zu dritt darüber ausgetauscht?« Aha, dachte Bruno, dann waren Pamelas Pläne ja schon richtig weit gediehen. Und er hatte geglaubt, dass sie nur an einem neuen Pferd interessiert gewesen sei und sich erst dann Gedanken um den Hof gemacht hatte!

»Ja, wir haben zusammen zu Abend gegessen, als sie unterwegs nach Schottland einen Zwischenstopp in London eingelegt hat. Meine Tochter und sie haben sich auf Anhieb gut verstanden, und Miranda freut sich darauf, in Frankreich zu leben. Die Kinder sind fünf und sieben, ein Junge und ein Mädchen, in einem guten Alter, um sie zweisprachig aufwachsen zu lassen. Und ich würde sie öfter sehen. Ich plane nämlich, mehr Zeit hier im Périgord zu verbringen.«

»Sie scheinen schon alles gründlich durchdacht zu haben. Hat sich Ihre Tochter schon vor Ort umgesehen?«

»Nein, aber sie will übers Wochenende kommen, sobald Pamela die Bücher geprüft hat – und wenn sie dann immer noch interessiert ist. Und ich möchte eine Dinnerparty für sie geben. Auch Sie sind herzlich eingeladen, ebenso Fabiola und Gilles.« Er hob die Flasche in die Höhe. »Noch ein Schlückchen? Apropos Dinner, ich habe eine Lasagne im Ofen, die eigentlich zu viel für mich ist. Würden Sie mir einen Teil davon abnehmen, oder haben Sie andere Pläne?«

»Sehr freundlich von Ihnen. Ich hatte mich eigentlich auf einen ruhigen Abend mit einem Omelett und einem Buch eingestellt, aber Ihr Angebot erscheint mir verlockender.«

»Dann decke ich jetzt den Tisch. Sie könnten in den Keller gehen und zwei gute Flaschen aussuchen. Übrigens, wenn Sie diesen verfluchten Einbrechern das Diebesgut nicht abgejagt hätten, gäbe es jetzt nichts zu trinken.«

Nach ein paar angenehmen Minuten im Keller, wo er Crimsons Sammlung bewunderte, kehrte Bruno den klassischen Bordeaux- und Burgunderweinen den Rücken und konzentrierte sich auf die Bergeracs, zum Teil aus regionaler Loyalität, vor allem aber, weil er sich auf Crimsons Urteil verließ. Schließlich wählte er zwei Weine aus, von denen er zwar schon gehört, die er aber noch nie probiert hatte:

einen roten Côtes de Bergerac von Les Verdots aus dem Jahr 2005, gekeltert von David Fourtout, einem noch jungen Winzer mit bereits großem Ruf; der andere war ein 2009er-Divine Miséricorde von Château Montdoyen, eine Cuvée, die nur in außergewöhnlich guten Jahren hergestellt wurde. Sein Freund Hubert de Montignac, der Weinhändler von Saint-Denis, schätzte sie als den besten Weißwein Südwestfrankreichs. Während der letzten Vinexpo in Bordeaux hatte Hubert eine Blindverkostung unter Sommeliers organisiert mit dem Ergebnis, dass der Divine den großen Weißen von Château Haut-Brion und Château Margaux als ebenbürtig erachtet wurde.

»Sie haben das letzte Wort«, sagte er, als er in die Küche zurückkam. »Ich kann mich zwischen diesen beiden nicht entscheiden.«

»Nichts leichter als das«, erwiderte Crimson und nahm einen Korkenzieher zur Hand. »Wir öffnen einfach beide. Wenn Sie bitte den Roten in die Karaffe dort füllen würden … Der Weiße passt gut zum Räucherlachs, den ich servieren möchte.«

Er schenkte den Divine aus, schwenkte sein Glas und schnupperte daran. »Nektar. Dann verzichten wir mal lieber auf die Zitrone zum Lachs. Und soweit ich weiß, wurde noch nie eine Lasagne mit einem solchen Rotwein geadelt, um den wir uns gleich kümmern.«

9

Bruno freute sich immer, wenn er nach Le Thot kam, der musealen Ergänzung zur weltberühmten Höhle von Lascaux, ein Ort, der den prähistorischen Höhlenmalereien, die vor siebzehntausend Jahren geschaffen worden waren, aktuelle Relevanz und Bedeutung zu verleihen versuchte. Er war Museum, Schulungszentrum und Zoo zugleich. Wie immer begann Bruno seinen Rundgang im Park, in dem Tiere zu Hause waren, die jenen Arten ähnlich sahen, mit denen sich schon die Cro-Magnon-Menschen dieses Tal geteilt hatten: Wisente, kleine Pferde mit zotteligem Fell, Hirsche und Ziegen. Beim Anblick des lebensgroßen Modells eines riesigen Wollhaarmammuts musste er jedes Mal grinsen, und dann dachte er daran, wie überaus mutig oder auch verzweifelt hungrig die entfernten Vorfahren gewesen sein mussten, um auf die mächtigen Auerochsen Jagd zu machen, die jetzt friedlich wie domestizierte Kühe auf der Weide standen und grasten.

Er hielt auf ein kleines, hufeisenförmiges Steingebäude zu. Die Wände waren weiß gestrichen, und ein Dutzend Kinder war dabei, mit Werkzeugen und Pigmenten, die schon die Höhlenmaler verwendet hatten, Auerochsen, Pferde und Hirsche darauf zu malen. Der Lärm, den sie veranstalteten, entsprach der Begeisterung, mit der sie zu

Werke gingen. Bruno lächelte über die heitere Geduld der Künstlerin, die den jungen Malern zum Schutz ihrer Kleidung Lederschürzen umgehängt hatte und ihnen zeigte, wie sich mit Holzkohle erste Umrisse zeichnen ließen. Schade, dachte Bruno, dass es zu seiner Schulzeit noch keine solcher Museen gegeben hatte.

Er spazierte an dem Wollhaarmammut vorbei und entdeckte einen neuen Zaun, der um ein tiefes Loch am Waldrand gezogen war. Er warf einen Blick hinein und fragte sich, ob dort nach Flintsteinen geschürft wurde oder ob man eine Mammutfalle zu rekonstruieren versuchte, womöglich mit Modellen prähistorischer Jäger, die das gefangene Tier attackierten. Bei Tursac gab es einen prähistorischen Park, der sich auf solche Szenen spezialisiert hatte.

Im Museum selbst hielt er sich nicht lange auf, weil er die ersten Kopien der Gemälde von Lascaux bereits gesehen hatte, die von Monique Peytral und anderen Künstlern der Region für die Rekonstruktion der Originalhöhle geschaffen worden waren. Letztere war vor fünfzig Jahren für die Öffentlichkeit geschlossen worden, um die Wandbilder vor den Bakterien zu schützen, die Hunderttausende von Besuchern mit sich brachten. Bruno liebte die Ausstellung hier in Le Thot, in der demonstriert wurde, wie die Höhlenmenschen von damals mit Pinseln aus Moosen und Tierhaaren die weißen Kalkwände bemalt oder mit dünnen Blasrohren besprüht hatten, und zwar mit Farbpigmenten, die aus zerstoßenen Mineralien gewonnen worden waren – Schwarz aus Mangan, Gelb aus Ocker – sowie aus braunem Ton, der sich, wenn er gebrannt wurde, rot verfärbte. Und jedes Mal bewunderte er auch aufs Neue die winzigen Steinlampen, die damals verwendet worden waren, gefüllt mit Hirschfett und Dochten aus Wacholderzweigen, der einzigen Kombination, mit der eine klare, rauchfreie Flamme gespeist werden konnte, die weder den Malern den Sauerstoff nahm noch die Kalkwände verrußte.

»*Bonjour*, Bruno«, rief plötzlich eine Stimme schräg hinter ihm. Er drehte sich um und sah seine Freunde Clothilde und Horst, die beide für das prähistorische Museum in Les Eyzies tätig waren. Es überraschte ihn, die beiden – er ein deutscher Archäologe, sie eine Expertin für Höhlenkunst, die am Entwurf der Exponate von Le Thot mitgewirkt hatte – hier zu sehen, denn sie hatten Le Thot bestimmt schon x-mal besucht.

»Ist Ihnen schon diese Neuerung da hinten aufgefallen?«, fragte sie und zeigte auf die winzigen blauen Glimmlichter, die die lebensgroßen Modelle der Cro-Magnon-Menschen zusätzlich illuminierten. Manche schabten mit Flinten Steine aus, um Lampen herzustellen, oder sie zerschnitten das Fell von Rentieren; andere banden Bürsten aus Büscheln von Schwanzhaaren. Bruno musste die Augen weit aufsperren, um etwas sehen zu können, denn das Museum versuchte, die Höhle in ein ähnliches Licht zu tauchen wie die Höhlenmaler damals mit ihren kleinen Lampen.

»Sie verwenden Ultraviolettlicht, das den Flintstein hervortreten lässt. Damit lässt sich schön zeigen, welche Aufgaben jeder verrichtet hat«, erklärte sie. »Aber deswegen sind wir nicht hier.«

Clothilde ging voran durch einen Korridor in einen großen Raum, wo Raquelle auf sie wartete. Mit einem iPad steuerte sie die Projektion von Bildern auf eine riesige Leinwand, die die gesamte Längsseite des Raums einnahm. Sie hob eine Hand, um sie zu begrüßen, und zeigte auf die Leinwand, wo Bruno sich, Clothilde und Horst neben Raquelle stehen sah. Er hob einen Arm und sah, wie sich sein Abbild synchron bewegte.

»Erwarten Sie nicht zu viel«, sagte Raquelle. »Es müssen noch ein paar Mängel ausgebügelt werden, aber einiges geht schon jetzt. Wählen Sie irgendein prähistorisches Tier aus. Höhlenbär, Mammut oder Riesenhirsch.«

»Höhlenbär«, sagte Clothilde.

Raquelle drückte ein paar Schalter, und plötzlich sah Bruno einen riesigen Bären vor sich, der zu schlafen schien, und aus versteckten Lautsprechern kamen Schnarchgeräusche. Die Projektion wirkte so täuschend echt, dass Bruno die Hand danach ausstreckte, worauf das Tier aufwachte, sich aufrichtete, die Vorderpfoten ausbreitete und wie zum Gähnen das Maul aufriss. Es war kolossal und überragte die kleinen menschlichen Gestalten auf dem Bildschirm bei weitem. Dann trottete der Bär zu einer Höhlenwand, über die er seine mächtigen Klauen kratzen ließ. Aus den Lautsprechern tönten entsprechende Laute, und man sah, wie sich auf dem Felsgestein Kratzspuren bildeten. Bruno war verblüfft, wie echt alles auf ihn wirkte.

Der Bär trollte sich, worauf ein kleines Mammut zögernd ins Bild trat, ein Jungtier, wie es schien. Es gab zaghafte, klägliche Laute von sich, die bald vom Trompeten eines ausgewachsenen Riesenmammuts übertönt wurden, von dem anfangs nur die gewaltigen Stoßzähne zu sehen waren, die das Jungtier wegzulenken versuchten. Dann zeigte sich ein Höhlenlöwe. Tief geduckt schlich er auf eine Gruppe menschlicher Wesen zu, die im letzten Moment vor ihm Reißaus nahmen.

»Erstaunlich«, sagte Bruno, der von Computertechnologie gerade so viel verstand, dass es für E-Mails und Google-Suchabfragen reichte.

»Die Simulationen so hinzukriegen war sehr aufwendig«, erklärte Raquelle. »Wir lassen unsere Führer von Schauspielern coachen, damit sie unseren jungen Besuchern diese virtuelle Realität so näherbringen, dass sie nicht erschrecken.«

»Und das ist erst der Anfang«, fügte Clothilde hinzu, und an Raquelle gewandt: »Verzeihen Sie, ich will nicht vorgreifen. Sie wollten von dem neuen Projekt erzählen, nicht wahr?«

»Sie haben recht, wir stehen erst am Anfang«, sagte Raquelle. »Mit manchen Ergebnissen können wir noch nicht zufrieden sein, zum Beispiel sind die Bewegungen des Auerochsen noch ziemlich tapsig.«

Sie tippte ein paar weitere Schaltflächen auf ihrem Tablet an, worauf der Schirm dunkel wurde und die Raumlampen aufleuchteten. Gefolgt von den anderen, verließ sie das Museum und ging auf ein Gebäude zu, in dem ihr Atelier untergebracht war. Dort stellte sie ihnen ihre Mitarbeiter vor, zwei junge Männer und eine junge Frau, die vor Computern saßen. Auf einem der Bildschirme sah Bruno einen riesigen Hirsch mit weit ausladendem Geweih, auf dessen Körper ein Raster aus grünen Linien lag. Ein anderer Bildschirm zeigte einen Auerochsen neben einer Kuh, die ein Kalb säugte.

Raquelle öffnete eine Tür und führte sie in eine Werkstatt, die von einem riesigen Bullen mit mächtigen Hörnern beherrscht wurde, keine Projektion, sondern eine Skulptur mitten im Raum. Bruno trat einen Schritt zurück und staunte über die Ausmaße der vorsintflutlichen Bestie wie auch über die bedrohliche Wirkung, die von ihr ausging. Die Haut, aus einem Material, das er noch nie gesehen hatte, schien zu schimmern und, über pralle Muskelpakete gespannt, vor Gesundheit zu strotzen. Raquelle setzte sich vor einen anderen Computer, gab ein paar Tastenbefehle ein und brachte mit Hilfe eines Joysticks den Bullen in Bewegung. Er hob und senkte den massigen Kopf, drehte ihn mal zur einen, mal zur anderen Seite, wobei die Augen die ganze Zeit drohend auf Bruno gerichtet schienen.

»Das ist mein persönliches Projekt, kein offizielles. Wir arbeiten mit einer Bostoner Firma für Robotics und einem Robotics-Team am Forschungsinstitut für Elektronik und Informationstechnologie in Grenoble zusammen«, führte Raquelle aus, als das riesige Tier mit ruckhaften Bewegungen in Richtung der Doppeltür auf der anderen Seite der Werkstatt zurückwich. »Übrigens, das amerikanische Militär lässt gerade Robotertiere entwickeln, die Munition und Verpflegung transportieren und verwundete Soldaten bergen. In Frankreich will man ähnliche Experimente starten. Aber bis es so weit ist ... Wir hatten anfangs große Schwierigkeiten, den Bullen über unebenes Gelände laufen zu lassen, doch das gelingt inzwischen recht gut. Was wir noch nicht wissen, ist, wie lebendige Bullen auf ihn reagieren. Falls sie aggressiv werden, hätten wir einen sehr teuren Schrotthaufen zu entsorgen.«

»Erstaunlich, beängstigend echt. Damit werden Sie, ob

Sie wollen oder nicht, viele Kinder in Angst und Schrecken versetzen«, sagte Bruno. »Darf ich ihn berühren?« Er fuhr mit der Hand über die Hörner und den Nacken und machte plötzlich einen Satz rückwärts, als Raquelle lachend den Kopf des Tiers herumschwenken ließ.

»Haben Sie vor, ähnliche Attrappen von Bären und Höhlenlöwen zu machen?«, fragte er.

»Ja, wenn denn die Mittel dafür bewilligt werden. Ich träume davon, eine ganze Landschaft und die Fauna der Steinzeit wiedererstehen zu lassen, Auerochsen und Hirsche, Wollhaarmammuts und Bären. Vielleicht gestalten wir irgendwann einmal auch ein paar Cro-Magnon-Menschen nach, die vorführen, wie sie gekleidet waren, wie sie lebten und ihre Höhlen ausmalten, die womöglich sogar Jagdszenen nachstellen.«

Sie brachte den robotischen Auerochsen wieder zum Stillstand. »Aber bis dahin geht noch viel Zeit ins Land … So, und jetzt habe ich Hunger. Gegessen wird bei mir zu Hause. Die anderen Gäste werden wahrscheinlich gleich auf der Matte stehen. Familienmitglieder. Sie wollten sich eigentlich mit uns die computergenerierten Tiere ansehen, aber irgendetwas ist dazwischengekommen.«

Raquelle wohnte mitten in Montignac, ganz in der Nähe der Höhle von Lascaux, in einem Terrassenhaus, das sich kurz vor der Brücke an eine alte Stadtmauer schmiegte. Sie führte Bruno durch Wohnzimmer und Küche in einen kleinen, gepflasterten Außenbereich. Trotz des über zehn Meter hohen mittelalterlichen Walls, der sich unmittelbar anschloss, gelangte Sonnenlicht in diesen Winkel, den sie als Garten nutzte. Ein länglicher, schmaler Pool nahm den größten Teil der Fläche ein, und auf einer Terrasse in einer kleinen Höhle oder einer Art Tunnel in der hohen Mauer standen ein Esstisch und sechs Stühle.

Raquelle kam mit einem Tablett voller Teller, Besteck und Gläser für sechs Personen sowie einer gekühlten Flasche Weißwein vom Château Thénac samt Korkenzieher nach draußen. Bruno öffnete die Flasche, deckte den Tisch und warf einen Blick in die Höhle. Sie war nur wenige Meter tief und überspannte ein mit klarem Wasser gefülltes Becken, das sich per Schalterdruck in einen kleinen Springbrunnen verwandelte und bei Dunkelheit beleuchtet werden konnte. Ein idealer Ort zum Entspannen und Ausruhen. Bruno zog die Uniformjacke aus, setzte sich auf einen der Stühle und genoss mit geschlossenen Augen die Herbstsonne auf seinem Gesicht.

»Schön, dass Sie es sich bequem gemacht haben. Da sitze ich auch immer besonders gern. Die Farbe des Steins erinnert mich ein bisschen an den Ortsteil von Jerusalem, in dem ich aufgewachsen bin«, sagte Raquelle, die mit einem zweiten Tablett voller Speisen kam. »Es gibt was ganz Einfaches zu Mittag, Salade niçoise, Brot, Käse und Früchte.«

Bruno hörte Schritte im Haus. Wenig später erschienen Clothilde und Horst mit Jewgeni, dem Sohn des Patriarchen, der gleichzeitig mit ihnen angekommen war. Bruno fragte sich, wer wohl der sechste Gast sein würde. Raquelle bat ihn, den Wein auszuschenken, und sagte: »Meine Schwägerin Madeleine kommt später nach.«

»Sie bringt Victor nach Hause«, erklärte Jewgeni. Er war größer als Bruno, breiter noch als Horst und bewegte sich so tapsig und raumgreifend, dass er die ganze Terrasse zu dominieren schien. »Victor hat der Einäscherung beigewohnt und ist sehr traurig über den Tod seines ältesten Freundes.«

»Einäscherung?«, fragte Bruno nach. »Von Gilbert?« Bruno wunderte sich, dass Victor seinen Rat nicht beherzigt und die Luftwaffe kontaktiert hatte, die Gilbert mit militärischen Ehren beigesetzt hätte, wie es ihm gebührte.

Clothilde ließ sich auf einen der Stühle fallen und schnappte nach Luft. »Gilbert, tot? Warum steht davon nichts in der Zeitung?«

Bruno rechnete im Stillen nach. Die Geburtstagsfeier des Patriarchen hatte am Freitag stattgefunden, Gilbert war in der Nacht auf Samstag gestorben, und nun war Montag. Normalerweise würde eine Beisetzung oder Einäscherung frühestens drei Tage später erfolgen. Zu einer Obduktion konnte es nun nicht mehr kommen, auch wenn Beweise auftauchten, die Dr. Gelletreaus Befund eines natürlichen Todes in Zweifel zogen oder mutmaßen ließen, dass jemand etwas in Gilberts Drink gerührt hatte.

»Ja, Gilbert. Er wollte eingeäschert werden«, antwortete Jewgeni. »Er hat Witze darüber gemacht und gesagt, für einen Piloten, dessen Maschine nie in Flammen aufgegangen sei, würde es sich schließlich gehören, ins Feuer zu gehen. Er hatte einen merkwürdigen Humor, sehr schwarz, sehr russisch. Vielleicht haben wir ihn deshalb so gemocht.«

»Kannten Sie ihn schon in Moskau?«, fragte Bruno.

»Natürlich. Er war einer meiner besten Kunden«, antwortete Jewgeni. »Er brachte mir die vornehmsten Besucher aus Paris ins Atelier. Damals hätte ich auf keinen Fall ausreisen dürfen. Ich galt als Dissident und war eine Zeitlang sogar ziemlich berühmt.«

»Wie ist es passiert?«, wollte Clothilde wissen, sichtlich betroffen. Horst hatte ihr seinen Arm um die Schulter gelegt.

»Er hat sich mit Wodka umgebracht«, antwortete Jewgeni und hob beide Hände zu einer halb resignierten, halb segnenden Geste.

»Er ist nach der Geburtstagsfeier des Patriarchen im Schlaf gestorben«, sagte Bruno. »Kannten Sie ihn gut?«

»Früher, als er sich frisch hier niedergelassen hatte, standen wir uns einmal recht nahe«, erwiderte sie. »Das war kurz nach seiner Rückkehr aus Moskau. Man hatte ihn gerade pensioniert oder, besser gesagt, vor die Tür gesetzt. Das hat ihn sehr verbittert. Schade, dass ich nicht informiert worden bin. Ich wäre gern zur Beisetzung gekommen.«

Es war für eine Weile still. Raquelle wechselte das Thema und berichtete von ihrer jüngsten Reise nach Chicago, wo die von ihr und Clothilde konzipierte Wanderausstellung über die Höhle von Lascaux Station machte. Sofort äußerte sich auch Clothilde, und ein Wort ergab das andere, bis das Klappern hoher Absätze auf Raquelles Fliesenboden die Ankunft des letzten Gastes ankündigte.

Victors Frau Madeleine trat in den Garten, entschuldigte sich für die Verspätung und blies allen eine Kusshand zu, bis auf Bruno, dem sie die Hand drückte, einen Herzschlag zu lang. Sie trug enge Jeans und einen weiten weißen Baumwoll-Sweater, der eine glatte, braungebrannte Schulter entblößte. »Ich musste mir nach dem schweren Gang ins Krematorium schnell noch etwas anderes anziehen. Habe ich richtig gehört, dass von Ihrer Arbeit an der Höhle die Rede war, Clothilde? Tut mir leid, dass ich dazwischenplatze. Lasst euch nicht stören.«

»Ich habe gesagt, was ich zu sagen hatte«, entgegnete Clothilde etwas steif. Die beiden Frauen waren sich offenbar nicht grün. Als Wissenschaftlerin von großem internationalen Ruf war es Clothilde gewohnt, kraft ihrer Persönlichkeit und ihres akademischen Rangs jede Gesellschaft zu dominieren. Madeleine gelang dies allein dank ihrer Erscheinung. Bruno bemerkte, dass Raquelle beide Frauen mit kritischem und leicht spöttischem Blick beobachtete und sich ganz offensichtlich über die unausgesprochene Rivalität zwischen ihnen amüsierte. Horst und Jewgeni hatten nur noch Augen für Madeleine, was wohl typisch war für Männer ihres Schlages, dachte Bruno, der nun selbst zu ihr hinschaute und sah, dass sie ihn interessiert taxierte, vielleicht, weil er bisher in eine andere Richtung geschaut hatte.

»Wohin geht die Ausstellung nach Chicago?«, fragte er Clothilde.

»Montreal und dann Tokio. Danach weiß ich noch nicht. Vielleicht China.«

»Hoffentlich nicht«, meinte Horst. »Weitere Millionen Besucher aus China würde Lascaux nicht verkraften. Auch der Louvre ist längst überlaufen, und die Preise für Weine aus Bordeaux sind mittlerweile derart hoch, dass ich sie mir kaum mehr leisten kann.«

»Dann halten Sie sich doch an unseren guten Bergerac. Er ist sehr viel billiger und oft auch besser als der, der von diesen kleingeistigen Snobs im Médoc gekeltert wird«, entgegnete Madeleine. Sie griff zu der Flasche, die auf dem

Tisch stand, und tat entsetzt. »Schäm dich, Tante, dass du uns hier einen Bergerac vorsetzt, der nicht vom Familiengut ist.«

»Beruhige dich, Madeleine, die nächste Flasche stammt aus eigener Herstellung«, erwiderte Raquelle. Sie schnitt einen großen Laib Brot auf und bat darum, dass sich jeder vom Salat nehme. Schließlich setzte sie sich an das eine Kopfende, Jewgeni an das andere. Bruno saß neben Clothilde gegenüber von Horst und Madeleine.

»Wissen Sie schon, dass Sie in der Zeitung von heute zitiert werden?«, fragte Madeleine Bruno und fischte eine zusammengefaltete Ausgabe der *Sud-Ouest* aus ihrer Handtasche. Auf der Titelseite waren zwei Fotos zu sehen: eins von Adèle neben ihrem verbeulten Wagen, das andere von einem abgemagerten Kitz. Der Aufmacher handelte von Imogène und ihren Rehen. Bruno wurde mit den Worten zitiert, dass, wenn Imogène den vom Gericht verlangten Zaun nicht aufstellen sollte, die Präfektur einen richterlichen Beschluss erwirken würde mit dem Ziel, das Rot- und Rehwild auf ihrem Grund und Boden erlegen zu lassen. Es sei allerdings zu hoffen, dass man sich über die Einrichtung eines geeigneten Tierasyls einigen könne.

»Klingt ganz so, als stünden Sie auf der Seite dieser verrückten Frau«, meinte Madeleine. »Dabei sollte man doch annehmen, Sie hielten zu Ihren Jagdfreunden.«

»Ich fürchte, dieses Tierasyl wird nicht zu finanzieren sein, zumal voraussichtlich nicht genügend Spenden zusammenkommen. Aber gütliche Vergleiche sind allemal besser als Gerichtsurteile«, erwiderte er. »Außerdem glaube ich nicht, dass Imogène verrückt ist. Sie ist allenfalls besessen von dem Wunsch, ihre Tiere zu schützen. Ich habe sie besucht. Sie ist offensichtlich sehr tierlieb und hat ein paar sehr interessante Fotos. Vielleicht lässt sich damit eine Ausstellung bestreiten, die ein bisschen Geld einbringen würde.«

»Ich kenne etliche aus unseren Reihen, denen es sauer aufstößt, dass Tierschützer und Grüne immer mehr zu sagen haben«, entgegnete Madeleine entschieden. »Wir leben hier im Périgord, das Jagen liegt uns im Blut. Wir sind nun mal Fleischfresser, wie unsere Vorfahren. Und zum ökologischen Gleichgewicht gehören eben auch Raubtiere, aber das hat diese dumme Frau wohl noch nicht verstanden. Weil wir um diese Zusammenhänge wissen und danach handeln, sind wir Jäger nachgerade die eigentlichen Umweltschützer.«

Bruno nickte höflich. Solche Argumente kannte er. Sie wurden immer wieder vorgetragen, wenn die *Pêche-Chasseurs* mit einem Kandidaten in den Wahlkampf zogen. Zu einer Regierungsbeteiligung aber hatte es für sie noch nie gereicht. Über fünfzehn Prozent waren sie im Département Dordogne nie hinausgekommen, und zurzeit stellten sie nur eine Handvoll Ratsmitglieder in ländlichen Kommunen.

»Vermutlich wird das Wild auf ihrem Besitz zum Abschuss freigegeben«, sagte er. »Trotzdem verstehe ich es als meine Aufgabe, nach einem akzeptablen Kompromiss zu suchen.«

»Viel Erfolg«, erwiderte Raquelle. »Ich kenne Imogène ein wenig durch meine Arbeit bei den Grünen und habe manche ihrer Fotos für meine Computermodelle verwendet. Ich mag sie und respektiere ihr Engagement. Aber sie kann auch eine ziemliche Nervensäge sein.«

Sie schenkte Bruno den Rest des Weins ein und bat ihn,

eine zweite Flasche zu öffnen. Diese trug das Etikett der *Domaine du Patriarche,* des von Victor und Madeleine geführten Weinguts. Was von dort kam, war, wie Bruno wusste, ein ordentlicher Tafelwein, der nicht allzu viel von sich hermachte. Er selbst würde ihn nicht kaufen, obwohl er den Mann, nach dem er benannt war, verehrte. Auf dem Etikett war ein Porträt Marcos mit einem altmodischen Fliegerhelm abgebildet.

»Sie sind sehr diplomatisch, Bruno«, sagte Madeleine lächelnd, aber mit herausforderndem Blick. »Was halten Sie von unserem Wein?«

»Recht gefällig«, antwortete er. »Aber weil ich mich noch ans Steuer setzen muss, darf ich leider nur ein halbes Glas trinken.«

Sie musterte ihn kühl und sagte dann nach einem kurzen Blick in die Runde: »Uns allen ist klar, dass der Wein eher mittelmäßig ist. Aber vielleicht darf ich Sie und alle anderen hier am Tisch zu uns zu einer Überraschung einladen, die wir gerade vorbereiten.«

»Eine besondere *cuvée*?«, fragte Clothilde.

»Eine sehr besondere«, antwortete Madeleine. »Wir haben einen Teil unserer Weinstöcke separiert, Winzer aus Saint-Émilion zu uns bestellt, neue Eichenfässer angeschafft und unseren Weißwein um acht Prozent mit Muscadelle-Trauben verschnitten, von Reben, die vor fünf Jahren gepflanzt worden sind.«

Damit beugte sie sich über den Tisch und tippte mit einem eleganten Finger, der gewiss nie in einem Garten, geschweige denn in einem Weinberg gearbeitet hatte, auf Brunos Handrücken. »Wir arbeiten seit Jahren daran. Er ist außerdem biologisch angebaut und als solcher zertifiziert. Kurzum, wir haben es auf einen ganz anderen Markt abgesehen. Ein Qualitätswein für gehobene Ansprüche und zu entsprechendem Preis.«

»Offenbar ein Wein, der des Patriarchen würdig ist«, erwiderte Bruno entgegenkommend.

»Darum heißt er auch *Réserve du Patriarche*. Er wird ihn selbst auf dem Markt einführen.«

»Ich wünsche Ihnen viel Erfolg«, sagte Bruno. »Sie haben bestimmt viel darin investiert.«

»*Tolko dyengi*, würde man in Russland sagen«, warf Jewgeni lachend ein. »Es geht nur ums Geld. Im Ernst, der neue Wein ist sehr gut. Wir haben ihn gekostet. Es muss an der Reifezeit im Holzfass liegen, und die Muscadelle im Bergerac Sec tut sein Übriges.«

»Wann ist es so weit?«

»Ende des Monats. Wir wollen das Weihnachtsgeschäft noch mitnehmen«, antwortete Madeleine.

»Und wann können wir ihn probieren?«, fragte Horst.

»Morgen Vormittag veranstalten wir ab elf eine erste große Verkostung. Danach gibt es ein Lunch-Buffet. Der Patriarch wird auch da sein und sich bestimmt über Ihren Besuch freuen.« Ihre einladende Armbewegung richtete sich an Horst und Clothilde, doch ihr Blick galt Bruno.

»Abgemacht. Ich bin gespannt auf den neuen Wein und fühle mich geehrt, an der Verkostung teilnehmen zu dürfen. Auf Ihren Erfolg«, sagte der und hob sein Glas. »Auf den *Réserve du Patriarche*.«

10

A m nächsten Tag fand Bruno in seinem Büro auf dem Poststapel einen unfrankierten Brief, der offenbar persönlich abgegeben worden war. Der feste Umschlag war cremefarben und von Hand mit Füllfederhalter adressiert worden. Darin steckte eine ebenfalls handgeschriebene Einladungskarte der *Confrérie du Pâté de Périgueux*, eines Vereins, dessen Mitglieder darauf eingeschworen waren, Tradition und Qualität dieser Delikatesse in Ehren zu halten. Jedes Jahr im Winter verlieh die Confrérie, mittelalterlich kostümiert, Preise für die besten Enten- und Gänseleberpasteten, nachdem vormittags Geschmacksproben verglichen und mittags auf üppige, inzwischen legendäre Weise getafelt worden war.

Bei der Pâté de Périgueux handelte es sich um ein spezielles Gericht, das auf das Mittelalter zurückging, aufwendig herzustellen und eine von Brunos Leib- und Magenspeisen war. Die wichtigsten Zutaten waren *foie gras* und die einzigartigen schwarzen Trüffeln der Region; sie wurden in eine Pâté aus Schweinefleisch eingehüllt und manchmal auch noch in eine Kruste aus Teig. So war früher, vor der Erfindung der Konservendose, eingeweckt worden. Wie viele seiner Freunde ließ es sich auch Bruno nicht nehmen, zur Preisverleihung nach Périgueux zu fahren, wo auf dem alten

Marktplatz der Name des aktuellen Siegers, meist der eines ansässigen Landwirts oder *charcutiers,* von Mitgliedern der Confrérie, in rotgrüne Gewänder gekleidet und mit Hauben auf dem Kopf, verlesen wurde. Und jedes Mal kaufte er eine Kostprobe des Siegerprodukts, um sie am Neujahrstag zum Mittagessen zu genießen.

Die Einladung überraschte Bruno und freute ihn sehr. Er fragte sich, womit er diese große Ehre verdient hatte. Im Umschlag befand sich noch ein zweites Blatt, aus ähnlich schwerem Papier, mit dem Briefkopf des Patriarchen.

Lieber Bruno,
es hat mich sehr gefreut, anlässlich meines Geburts-
tags Ihre Bekanntschaft zu machen. Von meiner
lieben Freundin, der Komtesse, weiß ich, wie viel
sie Ihnen verdankt. Als Ehrenvorsitzender der
Confrérie du Pâté de Périgueux erfuhr ich jüngst
vom Bürgermeister von Saint-Denis und unserem
gemeinsamen Freund Maurice Soulier von Ihrer
tapferen Verteidigung der Interessen unserer hiesigen
Foie-gras-Produzenten gegen ihre Kritiker. Es wäre
mir eine Freude und würde die Reihen unserer
Confrérie außerordentlich verstärken, wenn Sie sich
uns anschließen.

Unterschrieben waren die Zeilen mit *Marco.*

Bruno setzte sich sofort hin und schrieb sowohl der Confrérie wie dem Patriarchen, dass er die Einladung dankend annehme. Er kam sich selbst fast kindisch vor, so stolz war ihm zumute, als er die *mairie* verließ, über die Rue de Paris zur

Maison de la Presse eilte und dort einen kleinen Bilderrahmen für den Brief des Patriarchen kaufte. Zurück in seinem Büro, passte er den Brief ein, besorgte sich vom Hausmeister Hammer und Nagel und hängte den Rahmen auf. Kaum hatte er wieder in seinem Schreibtischsessel Platz genommen, um sein Werk zu bewundern, als der Bürgermeister den Kopf zur offenen Tür hereinsteckte. »Was hämmern Sie da?«

Bruno stand auf und zeigte auf den gerahmten Brief. Der Bürgermeister lächelte, als er die Zeilen las, murmelte etwas von »verdienter Ehre« und hockte sich auf den Rand des Schreibtisches.

»Besteht Ihrer Meinung nach tatsächlich eine Chance, dass Imogène ausreichend Spenden sammelt, um dieses Tierasyl bei sich einrichten zu können?«, fragte der Bürgermeister.

Bruno schüttelte den Kopf und berichtete von seinem Gespräch mit ihr. Mit Verweis auf die Rezession und die Einschnitte im Haushalt machte auch der Bürgermeister deutlich, dass von der Stadt ebenfalls keine Hilfe zu erwarten sei. Bruno schlug vor, Imogènes Fotos auszustellen und zum Verkauf anzubieten, zweifelte jedoch selbst daran, dass der Erlös mehr als nur einen Bruchteil der benötigten Summe ausmachen würde. Immerhin aber könne das Bürgermeisteramt damit zeigen, dass es zu helfen versuche.

»Ich fürchte, das lässt sich im Rat nicht durchsetzen, und wenn wir eine solche Ausstellung im Alleingang organisieren würden, wäre ihr wahrscheinlich kein Erfolg beschieden«, entgegnete der Bürgermeister. »Imogène ist alles andere als beliebt. Von manchen Geschäftsinhabern weiß ich, dass sie sich inzwischen weigern, sie zu bedienen, und es würde mich nicht wundern, wenn unsere hitzköpfigen Freunde vom Jagdverein gegen sie vorgehen. Vielleicht können Sie ja versuchen, sie so lange zu beruhigen, zumindest bis zum Ablauf der Frist für den Zaun. Ich habe heute Morgen mit dem Präfekten gesprochen. Falls Imogène den Gerichtsauflagen nicht nachkommt, wird er dafür sorgen, dass der Wildbestand auf ihrem Grund per richterlichen Beschluss dezimiert wird. Wenn es dazu kommt, werden Sie, mein lieber Bruno, Imogène in Schach halten müssen.«

Bruno nickte und dachte daran, wie oft ihm schon Aufgaben gestellt worden waren, an die man auf der Polizeiakademie nicht einmal gedacht hatte. Und das erinnerte ihn an die Neuigkeiten, die er während des Mittagessens bei Raquelle gehört hatte.

»Dieser Mann, der nach der Geburtstagsfeier des Patriarchen gestorben ist – ich habe zufällig erfahren, dass er heute Morgen eingeäschert wurde«, sagte er. »Da hatte es jemand eilig, oder?«

Der Bürgermeister zuckte mit den Achseln. »Warum sollte man sich für unangenehme Dinge auch Zeit lassen?«, entgegnete er.

»Mich stört da etwas«, erwiderte Bruno. »Mir wurde gesagt, dass Gilbert nur wenige Minuten vor dem Zwischenfall mit dem Mädchen völlig nüchtern gewesen ist. Erst als er es bedrängte, glaubten alle, er sei betrunken. Ich bin dann zu seinem Haus gefahren. Es war absolut sauber und aufgeräumt. Ich weiß nicht, wie es Ihnen geht, aber mir ist ein solcher Alkoholiker noch nicht untergekommen. Hätte Gelletreau nicht schon den Totenschein ausgestellt, wäre ich versucht gewesen, eine Autopsie zu veranlassen.«

»Verstehe ich nicht. Ich war dabei. Es war doch sonnenklar, wie er gestorben ist. Gelletreau hat den Leichnam vor meinen Augen gründlich untersucht. Traurig das Ganze, aber so stehen die Dinge nun einmal. Kann passieren.« Er wandte sich ab, um zu gehen. »Vergessen Sie nicht, ein paar Worte mit den Jägern zu wechseln. Sie wissen, welche ich meine.«

Nachdem der Bürgermeister gegangen war, kümmerte sich Bruno um den Rest seines Briefeingangs, rief anschließend das Krematorium an und bat darum, ihm eine Kopie der Urkunde zur Einäscherung der sterblichen Überreste Gilberts zuzufaxen. Während er darauf wartete, rief er Annette an, die befreundete Staatsanwältin im Büro des *procureur* von Sarlat, und fragte sie, wie üblicherweise verfahren wurde, wenn ein Verstorbener kein Testament hinterlassen hatte.

»Haben Sie sich schon im *Fichier central* erkundigt?«, fragte Annette und erklärte, weil Bruno davon noch nie gehört hatte, dass es sich dabei um ein zentrales Archiv handelte, in dem alle in Frankreich notariell beglaubigten Testamente niedergelegt wurden. Sie ließ sich Gilberts Namen geben und versprach, sich zu informieren. Ob er, Bruno, ein besonderes Interesse an dieser Sache verfolge, fragte sie, worauf er ihr von Gilberts Tod berichtete und erklärte, dass ihn dessen rasche Einäscherung überrascht habe.

»Wenn ein Arzt auf eine natürliche Todesursache befunden hat und kein Zweifel daran besteht, hat das Krematorium freie Hand. Es sei denn, der Tod ist an einem öffentlichen Ort geschehen. In dem Fall müssen wir ermitteln. Aber Sie kennen ja den Arzt, und was Sie beschreiben, scheint mir in

Ordnung zu sein. Sobald ich etwas über dieses Testament in Erfahrung gebracht habe, melde ich mich wieder.«

Bruno bedankte sich und richtete seinen Blick auf das Faxgerät, das die Antwort des Krematoriums ausdruckte. Im Betreff standen das Datum und die Nummer des Totenscheins. Unter der Rubrik »Nächste Angehörige« war Victor als »Vermieter und ältester Freund« angegeben. Von einer solchen Benennung hatte Bruno noch nie etwas gehört, aber er kannte auch niemanden, der gestorben wäre, ohne Nachkommen hinterlassen zu haben. Selbst er, der ohne Eltern aufgewachsen war, hatte in seiner Personalakte im Bürgermeisteramt seine Tante in Bergerac sowie deren Kinder als nächste Angehörige eintragen lassen. In diesem Zusammenhang dachte er wieder an Imogène, die ihm erzählt hatte, ohne Erben zu sein, an die sie ihren Besitz weiterreichen könnte. Er würde überprüfen müssen, ob sie Freunde oder entfernte Verwandte hatte, bei denen sie unterkommen konnte, wenn die überzähligen Tiere auf ihrem Grund und Boden zum Abschuss freigegeben würden. Die einzige ihr nahestehende Person schien Raquelle zu sein, die Tochter des Patriarchen und dessen israelischer Frau. Er holte die Visitenkarte hervor, die sie ihm gegeben hatte, und wählte ihre Nummer.

»Ja, wahrscheinlich stehe ich ihr tatsächlich am nächsten«, bestätigte Raquelle. »Sie hat keine Familie und ist ziemlich einsam und selbst innerhalb der Grünen isoliert, bei denen sie im Ruf steht, ein bisschen verrückt zu sein. Sie hat zwar ein gutes Herz, aber man kann sich nicht auf sie verlassen, außer darauf, dass sie sich in Wahlkämpfen engagiert. Ich habe sie allerdings zu respektieren gelernt, als wir zusammen an diesen Fotos gearbeitet haben.«

Bruno erklärte, dass der Rehbestand auf ihrem Besitz wahrscheinlich dezimiert werden müsse und dass er sie außer Reichweite wissen wolle, wenn die Jäger kämen. Ob sie, Raquelle, Imogène für ein, zwei Tage bei sich aufnehmen könne? Oder womöglich für noch längere Zeit, dachte Bruno, als Raquelle nur widerwillig zustimmte.

Er holte sein Notizbuch hervor und machte sich zur Vorbereitung auf die absehbare Treibjagd Notizen. Als Erstes listete er ein paar zuverlässige Jäger auf. Dann lehnte er sich zurück und dachte darüber nach, was mit den toten Tieren geschehen sollte. Er versuchte sich in Erinnerung zu rufen, wie viele er auf der Fahrt zu Imogène gesehen hatte. Nach seiner Schätzung kamen etwa fünfzig Exemplare auf einen Hektar. Möglich, dass an die tausend Tiere geschossen werden mussten. Kurz entschlossen rief er im nächstgelegenen Schlachthaus an und verlangte den Direktor zu sprechen, einen Mann, den er aus dem Rugbyklub kannte. Es tue ihm leid, sagte dieser, er könne so viele Rehe weder schlachten noch lagern. Selbst wenn andere Schlachthäuser der näheren Umgebung helfen würden, bliebe noch das Problem der Qualitätskontrolle. Wild aus Abschussbeständen sei in der Regel viel zu dünn; normalerweise würde man es mit Bulldozern zu einem Haufen zusammenschieben und verbrennen.

Als Nächstes informierte Bruno den Bürgermeister und kündigte an, dass es vielleicht nötig sein werde, alle Bürger mit gültiger Jagderlaubnis zu bitten, im Austausch gegen Fleisch an der Treibjagd teilzunehmen. Außerdem solle der Präfekt veranlassen, dass jeder Jäger mehr als einen Abschuss in dieser Saison frei habe. Der Bürgermeister stöhnte über den erwartbaren Umfang der Operation. Im kommenden Winter würde viel Wildbret auf den Speiseplänen stehen.

»Übrigens«, sagte Mangin, »was ist zwischen Ihnen und Pamela vorgefallen? Ich war verwundert, sie auf der Party des Patriarchen plötzlich neben Crimson stehen zu sehen.«

»Ich war schon als Begleiter an die Komtesse vergeben«, antwortete Bruno und beeilte sich, das Büro des Bürgermeisters zu verlassen, dessen Neugier ihn nervös machte.

Zurück in seinem Büro, fand er eine E-Mail von Annette vor. Es war ihr tatsächlich gelungen, ein von Gilbert aufgesetztes Testament aufzuspüren, das bei einem Notar im Département Cantal mit einer Adresse bei Riom-ès-Montagnes hinterlegt war. Bruno kannte die vulkanische Region inmitten des Massif Central vor allem wegen des hervorragenden Rohmilchkäses, der dort produziert wurde, und des aus den Wurzeln des heimischen Enzians gebrannten Aperitifs. Vage erinnerte er sich, Hinweisschilder zu dieser Ortschaft gesehen zu haben, als er mit Schulkindern einen Skiausflug unternommen hatte. Er wählte die Nummer des Notars und war überrascht, als eine Stimme mit dem Wort *»Mairie«* antwortete. Der Notar war, wie er erfuhr, auch der Bürgermeister der Kommune. Bruno ließ sich mit ihm verbinden und fragte, ob er wisse, dass sein Mandant Colonel Gilbert Clamartin verstorben und eingeäschert worden sei.

»*Mon Dieu*, nicht doch. Herrje, Gott sei seiner armen Seele gnädig.« Das Entsetzen in der Stimme des Mannes war unüberhörbar.

»Tut mir leid, dass ich Ihnen diese traurige Nachricht übermitteln muss. Wir haben in seinen Unterlagen kein Testament finden können, unsere Staatsanwältin aber hat in Erfahrung gebracht, dass eines unter seinem Namen bei Ihnen hinterlegt ist«, erklärte Bruno.

»Wenn ich richtig verstanden habe, sind Sie der Chef de police von Saint-Denis«, entgegnete der Notar ein wenig argwöhnisch. »Mir ist nicht bekannt, dass Gilbert irgendwelche Verbindungen zu dieser Stadt unterhalten hat. Erlauben Sie mir, dass ich mich bei der Mairie von Saint-Denis über Sie erkundige. Ich rufe dann zurück.«

Minuten später klingelte Brunos Telefon. Der Notar, offenbar zufriedengestellt, war wieder in der Leitung und bat Bruno, ihm eine Kopie des Totenscheins zukommen zu lassen. Bruno ließ sich die Faxnummer geben, schickte den Schein mitsamt den Dokumenten des Krematoriums und wartete.

»Wirklich sehr deprimierend das Ganze«, meldete sich der Bürgermeister-Notar kurz darauf zurück. Er stellte sich als Amédée Rouard vor. Diesen altmodischen Vornamen hatte Bruno seit Jahren nicht mehr gehört. »Gilbert war ein Schulkamerad von mir. Bis er zur Luftwaffe ging, waren wir eng befreundet. Auf dem Totenschein steht, er sei eines natürlichen Todes gestorben, allerdings unter starker Einwirkung von Alkohol. Traurig, aber glaubhaft. Als ich ihn das letzte Mal sah, war mir klar, dass er trinkt. Er kam gerade aus Moskau zurück und war nicht mehr der Alte.«

»Wann genau war das?«

»Vor vier Jahren, kurz nach dem Tod seiner Schwester, Gilberts einziger Verwandter. Aus diesem Anlass hat er auch sein Testament aufgesetzt. Ich werde mich so schnell wie möglich mit dem Nachlassempfänger in Verbindung setzen.«

»Ich wusste nicht, dass es einen gibt«, entgegnete Bruno überrascht. »Sie sagten doch, seine Schwester sei die einzige Verwandte gewesen.«

»Ja, soweit ich weiß, war sie das auch. Von Cousins oder Cousinen ist mir nichts bekannt. Trotzdem hat Gilbert in seinem Testament einen Nachlassempfänger benannt.«

»Viel wird er wohl nicht vererben, oder?«, bemerkte Bruno, gefasst darauf, von Rouard gesagt zu bekommen, dass er sich um seine eigenen Angelegenheiten kümmern solle. Wie er sich nun erinnerte, hatte Madeleine erwähnt, dass Gilbert etliche Exfrauen und -geliebte zurücklasse, doch von Kindern war nicht die Rede gewesen. Sein Freund Victor wäre bestimmt informiert gewesen.

»Die Sache ist etwas verwickelt«, antwortete Rouard. »Aber Sie werden sehen, dass er hier in der Nähe Besitz hatte, den Familienhof. Er wird ungefähr hunderttausend Euro wert sein, vielleicht aber auch sehr viel mehr, jetzt, da am Puy Mary diese Ski-Chalets gebaut werden. Seit dem Tod der Schwester ist das Haus vermietet und das Land ringsum separat verpachtet. Und dann gibt es noch diesen Treuhandfonds, den Gilbert eingerichtet hat. In welcher Höhe, weiß ich nicht.«

»Die Leute, bei denen Gilbert hier bei uns gelebt hat, sagen, er sei pleite gewesen und habe seine Pension ausnahmslos für Kleidung und Wodka ausgegeben«, entgegnete Bruno, verwundert darüber, wie viele Überraschungen bei diesem Gilbert noch ans Licht kamen.

»Verstehe ich nicht, warum so etwas gesagt wird«, erwiderte Rouard. »Gilbert war zwar nicht reich, aber doch gut situiert, und er war sehr großzügig. Miete und Pacht für sein Anwesen gehen an eine Wohltätigkeitseinrichtung, der er auch sonst immer wieder Spenden überwiesen hat.«

»Welche Einrichtung ist das?«, wollte Bruno wissen, der auf einen Witwenfonds der Luftwaffe oder etwas Ähnliches tippte.

»Die Kinder von Tschernobyl. Der Verein ermöglicht kranken Kindern Sommerferien in Frankreich. Sie erinnern sich doch an die Atommeilerkatastrophe?«

»Natürlich.« Bruno lehnte sich in seinem Sessel zurück. Die Sache war in der Tat verwickelt, und er fragte sich, womit ihn der Notar sonst noch überraschen mochte. »Kann ich von Saint-Denis aus irgendetwas tun, um Ihnen bei der Regelung von Gilberts Angelegenheiten zu helfen?«

»Vermutlich kaum. Ich werde der Bank schreiben, bei der der Treuhandfonds eingelegt ist, und ihr den Totenschein zustellen lassen. Gilbert hat sich, wie er sagte, aus steuerlichen Gründen für eine Bank in Liechtenstein entschieden. Dann werde ich den Nachlassempfänger ausfindig machen, was nicht ganz einfach sein wird. Die Sache ist delikat. Falls ich Ihre Hilfe benötigen sollte, melde ich mich bei Ihnen per E-Mail oder Telefon.« Rouard legte auf.

Bruno schrieb Annette eine Mail und bat sie, ihm eine Kopie von Gilberts Testament zu schicken. Mit dem Hinweis darauf, dass sich im Zusammenhang mit einem Treuhandfonds interessante steuerliche Aspekte aufgetan hätten, wollte er sie auf den Fall neugierig machen. Steuerhinterziehung durch Anlagen im Ausland war aktuell ein ernstes Thema. Er selbst interessierte sich dafür eher weniger. Viel mehr beschäftigte ihn die Frage, ob dieser mysteriöse Erbe irgendwie darin verwickelt sein könnte. Jedenfalls gab es keine Hinweise auf ein Verbrechen und auch keine sterblichen Überreste, die obduziert werden konnten.

Bruno wusste ein wenig über Militärpensionen Bescheid. Schließlich bezog er nach dreizehn Jahren Militärdienst und seiner Verwundung in Bosnien selbst auch eine kleine Invalidenrente. Die aber stand in keinem Vergleich zu der Pension eines Colonels. Um in Erfahrung zu bringen, wie lange Gilbert gedient hatte, rief er eine Kontaktperson bei den Streitkräften an, die ihm schon früher einmal behilflich gewesen war, und schilderte sein Anliegen. Auskunft wurde ihm in wenigen Stunden versprochen. Er hatte gerade den Hörer aufgelegt, als das Telefon klingelte. Es war Annette.

»Die Sache wird interessant«, sagte sie. »Ich habe Kollegen vom *fisc* darauf angesetzt, die sich jetzt um Colonel Clamartins Steuererklärungen kümmern und feststellen werden, ob er sein Konto in Liechtenstein angegeben hat. Je nach Umfang dieses Treuhandfonds könnten erkleckliche Erbschaftssteuern anfallen. Wer erbt?«

»Keine Ahnung. Der *notaire* sprach von einem separaten Testamentsnachtrag.«

»Nach der Testamentseröffnung wissen wir mehr«, stellte Annette ruhig fest. »Es scheint, dass sich hinter diesem Todesfall mehr verbirgt, als die meisten Leute gedacht haben. Ich hätte besser auf Ihre Ahnungen achten sollen.«

»Von Ahnungen kann eigentlich keine Rede sein. Es war wohl mehr Neugier«, entgegnete er. »Wie auch immer, jetzt ist die Spur kalt.«

»Nur die des Geldes nicht«, bemerkte sie.

Bruno rief in der Klinik an und erfuhr, dass Dr. Gelletreau seinen freien Tag hatte, aber wohl zu Hause zu erreichen sei.

Also machte er sich auf den Weg und fuhr auf der Straße nach Sarlat zu der kleinen Ortschaft Bigaroque. Er parkte am Straßenrand und stieg über etliche Stufen zum Haus der Gelletreaus hinauf, das sich zusammen mit anderen älteren Gebäuden an den Berghang schmiegte. Der Arzt und seine Frau, die Apothekerin von Saint-Denis, lebten allein dort, seit ihr Sohn Richard zum Studieren nach Paris gezogen war. Gelletreau lag dösend in seinem kleinen ummauerten Garten in der Herbstsonne, die jüngste Ausgabe des *Figaro* auf dem Schoß. Bruno nahm mit einem Glas Apfelsaft vorlieb, der Doktor gönnte sich einen kleinen Ricard.

»Sie sind bestimmt nicht gekommen, um mir einen Freundschaftsbesuch abzustatten, oder?«, sagte Gelletreau.

»Nicht direkt. Wussten Sie, dass Gilbert schon eingeäschert wurde?«

»Nein. Und es wundert mich, dass ich nicht zur Beisetzung eingeladen worden bin. Ich war fast zwanzig Jahre lang sein Arzt.«

»Seit seiner Rückkehr aus Moskau?«, fragte Bruno.

»Richtig. Ich mochte ihn, wenn er nüchtern war, was aber eher selten vorkam. Wir haben es mit diversen Entziehungskuren versucht. Vergeblich. Dass es dieses Ende mit ihm genommen hat, war abzusehen.«

»Es ergeben sich ein paar Fragen im Zusammenhang mit seinem Nachlass. Deshalb muss ich noch einmal fragen, ob Ihnen wirklich nichts Ungewöhnliches an seinem Tod aufgefallen ist.«

Gelletreau verschluckte sich fast an seinem Drink. »Ungewöhnliches? Sie meinen, ob da jemand nachgeholfen hat? Gewiss nicht. Er war sturzbetrunken und ist an seinem eigenen Erbrochenen erstickt. So was passiert, insbesondere bei Patienten, die Schlafmittel einnehmen.«

»Und bei Trinkern?«

»Kommt drauf an, wie viel sie intus haben. Sie haben die Flasche gesehen. Er konnte sich kaum noch auf den Beinen halten, als wir ihn nach nebenan gebracht haben. Und kaum lag er auf dieser Liege, war er schon eingeschlafen. Ich habe darauf geachtet, dass er auf der Seite liegt, und Victor aufgefordert, in regelmäßigen Abständen nach ihm zu sehen.«

»Lag er noch auf der Seite, als Sie seinen Tod festgestellt haben?«, wollte Bruno wissen.

»Nein. Er lag auf dem Rücken. Er muss irgendwann aufgewacht sein und die Flasche geleert haben, die bei ihm gefunden wurde.«

»Glauben Sie im Nachhinein, dass eine Autopsie gerechtfertigt gewesen wäre?«

Gelletreau schüttelte den Kopf und schaute Bruno in die Augen. »Nein. Ich kannte Gilbert und wusste von seinen Problemen. Wie gesagt, es hat mich nicht überrascht, dass er auf diese Weise ums Leben gekommen ist. Es gab keinerlei Verdachtsmomente, keine Hämatome an Mund und Nase, die auf Fremdverschulden hätten schließen lassen, keine Abschürfungen oder Abwehrspuren. Nicht einmal die Bettdecke war verrutscht.«

Bruno holte tief Luft. »Verstehe, aber ich muss völlig sichergehen können.«

»Was hat es denn mit diesem Testament auf sich?«

»In seinen Unterlagen war nichts zu finden, doch dann ist bei einem Notar sein Letzter Wille aufgetaucht. Mehr weiß ich auch nicht.«

»Seltsam, dass er überhaupt was hinterlässt, abgesehen von seiner Pension«, sagte Gelletreau. »Wahrscheinlich hat er Victor vermacht, was er hatte. Ich weiß noch – als wir Gilbert zum ersten Mal in eine Klinik gebracht haben, musste er angeben, wer im Notfall zu benachrichtigen wäre, und er nannte Victor als seinen nächsten Angehörigen.«

»Kannten Sie ihn schon, bevor er nach Moskau ging?«

»Flüchtig. Ich traf ihn auf der Taufe von Victors Sohn Raoul aus erster Ehe. Wir haben ein paar Worte miteinander gewechselt. Machte einen netten Eindruck auf mich. Er wirkte sehr lebhaft, wie übrigens fast alle Kampfflieger. Victor war damals schon längere Zeit mein Patient, genauer gesagt seit seiner Ausmusterung. Sie, mein lieber Bruno, kamen erst später nach Saint-Denis. Kurz nachdem Gilbert dann das Häuschen auf Victors Weingut bezogen hatte, rief er mich wegen einer Bronchitis zu sich. Der Dummkopf war so betrunken gewesen, dass er die Haustür nicht aufbrachte und die Nacht bei strömendem Regen draußen verbringen musste. Ich habe später alles Mögliche versucht, um ihn vom Trinken abzubringen. Aber Sie wissen ja, wie das ist, Bruno. Am Ende muss der entscheidende Schritt von den Betroffenen selbst kommen. Sie müssen wirklich aufhören wollen.«

»Sie sind also der Hausarzt der ganzen Familie?«

»Nein, nur von Victor und den Kindern. Madeleine konsultiert einen Arzt in Paris. Er war auch der Geburtshelfer ihres Kindes. Übrigens, was die Kinder angeht, bin ich als Arzt nur selten gefragt. Sie sind beide kerngesund, und das Mädchen, Chantal, ist wirklich besonders hübsch. Sagen Sie bloß, das ist Ihnen noch nicht aufgefallen.«

»Wie geht es Ihrem Sohn Richard in Paris?«, fragte Bruno und stand auf, um sich zu verabschieden.

»Sehr gut. Ich werde ihm ausrichten, dass Sie sich nach ihm erkundigt haben.«

In sein Büro zurückgekehrt, fand Bruno eine Nachricht seines Freundes aus dem Militärarchiv auf seinem Anrufbeantworter vor. Die Akte von Colonel Gilbert Clamartin war ungewöhnlich dünn, zumindest der einsehbare Teil. Er enthielt die üblichen Angaben zur Person, die Daten seiner Musterung und Rekrutierung, seiner Grundausbildung und Pilotenprüfung, sämtliche Einsätze und Beförderungen sowie eine Kopie der Urkunde seiner ehrenhaften Entlassung nach 25 Dienstjahren im Jahr 1993. Der Rest der Akte war versiegelt.

11

Bruno war bedrückt, als er am Fluss entlang auf Victors Weingut zufuhr. Dabei war ihm klar, dass er sich eigentlich hätte freuen müssen, den Helden seiner Jugend wiederzusehen und ihm persönlich für die Einladung zum Festmahl der Confrérie danken zu können. Aber Gilberts Tod und die dumpfe Ahnung, dass an der offiziellen Version der Todesumstände etwas faul war, machten ihm zu schaffen. Außerdem fand er es sonderbar, dass die Familie des Patriarchen ihn plötzlich in einer Welt willkommen hieß, die sehr viel privilegierter war als sein eigenes Umfeld. Versuchte sie womöglich, ihn als Polizisten mit Freundlichkeiten zu bestechen und dafür zu sorgen, dass er den Erben des Patriarchen half, ihre Geheimnisse zu bewahren? Vielleicht erklärte sich in diesem Zusammenhang auch, warum Dr. Gelletreau, dieser rechtschaffene Mann, so schnell den Totenschein ausgestellt und warum der Bürgermeister mit Blick auf ihn, Bruno, die Worte »gewohnt diskret und effektiv« verwendet hatte.

Im großen Ganzen liebte Bruno seine Arbeit, und er war stolz auf sein Amt als Polizist, den alle kannten und gern um sich hatten. Aber manchmal nahm er einen Schritt Abstand und betrachtete die Dinge aus einer etwas anderen Perspektive. Nicht dass er dann das Schlechte im Verhalten oder in den Motiven der Menschen suchte, doch wurde ihm in solchen Momenten deutlich, dass sich im Laufe der Berufsjahre sein Denken und Handeln ein wenig verändert hatte. Passierte etwas Ungewöhnliches, schlug seine natürliche Neugier schnell in Argwohn um. Dies war wohl nicht nur seinem Pflichtgefühl und der Uniform geschuldet, die er trug, sondern insbesondere seinem tiefsitzenden Bedürfnis, den Dingen auf den Grund zu gehen und Fragen nach den Ursachen von Entwicklungen und Tatbeständen zu stellen. Vor allem ging es ihm darum zu verstehen, was Menschen bewegte, sich so oder so zu verhalten, diese oder jene Entscheidung zu treffen. Als er vor der Brücke in Lalinde abbremste, um einen Blick auf die Schwäne zu werfen, die sich in diesem Abschnitt des Flusses immer besonders gern zu sammeln schienen, spürte Bruno plötzlich wieder, wie er innerlich in Alarmbereitschaft überging. Er würde den Wein und die Gesellschaft des Patriarchen genießen, aber nichtsdestotrotz auf der Hut sein.

Das große Eisentor in der Einfahrt zum Weingut stand offen. Über den hohen Steinsäulen rechts und links schwebten bunte Luftballons, die gewöhnlich anzeigten, dass ein Kindergeburtstag gefeiert wurde. Nach rund hundert Metern Fahrt über eine asphaltierte Straße, an die auf beiden Seiten Weinfelder grenzten, gelangte er an eine Gabelung. Nach links wies ein Schild mit der Aufschrift *Privé* zum Wohnhaus. Auf dem nach rechts gerichteten Schild, an dem weitere Luftballons hingen, stand *Dégustation*. Es zeigte zu einem modernen eingeschossigen Kubus aus Glas und Holz, mit einem großen gepflasterten Hof davor und hohen Steinmauern darum herum, über die wilder Wein rankte, dessen Blätter sich rot zu verfärben begonnen hatten. Auf dem Hof standen lange Holztische. Hinter dem Gebäude ragten hohe gemauerte Scheunen auf, in denen Wein gekeltert und gelagert wurde. Bruno steuerte seinen Landrover auf den Parkplatz, auf dem schon an die zwanzig Fahrzeuge standen, und sah, dass ein moderner Tenniscourt angrenzte.

Zwei junge Leute in Weiß spielten darauf, und das sehr gut, wie Bruno an ihren Bewegungen und den zielsicheren Schlägen sofort erkannte. Er stieg aus, tauschte sein Uniformjackett gegen eine Freizeitjacke und ging auf das Spielfeld zu, um Chantal und ihrem Bruder Raoul zuzusehen. Zwei große Profitaschen standen am Spielfeldrand, die beide vier oder fünf Schlägern Platz boten. Die Bälle, mit denen gespielt wurde, sahen brandneu aus.

Die Geschwister, beide schlank, von der Sonne gebräunt und athletisch, gaben ein hübsches Paar ab. Chantal hatte ihre blonden Haare zu einem Pferdeschwanz zusammengebunden und trug wie ihr Bruder ein Stirnband. Anstatt sich mit Schmetterbällen gegenseitig auszustechen, versuchten sie, den Ball von der Grundlinie aus mit Diagonalpässen möglichst lange im Spiel zu halten. Plötzlich aber, nach einem besonders harten Cross auf die Rückhand ihres Bruders, sprintete Chantal zum Netz und retournierte volley. Raoul erreichte den Ball noch und versuchte einen Lob über ihren Kopf hinweg, der aber ein wenig zu kurz geriet, worauf die junge Frau ihn so fest auf das gegnerische Halbfeld zurückschmetterte, dass er meterhoch und für Raoul unerreichbar vom Boden abprallte.

Die beiden spielten Tennis in einer Qualität, die im Klub von Saint-Denis nur selten erreicht wurde. Bruno hätte am liebsten applaudiert, wollte aber nicht stören und beobachtete Chantal beim Aufschlag. Der erste Versuch ging knapp ins Aus. Wäre er gut gewesen, hätte Bruno ihn, wie er wusste, nicht erreicht. Der zweite Versuch war fast ebenso hart geschlagen, dazu so stark überrissen, dass der Ball nach dem Aufsetzen überraschend hoch abprallte. Raoul wartete den richtigen Zeitpunkt ab und schlug ihn hart zurück, worauf die beiden ihr Grundlinienspiel mit harten, flachen Topspin-Bällen fortsetzten, bis Chantal ein perfekter Stoppball gelang, der so stark unterschnitten war, dass er nach dem Aufprall ins Netz zurückrollte. Das Spiel wäre an sie gegangen, hätte Raoul seine Schwester nicht mit dem nächsten Ball passiert, als sie sich ans Netz vorwagte. Die Leistung der beiden war ausgewogen, doch hielt Bruno Chantal für die etwas bessere Spielerin, die im Unterschied zu ihrem Bruder, der fast ausschließlich auf Kraft setzte, ihre Schläge häufiger variierte.

Der Raum, in dem die Verkostung stattfand, wie auch der angrenzende *chai* – das Weinlager – waren voller Menschen, die sich laut miteinander unterhielten. Vor dem langen Tisch, auf dem sich geöffnete Flaschen und Spuckgefäße reihten, standen allerdings fast nur Männer an, in der einen Hand ein Weinglas, in der anderen einen Notizblock. Victor stand hinter dem Tisch, schenkte Wein aus und machte einen nervösen Eindruck. Sein Lächeln wirkte gezwungen. Jewgeni und Raquelle halfen, die Menge der *négociants* aus Bordeaux, die Weinkritiker, Journalisten und Einkäufer großer Weinketten zu bedienen. Raquelle bemerkte Bruno und winkte ihm kurz zu.

Er schaute sich um und entdeckte Horst und Clothilde,

die sich mit einem Mann unterhielten, von dem er wusste, dass er für die *Sud Ouest* schrieb. Als er sich den dreien näherte, hörte er Clothilde sagen: »… und so hat Victor in das Weingut hineingeheiratet.« Bruno grüßte und fragte sofort, was sie damit gemeint habe. Der Hof und das Land ringsum seien seit Jahrhunderten im Besitz der Familie Madeleines, erklärte Clothilde. Inzwischen aber hatte ein Großteil davon verkauft werden müssen. Zum Zeitpunkt der Eheschließung von Madeleine und Victor waren nur noch der Weinberg, das Familienhaus und die Schlossruine auf der anderen Seite des Flügels übrig gewesen, zusammen mit dem uralten Namen, der bis auf die mittelalterlichen Herzöge von Aquitanien zurückging.

»Der Titel ist natürlich futsch, aber trotzdem versteht sich Madeleine als Nachfahrin von Éléonore von Aquitanien«, sagte Clothilde und verdrehte die Augen. »Einer Freundin von mir hat sie mal gestanden, Victor nur deshalb geheiratet zu haben, weil sie mit dem Geld des Patriarchen das, was vom Familienbesitz übriggeblieben war, retten konnte.«

Verwundert runzelte Bruno die Stirn. Dass Clothilde gegen andere Frauen stichelte, war ihm neu. »Was kreiden Sie ihr denn an?«, fragte er.

»Na ja, Freundinnen sind wir nicht gerade«, erwiderte Clothilde. »Sie ist eine arrogante Frau, die nur Männern gegenüber charmant ist. Außerdem sind mir ihre politischen Ansichten zuwider. Sie steht so weit rechts, wie man nur rechts stehen kann, ohne dem Front National anzugehören. Aber das gehört wohl auch zur Familientradition. Die Kriegsgeneration bestand aus lauter Kollaborateuren. Ihr Onkel zum Beispiel war ein Nazi durch und durch,

Antisemit und in den dreißiger Jahren ein Anhänger von Charles Maurras. Nach der Befreiung 1944 gab er sich selbst die Kugel, um einer Verhaftung zuvorzukommen. Was von Grundbesitz und Titel übriggeblieben war, ging an seinen Bruder, Madeleines Vater, einen Marineoffizier, der dem Vichy-Regime bis zum allerletzten Moment die Treue hielt. Hier bei uns vergisst man so etwas nicht.«

Bruno nickte langsam und wandte sich an den Weinkritiker, um das Thema zu wechseln. »Erzählen Sie mir von dem neuen Wein, den man uns versprochen hat«, sagte er und bekam viel Positives zur Antwort. Er sei eine Klasse besser als das, was das Weingut bislang hervorgebracht habe. Der neue Weiße sei sehr einnehmend, frisch, aber mit einer angenehm dezenten Süße. Noch besser sei der neue Rote. Ihn werde er in seiner nächsten Kolumne zum *coup de cœur* küren und wärmstens empfehlen.

Um selbst eine Kostprobe davon nehmen zu können, entschuldigte Bruno sich und bahnte sich einen Weg durch die Menge zum Tisch hin, wo er ein von Männern umlagertes Glanzlicht in hellblauer Seide und mit goldenen Haaren entdeckte. Plötzlich tat sich eine Lücke auf, und Madeleine trat lächelnd hervor, hochelegant in einem cremefarbenen Leinenanzug mit einem blauen Hermès-Schal, ihren Blick auf den Neuankömmling gerichtet.

»Willkommen, Bruno«, sagte sie und begrüßte ihn mit einem Kuss auf beide Wangen. Erstaunt glaubte er zu bemerken, dass sie kein Parfüm aufgelegt hatte. Aber natürlich, dachte er dann – es hätte das Bouquet der Weine gestört. »Soeben hat Marco nach Ihnen gefragt, und wie aufs Stichwort kommen Sie zur Tür herein.«

Sie führte ihn nach nebenan in den *chai*, wo sie auf eine Treppe deutete, die in eine schwach beleuchtete *cave* hinabführte. Dort fand Bruno den Patriarchen zwischen langen Reihen großer Eichenfässer, in seiner Begleitung Hubert vom Weinhandel sowie zwei Herren mittleren Alters in dunklen Anzügen. Vom Fass neben ihnen war der Spund gezogen worden, und auf einem vor ihnen aufgebockten Brett standen mehrere Gläser und ein silberner Spucknapf.

Der Patriarch steckte eine schlanke Kelle durch das Spundloch und füllte ein sauberes Glas mit frischem Wein. Bevor er es Bruno überreichte, schüttelte er ihm die Hand und stellte ihn den beiden Fremden vor. Der eine vertrat *Le Guide Hachette des Vins*, der andere war ein englischer Einkäufer. Hubert erklärte daraufhin, dass Bruno einer seiner Partner in der Winzergenossenschaft von Saint-Denis sei, was in Anbetracht des eher bescheidenen Anteils, den Bruno hielt, übertrieben war, ihn im Ansehen der beiden Männer aber anscheinend befördern sollte. Er fragte sich, wie sie reagiert hätten, wenn er ihnen als Chef de police vorgestellt worden wäre.

»Ein in der Tat vielversprechender Wein, sehr fruchtig und für einen Bergerac ungewöhnlich tief, zumal für einen so jungen Wein«, urteilte der Mann von *Hachette*. »Und da ist eine Note, die ich noch zu identifizieren versuche, eine, die weder der übliche Merlot noch ein Cabernet mit sich bringt.«

»Was meinen Sie, Bruno?«, fragte der Patriarch und reichte ihm das Glas. Bruno hielt es in den Schein einer Kerze, die auf dem Fass nebenan stand, und begutachtete die Farbe der Flüssigkeit. Sie war klar und ein wenig dunkler als erwartet. Dann schwenkte er das Glas und beobachtete die Tränen am Glasrand, schwenkte es noch einmal und schnupperte daran. Wie man es ihm beigebracht hatte, hielt er den Kopf schräg, um jedem Nasenloch Gelegenheit zu geben, das Bouquet zu genießen. Dunkle Frucht roch er und Erde, frisch gepflügt nach einem Regenschauer – so äußerte sich ein Merlot oder vielleicht ein junger Saint-Émilion. Aber da war noch etwas anderes, etwas Flüchtiges, Ungewöhnliches. Wieder schwenkte er das Glas, senkte die Nase darüber und nahm die Frische von Cabernet Sauvignon wahr. Schließlich nippte er am Glas, verteilte eine kleine Menge Flüssigkeit im Mund und benetzte auch die weniger häufig genutzten Geschmacksknospen an der Zungenwurzel. Nun identifizierte er eine mineralische Note, einen Hauch von Eisen wie bei einem guten Pécharmant.

»Ich gebe Ihnen einen Tipp«, sagte der Patriarch mit fast verschlagenem Lächeln. »Wir haben dieser Cuvée einen Spitznamen verpasst: Éléonore. Na, klingelt's?«

Bruno war kein wirklicher Connaisseur von Weinen. Zwar konnte er die Gamay-Traube aus dem Beaujolais von einer Syrah aus dem Rhonetal unterscheiden, normalerweise auch zwischen einem Médoc und einem Pomerol und erst recht zwischen einem jungen Wein und einem gereiften; aber individuelle Lagen und Jahrgänge herauszuschmecken war weit über seinen Möglichkeiten. Für diesen unerwarteten Test des Patriarchen aber hatte Clothilde ihm, Bruno, schon zuvor den entscheidenden Hinweis gegeben.

»Es ist ein kleiner Anteil Côt mit dabei«, antwortete Bruno, dem sich damit plötzlich die dunkle Farbe und der flüchtige Geschmack erklärten, den er nicht recht hatte identifizieren können. »Der Wein, der zur Hochzeit Éléonores von Aquitanien serviert wurde, und wenn ich richtig verstanden habe, steht Ihre Familie in der Nachfolge der Herzogin.«

»Ganz genau«, erwiderte der Patriarch sichtlich erfreut. »Der schwarze Wein von Cahors, meine Herren, bekannt vor allem unter dem Namen Malbec, aber hier bei uns als Côt. Es war die in Aquitanien traditionell angebaute Weinsorte, und aus ihr wurde der Wein gekeltert, der, wie Bruno treffend bemerkte, zur großen königlichen Hochzeit 1152 in Bordeaux serviert wurde, als Éléonore, Herzogin von Aquitanien, ihren zweiten Ehemann zum Altar führte. Als erste und einzige Frau ist sie sowohl mit einem englischen als auch mit einem französischen König verheiratet gewesen. Meine Schwiegertochter stammt in direkter Linie von ihr ab. Diese Cuvée ist ein Verschnitt aus Merlot, Cabernet und Malbec im Verhältnis von sechzig, dreißig und zehn Prozent.«

»Éléonore von Aquitanien war auch die einzige Königin, die mit Kreuzrittern ins Heilige Land gezogen ist«, fügte der englische Einkäufer hinzu. »Sie war die Mutter von unserem Richard Löwenherz und dessen heimtückischem Bruder Johann, dem wir unsere Magna Carta verdanken. Einen Wein, der auf diese Geschichte eingeht und Stichwortgeber ist, wird unsere Kundschaft zu schätzen wissen. Verkaufen Sie ihn *en primeur*?«

»Wenn Sie kaufen, verkaufen wir, auch im Fass«, antwortete der Patriarch lächelnd. Er trug eine Kordhose und ein kariertes Tweedjackett über einem Kaschmirrollkragenpullover. »Wir werden den Wein im Frühjahr noch einmal probieren und sehen, ob er so weit ist, dass er auf Flaschen gezogen werden kann.« Er schenkte Bruno ein weiteres Glas ein, diesmal aus einer Flasche mit dem bekannten Etikett, auf dem eine Porträtzeichnung des Patriarchen zu sehen war. »Versuchen Sie den mal, den neuen *Réserve du Patriarche*.«

Bruno schnupperte und schmeckte. Dieser Wein war sehr viel gehaltvoller als das Standardprodukt des Gutes, das Raquelle zum Mittagessen kredenzt hatte – ein, wie Bruno fand, wunderbar ausgewogener Merlot-Cabernet-Verschnitt, tief und reichhaltig, voller Frucht, aber auch mit einem etwas pfeffrigen Beigeschmack im Abgang, wie er ihn an einem guten Pomerol so sehr schätzte.

Das sagte er auch und fügte hinzu: »Der lässt sich trinken. Nach fünf Jahren sollte schließlich auch etwas Besonderes herausgekommen sein. Wann kommt er auf den Markt?«

»Sofort«, antwortete der Patriarch. »Wir feiern heute seine Einführung. Es ist der Wein, der mir immer vorschwebte, den ich keltern und trinken wollte, bevor mein letztes Stündlein geschlagen hat. Ich bin ja jetzt neunzig und habe wahrscheinlich nicht mehr lange zu leben. Umso glücklicher bin ich, mit Ihnen übereinstimmen zu können, dass er sich jetzt schon trinken lässt.«

»Davon abgesehen freue ich mich schon heute darauf, in fünf Jahren mit Ihnen eine Flasche zu öffnen«, sagte Bruno.

Der Patriarch lachte und wandte sich den beiden Anzugträgern zu. »In den Jahren meines Militärdienstes habe ich eines gelernt: Man sollte sich in erster Linie an die Sergeanten halten. Die wissen meist mehr als die Offiziere und trinken den besseren Wein. Bruno war ein sehr guter

Sergeant. Und wir haben eines miteinander gemein, das sehr ungewöhnlich ist: Uns beiden wurde das *Croix de Guerre* verliehen, und zwar für Verdienste in Einsätzen, die nicht unter französischem Kommando standen. Ich kämpfte mit der Roten Armee an der Ostfront und Bruno im Rahmen einer UN-Friedensmission in Bosnien.«

Hubert stopfte den Spund ins Spundloch und schlug ihn mit einem kleinen Gummihammer fest. Der Patriarch führte sie alle nach oben, zurück in den Degustationsraum, in dem nun kein großes Gedränge mehr herrschte, weil sich die meisten Gäste in den gepflasterten Hof begeben hatten, wo sie die Herbstsonne und das Buffet genossen. Auf den langen Tischen waren inzwischen Platten voller Käse und Pâtés, Schinken und geräuchertem Fisch verteilt worden. Spucknäpfe waren dort keine zu sehen, bemerkte Bruno, nur Reihen geöffneter Flaschen. Die Verkostung war beendet, und die Gäste aßen jetzt auch. Aus den lächelnden Gesichtern, fröhlichen Gesprächen und aus der Art, wie man Victor auf die Schulter klopfte, schloss Bruno, dass die Veranstaltung allgemein als Erfolg gewertet wurde.

Madeleine schien überall gleichzeitig zu sein. Sie bezauberte die Gäste mit einem warmen Lächeln, liebevollen Gesten und Hinweisen darauf, dass es da und dort noch Köstlichkeiten gebe, die unbedingt zu probieren seien. Sie war der Star der Show, die Direktorin in diesem Zirkus, bis schließlich der Patriarch, um ein paar Treppenstufen erhöht, auf sich aufmerksam machte, indem er mit einem Löffel an sein Glas schlug und um Ruhe bat. Seltsam, dachte Bruno, dass es Madeleines nicht minder attraktiver Tochter gestattet worden war, sich dem Rummel zu entziehen und Tennis zu spielen. Aber vielleicht gehörte Madeleine zu dem Typus Frau, der es vorzog, in einer solchen Gesellschaft allein zu glänzen.

»Ich danke Ihnen, dass Sie gekommen sind, um unseren neuen Wein in wahrhaft bemerkenswerten Mengen zu verkosten«, begann der Patriarch seine kleine Rede, die er auch schon nach dem ersten Satz unterbrach, um den Zuhörern Gelegenheit zum Lachen zu geben. »Mein alter Freund Charles de Gaulle sagte einmal sinngemäß, dass es schier unmöglich sei, ein Land zu regieren, in dem es fast dreihundert verschiedene Käsesorten gibt. Manchmal frage ich mich, warum er die sehr viel größere Anzahl unterschiedlicher Weine nicht erwähnte, die wir in diesem wunderschönen Land herstellen. Schade, dass ich diese Winzerei nicht schon hatte, als de Gaulle noch lebte; er hätte an diesem Wein bestimmt viel Freude gehabt. Jedenfalls freue ich mich, dass Sie heute so zahlreich gekommen sind und dass Ihnen unser Wein schmeckt. Und jetzt – genießen Sie das Buffet, während Sie sich Gedanken darüber machen, in welcher Größenordnung Sie zuschlagen. Ich nehme Ihre Bestellungen gern entgegen.«

Bruno beteiligte sich am Applaus und dachte, was für ein geschliffener Darsteller der Patriarch doch war. In der kurzen launigen Rede hatte er es nicht versäumt, auf seinen alten, nun schon seit fast vierzig Jahre toten Freund de Gaulle zu sprechen zu kommen – eine gelungene Marketingpointe, die seine Gäste daran erinnern sollte, dass sie auf Tuchfühlung mit einem heroischen Teil der französischen Geschichte waren. Bruno konnte sich vorstellen, wie die Käufer zu Hause ihren Frauen und Freunden erzählten, was ihnen der Patriarch beim Mittagessen über de Gaulle berichtet hatte und was der alte Knabe dieser Tage für einen tollen Wein herstellte.

Bruno wollte sich gerade am Buffet bedienen, als sein Handy vibrierte. Es war Albert von der Feuerwehr, der ihm einen weiteren Unfall meldete, etwas Ernstes diesmal – mindestens eine Person sei ums Leben gekommen. Er, Bruno, möge so schnell wie möglich zu Imogène herauskommen. Am Unfall seien mehrere Fahrzeuge beteiligt, und es könne weiteren Ärger geben, weil sich eine wütende Menge gebildet habe.

12

Er hatte das Blaulicht eingeschaltet und trat das Gaspedal seines Landrovers bis zum Anschlag durch, während er über Handy und Kopfhörer mit Sergeant Jules von der Gendarmerie telefonierte. Der war bereits am Unfallort eingetroffen und berichtete, dass die Feuerwehr das Unfallfahrzeug aufschneiden musste, um die darin gefangenen Kinder zu befreien. Ihre Mutter, die den Wagen gelenkt hatte, war tot, ebenfalls der junge Rehbock, der die Windschutzscheibe durchschlagen hatte und auf ihrem Schoß gelandet war. Einer der Autobusse, die den Eisenbahnverkehr ersetzten, solange an den Schienen gearbeitet wurde, lehnte gekippt an einem Baum in der Böschung auf der anderen Straßenseite und hatte zwei weitere Rehe unter sich begraben. Ein drittes Fahrzeug war von hinten in den Bus gerast.

Als Bruno den Unfallort erreichte, hatten die Feuerwehrmänner die beiden Kinder befreit. Notärztlich versorgt von Fabiola, waren sie und der Fahrer des Busses bereits auf dem Weg ins Krankenhaus. Die Fahrgäste, von denen nur einige wenige geringfügig verletzt waren, wurden mit dem Transporter der Gendarmerie in die Klinik von Saint-Denis gebracht.

Eine Fahrspur war so weit geräumt worden, dass der Verkehr hätte fließen können, wenn nicht allzu viele Fahrzeuge am Straßenrand gestanden hätten, achtlos abgestellt von Leuten aus Saint-Denis, die gekommen waren, um ihre Hilfe anzubieten. Ungefähr zehn Personen stritten sichtlich verärgert mit einem Gendarmen, der vor der Einfahrt zu Imogènes Haus stand und den rechten Arm ausgestreckt hielt, als wollte er den Zugang versperren. Bruno eilte auf die Gruppe zu und bat einen Freund, den er darin entdeckte, in Erfahrung zu bringen, wohin die einzelnen Buspassagiere gebracht werden wollten. Dann stellte er sich vor den Gendarmen, forderte Ruhe ein und versuchte, die Weiterfahrt der Passagiere zu organisieren, wozu er freiwillige Fahrer brauchte. Als Ziel war oberhalb der Windschutzscheibe des Busses die Stadt Sarlat angegeben. Die meisten Fahrgäste würden also entweder dort oder in Le Buisson beziehungsweise Saint-Cyprien, den beiden größeren Ortschaften auf der Strecke, aussteigen.

»*Putain*, Bruno, soll doch ein anderer Bus kommen«, blaffte Hervé, ein hitzköpfiger junger Mann, der gerade seinen Sommerjob als Barkeeper an der Theke des Campingplatzes verloren hatte. »Wichtiger ist es jetzt, dieser blöden Kuh Imogène Bescheid zu stoßen.«

»Die kann warten«, entgegnete Bruno entschieden. »Ich muss den Mann des Unfallopfers erreichen und ins Krankenhaus schicken, damit er sich um seine Kinder kümmert. Gehen Sie mir aus dem Weg, Hervé. Helfen Sie lieber den Leuten aus dem Bus, während ich versuche, dem armen Kerl die Nachricht zu überbringen, die ihm das Herz brechen wird. Seine Frau ist tot, seine beiden Kinder liegen im Krankenhaus und brauchen ihn jetzt. Das hat Priorität.«

Er wandte sich auch an seinen Freund aus dem Jagdverein. »Justin, auf dich kann ich mich doch verlassen, oder? Bitte erkundige dich, wer wen nach Le Buisson, nach Saint-Cyprien und nach Sarlat fahren kann. Ich stelle auch meinen Landrover zur Verfügung, denn vorerst komme ich hier nicht weg.«

Als er sah, dass die Gruppe auseinanderlief und sich mehrere Männer Justin anschlossen, kehrte er ihnen den Rücken zu und rief bei der Zulassungsstelle an, um den Halter des verunfallten Peugeots feststellen zu lassen. Die Pompiers waren immer noch dabei, die tote Frau und den Rehbock zu bergen. Die Nummer 24 auf dem Kennzeichen ließ erkennen, dass das Fahrzeug im hiesigen Département zugelassen war. Wenige Minuten später wurde Bruno der Name Michel Peyrefitte genannt, ein Name, den er schon einmal gehört zu haben glaubte. Als er ihn unter der angegebenen Nummer anrief und auf einem Golfplatz nahe Périgueux erreichte, hörte er eine vertraute Stimme, die er vom Lokalsender *Bleu Périgord* her kannte. Er sprach mit dem Rechtsanwalt, der sich als Kandidat der *Républicains* für die Nationalversammlung zur Wahl stellte. Am anderen Ende der Leitung blieb es lange still, nachdem Bruno die schreckliche Nachricht überbracht hatte. Er wollte sich schon vergewissern, ob er noch verbunden war, als er ein tiefes Seufzen hörte und die Worte *Mon Dieu, non.*

»Ihre Kinder sind auf dem Weg ins Krankenhaus von Périgueux, Monsieur«, sagte Bruno. »Soll ich einen Wagen vorbeischicken, der Sie abholt?«

Jemand anders, einer seiner Golfpartner, meldete sich und sagte, Peyrefitte sei zusammengebrochen. Bruno wiederholte seine Frage. »Nein, danke, das ist nicht nötig. Wir sind selbst motorisiert und werden uns sofort auf den Weg machen«, kam die Antwort. »Ich bin sein Sozietätspartner. Können Sie mir sagen, was geschehen ist?«

»Nicht genau, denn es waren mehrere Fahrzeuge in den Unfall verwickelt. Jedenfalls scheint ein Rehbock in den Wagen von Madame Peyrefitte gelaufen zu sein. Sie ist tot, und die beiden Kinder mussten ins Krankenhaus gebracht werden.« Bruno verschwieg, dass sich der Frau das Gehörn des Rehbocks durch die Brust gebohrt hatte. Das Tier war so abgemagert, dass es mit hoher Wahrscheinlichkeit aus Imogènes Revier stammte.

Im Hintergrund hörte Bruno einen aufgeregten Wortwechsel, dann meldete sich Peyrefitte zurück, der sich offenbar wieder gefasst hatte. »In der vergangenen Woche war in der Zeitung von einer verrückten Tierschützerin die Rede. Hat sie etwas mit dem Unfall zu tun?«

»Das weiß ich nicht, Monsieur. Er fand in der Nähe ihres Hauses statt, aber in einer Gegend, die bejagt wird und durch die nicht nur ihr Wild wechselt. Kann ich dem Krankenhaus durchgeben, dass Sie gleich kommen werden? Und gibt es noch jemanden, den ich für Sie anrufen soll, die Familie Ihrer Frau vielleicht?«

Peyrefitte antwortete kurz und bündig, dass er selbst anrufen und sofort zum Krankenhaus fahren werde, verabschiedete sich und legte auf. Bruno stieß einen Stoßseufzer aus. Ihm schwante, dass Peyrefitte in seinem Schmerz Ärger machen würde. Er rief den Bürgermeister an, um ihn vorzuwarnen, und noch während er mit ihm sprach, sah er die ersten Blitzlichter aus der Kamera von Philippe Delaron, der seit kurzem in Vollzeitanstellung für die *Sud Ouest* als

Fotoreporter arbeitete. Den Fotoladen der Familie hatte er aufgeben müssen; trotzdem nahm er noch Aufträge als Porträt- und Hochzeitsfotograf entgegen. Philippe kam auf Bruno zu und zückte seinen Notizblock. Auf seine Fragen antwortete Bruno vorsichtig. Derweil kam ein Leichenwagen, um die tote Frau abzuholen. Ihm folgte Lespinasse in seinem Abschleppwagen, der sofort damit begann, das Autowrack aus der Böschung zu ziehen.

»Haben Sie das Unfallopfer schon identifizieren können?«, fragte Philippe.

Bruno sah keinen Grund, den Reporter hinzuhalten. »Madame Monique Peyrefitte«, antwortete er. »Ihren Ehemann, Michel Peyrefitte, habe ich soeben informiert. Er ist auf dem Weg ins Krankenhaus zu seinen Kindern.«

»Der Politiker?«, fragte Philippe. Bruno nickte, worauf Philippe einen überraschten Pfiff ausstieß und sich wegdrehte, um seine Redaktion anzurufen.

Bruno ging zu Lespinasse, der ihm sagte, dass ein schwereres Bergungsfahrzeug für den Bus angefordert werden müsse. Seine Kiste sei damit überfordert. Bruno bestieg den leeren, extrem geneigten Bus und schaute hinter und unter jeden Sitz, um sicherzustellen, dass kein Fahrgast mehr an Bord war. Dann ging er die Papiere durch, die im Türfach neben dem Fahrersitz steckten, fand die Nummer des Busunternehmers und rief an. Es meldete sich die Stimme einer jungen Frau, die nicht wusste, ob ein Ersatzbus zur Verfügung stand, aber versprach, ihren Chef anzurufen. Der Schlüssel steckte noch im Zündschloss. Bruno zog ihn ab, vergewisserte sich, dass der Kofferraum verriegelt war, meldete sich erneut bei dem Unternehmen und sagte, dass er die

Schlüssel an sich genommen habe – man solle veranlassen, dass der Bus unverzüglich abgeschleppt werde. Er nannte seine Handynummer, und als er aus dem Bus stieg, war gerade der Bürgermeister eingetroffen.

»Philippe hat mir eben gesagt, dass Peyrefittes Frau und Kinder betroffen sind«, raunte ihm Mangin zu. »Er wird auf *Bleu Périgord* mit der Nachricht herauskommen, also sollte ich schnellstens den Präfekten informieren. Was können Sie mir sonst noch berichten?«

Bruno antwortete, dass zurzeit versucht werde, die Weiterfahrt der Busfahrgäste zu organisieren und dass er gleich in die Klinik wolle, um nach den Passagieren zu sehen, die von Dr. Gelletreau versorgt worden waren. Von einem der Feuerwehrleute hatte er erfahren, dass es zu mehreren Bruchverletzungen gekommen war.

»Und eben wollten sich ein paar Hitzköpfe zusammentun und Imogène einen Besuch abstatten«, fuhr Bruno fort. »Ich habe sie fürs Erste ablenken können, aber die Lage bleibt brisant.«

»Verständlich«, erwiderte Mangin. »Wäre ich nicht Bürgermeister, würde ich mich ihnen vielleicht sogar anschließen.«

»Kann ich mir nicht vorstellen. Wir können schließlich nicht zulassen, dass andere das Gesetz in die eigenen Hände nehmen«, entgegnete Bruno. »Und wir sollten die Frau nicht allein lassen, sondern sie vielmehr noch vor Anbruch der Dunkelheit in Sicherheit bringen. Wenn sich die Männer in der Kneipe treffen und volllaufen lassen, könnten sie womöglich auf die Schnapsidee kommen, mit Kanistern voller Benzin hier aufzukreuzen.«

»Sie wollen das Wild, nicht sie. Eigentlich erstaunlich, dass wir noch keine Schüsse gehört haben.«

»Wahrscheinlich halten sich alle wegen des Todesfalls zurück, aber das wird nicht mehr lange der Fall sein«, sagte Bruno. »Ich sollte mich vielleicht schon einmal auf den Weg zu ihr machen, während Sie mit dem Präfekten sprechen.«

»Und was werden Sie tun, wenn sich Imogène weigert, ihr Haus zu verlassen?«

Bruno zuckte mit den Schultern. »Ich muss sie überzeugen.«

»Daran glauben Sie doch nicht wirklich. Ich werde nicht zulassen, dass Sie da oben im Haus sitzen und einen Mob aufzuhalten versuchen«, sagte der Bürgermeister. »Wie wäre es zum Beispiel damit? Dr. Gelletreau könnte ihr attestieren, dass sie den Verstand verloren hat und damit nicht nur eine Gefahr für andere, sondern auch für sich selbst ist. Dann wären wir gezwungen, sie über Nacht zur Beobachtung ins Krankenhaus zu bringen, und morgen früh würde dann der Richter entscheiden. Zugegeben, das ist nicht die feine Art, aber so könnten wir sie schützen. Oder haben Sie eine bessere Idee?«

Bruno schüttelte den Kopf. »Klären Sie das bitte mit dem Präfekten und mit Dr. Gelletreau! Derweil rede ich mit Imogène.«

Als Bruno auf ihr Haus zufuhr, kam es ihm vor, als hätte sich das Rotwild seit seinem letzten Besuch noch weiter vermehrt, aber wahrscheinlich mied es den Lärm und die Menschen weiter unten an der Straße und war oben zusammengelaufen. Imogène öffnete die Tür und grüßte ihn mit herausforderndem Blick. Aus dem Flur hinter ihr tönte klassische Musik.

»*Bonjour*, Imogène. Hören Sie sich im Radio mal die lokalen Nachrichten an«, schlug Bruno vor. »Sie und Ihr Rotwild machen gerade Schlagzeilen. Unten auf der Straße ist vorhin eine Frau ums Leben gekommen. Ihre zwei Kinder und ein Busfahrer sind verletzt und auf dem Weg ins Krankenhaus.«

»Oh nein!« Imogène riss die Augen auf und schlug eine Hand vor den Mund. »Kann ich irgendwie helfen?«

»Es ist alles unter Kontrolle. Wenn Sie jetzt zur Unfallstelle gingen, würden die Leute über Sie herfallen und Sie in Stücke zerreißen. Sie sind in Gefahr.«

»Unsinn. Sind welche von meinen Tieren verletzt worden?«

»Drei Rehe sind tot. Ein Bock hat sich mit seinen Stangen in die Brust der Frau gebohrt. Sie war die Frau eines wichtigen Mannes, eines Politikers. Sie können nicht hier in Ihrem Haus bleiben. Man würde Sie sonst lynchen. Haben Sie Verwandte oder Freunde, bei denen Sie unterkommen können?«

»Ich rühre mich nicht vom Fleck. Das ist doch ein Trick. Sie locken mich weg, um meine Tiere abknallen zu können.«

Bruno schüttelte den Kopf. »Hören Sie sich die Nachrichten an, Imogène. Ich mache Ihnen nichts vor. An der Unfallstelle waren mehrere Männer, die Ihnen sofort Bescheid stoßen wollten. Ich habe sie aufgehalten, was nicht leicht war. Es werden sich noch mehr zusammenrotten, und sie sind wütend. Sie *müssen* sich in Sicherheit bringen!«

Sie musterte ihn mit ruhigem Blick und sagte dann: »Da

ist niemand, zu dem ich gehen könnte, und selbst wenn es jemanden gäbe, würde ich meine Tiere nicht im Stich lassen.« Sie kehrte ins Haus zurück, ohne die Tür hinter sich zu schließen, und drehte am Radio, um *Bleu Périgord* einzustellen. Bruno fiel auf Anhieb nur eine Person ein, die Imogène bei sich aufnehmen würde. Er suchte nach Raquelles Nummer im Adressbuch seines Handys, rief sie an und setzte sie ins Bild. Sie erklärte sich sofort einverstanden, Imogène für ein paar Tage bei sich wohnen zu lassen.

»Na schön, ich glaube Ihnen«, sagte Imogène und wandte sich vom Radio ab, in dem soeben Brunos Ausführungen bestätigt worden waren. »Traurig, was da passiert ist, aber man kann das Wild nicht dafür verantwortlich machen. Die Leute müssen lernen, mit den Tieren zusammenzuleben, mit ihnen das Land zu teilen. Die Rehe und Hirsche haben ebenso ein Anrecht darauf, hier zu leben, wie wir. Die Leute sollten langsamer fahren oder, besser noch, zu Fuß gehen.«

Frustriert verzog Bruno das Gesicht. Imogène lebte auf einem anderen Planeten. Sein Handy vibrierte. Der Bürgermeister berichtete, dass Dr. Gelletreau Imogène eine Zwangspsychose attestiere und eine Einweisung in die Psychiatrie verordnet habe. Davon abgesehen, habe sich Gelletreau als Erster freiwillig zur Jagd in Imogènes Revier gemeldet.

»Imogène, der Bürgermeister hat mich soeben beauftragt, Sie in Gewahrsam zu nehmen und in eine psychiatrische Klinik zu bringen, wo man Sie untersuchen wird«, erklärte Bruno und versuchte, ruhiger zu wirken, als er war. Imogène ließ sich auf einen Stuhl fallen und vergrub ihr Gesicht in beiden Händen.

»Das können Sie doch nicht …«

»Sie lassen uns keine andere Wahl, Imogène. Der Beschluss ist rechtswirksam. Sie könnten sich allerdings auch freiwillig von hier zu Ihrer Freundin Raquelle nach Montignac bringen lassen. Sie ist bereit, Sie für ein paar Tage bei sich aufzunehmen, bis sich die Gemüter abgekühlt haben. Wenn Sie auch damit nicht einverstanden sind, muss ich Sie zur Gendarmerie bringen, und von dort holt Sie dann ein Krankenwagen ab, der Sie in die psychiatrische Klinik nach Périgueux fährt. Was ist Ihnen lieber?«

»Dazu haben Sie kein Recht«, zischte sie. »Ich weigere mich zu kooperieren.«

Es missfiel ihm zutiefst, dass er sich nun genötigt sah, sie mit Gewalt nach draußen zu führen, auf die Rückbank seines Landrovers zu setzen und die Tür zu verriegeln. Als er sich ans Steuer gesetzt hatte, drehte er sich zu ihr um und sagte: »Letzte Chance. Raquelle oder Zwangsjacke?«

»Raquelle«, antwortete sie. »Ich müsste ein paar Sachen zusammenpacken.«

»Ich gebe Ihnen fünf Minuten. Wenn Sie davonzulaufen versuchen, lege ich Ihnen Handschellen an und fahre Sie geradewegs zur Gendarmerie. Verstanden?«

Sie warf ihm einen giftigen Blick zu, knurrte etwas durch die zusammengebissenen Zähne, was wohl als Einverständnis zu deuten war, und stieg aus dem Wagen. Bruno hielt ihren Oberarm gepackt und führte sie ins Haus. Er blieb in der Schlafzimmertür stehen, während sie ein paar Kleidungsstücke in eine Tasche warf. Sie solle auch ihre Wertgegenstände mitnehmen, sagte er, wichtige Dokumente und alles, was ihr lieb und teuer sei, ein paar Fotos ihrer Rehe vielleicht.

»Wieso denn das?«, fragte sie unwirsch. »Ich komme doch morgen schon zurück, dann hat sich dieser alberne Rummel hier verzogen.«

»Nein, Imogène. Es ist nicht einmal gesagt, dass dieses Haus morgen noch steht. Ehrlich, ich fürchte, man wird es niederbrennen.« Im Stillen überlegte er bereits, wie er fahren sollte, um der Menge am Unfallort auszuweichen.

Er war sich nicht sicher, ob Imogène einfach nur starrsinnig und trotzig war oder sich aus Unsicherheit so aufsässig gab. Oder ob sie die Gefahr, in der sie schwebte, ebenso wenig zur Kenntnis nahm wie ihre Mitverantwortung an den Unfällen. Er bezweifelte, dass sie jemals zugeben würde, sich schuldig zu fühlen. Sie schien sich nun zu einer Entscheidung durchgerungen zu haben, straffte die Schultern und nahm ein paar Fotos von den Wänden, die sie in einen Aktenordner steckte, der auf ihrem Schreibtisch lag. Wenige Minuten später saßen sie wieder in seinem Landrover, Imogène hinten, Tasche, Handtasche und Aktenordner neben sich auf dem Rücksitz.

Das Autoradio war auf *Bleu Périgord* eingestellt. Der Sender hatte eine Reporterin ins Krankenhaus geschickt, der es gelungen war, Peyrefitte ein kurzes Interview abzutrotzen. Er sagte nur, dass er jetzt ausschließlich an seine Kinder denke und um seine Frau trauere. Ungeachtet dessen erinnerte die Reporterin daran, dass sich Peyrefitte in der Vergangenheit immer wieder mit scharfer Kritik an den »grünen Extremisten«, wie er sie nannte, hervorgetan hatte. Ein Sprecher des Krankenhauses erklärte, die behandelnden Ärzte kämpften um das Leben eines der beiden Kinder.

Imogène wirkte wie versteinert, als Bruno in einen von

Unterholz überwucherten Waldweg einbog, der eigentlich kaum befahrbar war. Auf die Nachrichten im Radio folgte eine Gesprächsrunde, die mit einem Anrufer eröffnete, der die »Hirschzicke« als Mörderin bezeichnete. Bruno hörte, wie Imogène ein leises Schluchzen von sich gab und plötzlich zu würgen anfing. Bruno hielt an, beugte sich über sie hinweg, um die Tür auf ihrer Seite zu öffnen, und half ihr, sich nach draußen zu lehnen. Er schaltete das Radio aus, reichte ihr eine Flasche Wasser und ein Handtuch aus seiner Sporttasche. Während sie sich zu erholen versuchte, schrieb er dem Bürgermeister eine kurze SMS: »Imogène außer Gefahr, empfehle, Haus zu sichern.«

Dann fuhr er auf Umwegen über Saint-Chamassy und Meyrals zu Raquelles Adresse in Montignac. Vor ihrem Haus angekommen, rief er sie von seinem Wagen aus an und fragte, ob sie allein sei und ihre Freundin in Empfang nehmen könne. Sie bejahte, worauf Bruno Imogène ins Haus führte und kurzerhand ihre Tasche im Wohnzimmer abstellte.

»Sie sind doch diskret, oder?«, fragte er Raquelle.

»Ich habe Radio gehört und weiß, worum es geht.«

»Auch Ihrer Familie gegenüber bitte kein Wort …«

»Ich werde mich hüten, besonders im Beisein von Madeleine«, erwiderte sie mit freudlosem Lächeln. »In der Hinsicht vertreten wir sehr unterschiedliche Standpunkte. Sie wissen vielleicht, dass sie für die Republikaner kandidiert und sich ins Europaparlament wählen lassen will.«

Bruno runzelte die Stirn. Die Nachricht überraschte ihn nicht wirklich. Madeleine war eine Frau von festen Überzeugungen, und die aktuelle sozialistische Regierung lag in den Meinungsumfragen hinten. Ihre Erfolgschancen standen gut, zumal sie von den Parteifreunden des Patriarchen volle Unterstützung erwarten durfte. Bruno erinnerte sich an ihren Auftritt bei der jüngsten Weinverkostung und die Art, mit der sie auf größere Menschengruppen einzuwirken versuchte.

»Sie wirbt nicht zuletzt um die Gunst der Winzer und Jäger«, sagte Raquelle, »und möchte sicherstellen, dass ihr von den Chasseurs keine Stimmen abgenommen werden. Meine liebe Schwägerin wäre also die Letzte, der ich verraten würde, dass Imogène Zuflucht bei mir gesucht hat.«

»Vielen Dank, Raquelle. Das weiß ich zu schätzen.«

»Machen Sie sich keine Sorgen. Ich passe gut auf sie auf, auch wenn ich ihre sture Haltung hinsichtlich dieser Tiere nicht gutheiße.«

»Wenn sie nur damit einverstanden wäre, dass der Bestand nicht ausufert, könnten wir vielleicht eine Art Tierasyl auf ihrem Grund und Boden einrichten.«

»Mal sehen, ob ich sie überreden kann.«

13

Die französischen Präfekturen gehen auf die Zeit Napoleons zurück. Ihre Vertreter tragen militärische Uniformen und repräsentieren den Zentralstaat in ihrer Region. Jedem Département steht ein Präfekt vor, dem ein Mitarbeiterstab von bis zu tausend Personen zuarbeitet. Deren Aufgabe besteht hauptsächlich darin, Führerscheine, Reisepässe, Kraftfahrzeugzulassungen und dergleichen auszustellen. Präfekten haben darauf zu achten, dass die verschiedenen Ebenen regionaler Regierungen dem von Paris vorgegebenen politischen Kurs folgen. Insbesondere tragen sie Verantwortung für die Gewährleistung von Recht und Ordnung und für alle Organe der Polizei.

Dazu gehören die Gendarmerie, traditionell eine paramilitärische Einheit unter dem Oberbefehl des Verteidigungsministeriums, sowie die *Police nationale,* der im Wesentlichen zwei Funktionen zufallen. Als landesweit tätige und dem Innenministerium unterstellte Polizeibehörde ist sie verantwortlich für die öffentliche Sicherheit, für den Grenzschutz, für den Einsatz spezieller Kommandos und für die gefürchteten *Compagnies Républicaines de Sécurité,* kurz CRS, die zur Absicherung von Demonstrationen und Großveranstaltungen in Bereitschaft stehen. Unter dem Dach der Police nationale befindet sich außerdem der Inlandsgeheimdienst DCRI, in dem die alte Direktion für territoriale Überwachung und der zentrale Nachrichtendienst *Renseignements généraux* zusammengefasst sind. In ihrer zweiten Funktion nimmt die Police nationale die Aufgaben einer Kriminalpolizei wahr. Die untergeordnete Behörde der *Police judiciaire* ähnelt in ihrer Struktur dem FBI in den Vereinigten Staaten. Ihre Ermittler und Kriminalisten unterstehen normalerweise dem Befehl des Magistrats, der in Einzelfällen vom zuständigen Procureur, dem Staatsanwalt, beauftragt wird, die Ermittlungen zu leiten.

Der Präfekt muss außerdem Dutzende einzelner städtischer und kommunaler Polizeikräfte koordinieren, unter anderem Brunos Einmannbüro in Saint-Denis. Der seufzte, als, kaum hatte er Raquelles Haus verlassen, der Bürgermeister anrief und ihn aufforderte, auf direktem Weg zur Präfektur nach Périgueux zu fahren, wo er zu einer wichtigen Besprechung erwartet werde. Für den gegenwärtigen Amtsinhaber, einen Sozialisten, hatte er nicht viel übrig, weil dieser, wie allgemein bekannt war, besonders großen Wert auf eine möglichst störungsfreie politische Allianz mit den Grünen legte. Der Fall Imogène war dazu angetan, ihn in die Bredouille zu bringen. Den Grünen zuliebe würde er dafür plädieren, Imogène samt ihrem Wild zu schützen, was allerdings nur mit großem polizeilichem Aufwand möglich wäre. Die Sozialisten aber standen den Polizeikräften und ihren oft überhart geführten Einsätzen traditionellerweise kritisch gegenüber. Dass ausgerechnet die Frau eines führenden Konservativen ums Leben gekommen war, machte die Sache noch prekärer. Kurzum, der Präfekt würde wahrscheinlich, wie Bruno fürchtete, beiden Seiten gefällig zu sein versuchen und damit alles nur noch schlimmer machen.

Als ehemaliger Soldat wusste Bruno, dass es nichts Gefährlicheres gab als zögerliche Kommandanten und vage Befehle. Wenn ein Staat Truppen einsetzte, musste er wissen, mit welchem Ziel, und sicherstellen, dass auch die Truppen Bescheid wussten. Im vorliegenden Fall stand zur Entscheidung, ob vorrangig Imogène, ihr Eigentum und der Wildbestand in ihrem Revier vor Randalierern zu schützen waren oder aber die Straßenverkehrsteilnehmer vor einer Überpopulation von Hirschen und Rehen. Da er Imogène nun in Sicherheit gebracht hatte, waren nur noch ihr baufälliges Haus und das Wild bedroht.

Vor dem prächtigen Gebäude der Präfektur angekommen, wurde Bruno zur Privatadresse des Präfekten umgeleitet. Er wusste, was dies zu bedeuten hatte: Das Treffen sollte einen eher inoffiziellen Charakter tragen. Im Fall einer politischen Blamage würde es nicht stattgefunden haben. Als Bruno am Ziel war, wurde er nicht etwa in das Arbeitszimmer des Präfekten geführt, sondern auf eine Veranda im rückwärtigen Teil des imposanten Hauses, wo er den Hausherrn, seinen Bürgermeister und den diensthabenden General der Gendarmen antraf. Alle drei waren in Zivil, tranken Kaffee und Mineralwasser. Ein Fernseher war auf den Nachrichtenkanal eingestellt, aber auf stumm geschaltet; ein Radioempfänger übertrug die Lokalnachrichten von Bleu Périgord. Schon im Auto hatte Bruno gehört, dass Dutzende Jäger aus dem ganzen Département in Saint-Denis zusammengekommen waren und noch vor Einbruch der Dunkelheit in Imogènes Revier eine Treibjagd veranstalten wollten.

»Ah, Bruno«, begrüßte ihn der Bürgermeister. Bruno schüttelte ihm und den beiden anderen die Hand. »Wir warten noch auf den *Commissaire de police*. Sobald er hier ist, können wir beginnen. Haben Sie etwas Neues zu berichten? Ist Imogène in Sicherheit?«

»Vorerst ja«, antwortete er. Der Präfekt deutete mit einer flüchtigen Handbewegung an, dass er sich etwas zu trinken nehmen sollte. Bruno entschied sich für Mineralwasser.

»Ausgeschlossen, dass ich meine Männer, wenn es dunkel ist, in einen Wald schicke, der voller bewaffneter Jäger ist«, sagte der General, was Bruno mit Erleichterung zur Kenntnis nahm. »Ich mache mir ernstlich Sorgen, zumal die Einsatzkräfte, die mir zur Verfügung stehen, bei weitem nicht ausreichen, um das Revier zu kontrollieren. Auch wenn Sie mir gestatten würden, Verstärkung aus Limoges und Bordeaux anzufordern, wäre sie frühestens morgen Vormittag zur Stelle.«

Ein fünfter Mann, ebenfalls in Zivil, wurde von einem Bediensteten in weißem Jackett auf die Veranda geführt. Pascal Prunier, so der Name des hiesigen Polizeirates, war in Brunos Alter und für sein hohes Amt eigentlich noch viel zu jung, hatte sich aber schon auf seinem letzten Posten in Paris einen Namen gemacht. Jean-Jacques, der Chefermittler des Départements und Brunos Freund, respektierte ihn, wenn auch widerwillig. Er bezeichnete ihn als ehrgeizig, politisch voreingenommen und schwierig im Umgang, gleichzeitig aber als durchaus vertrauenswürdig und loyal seinen Mitarbeitern gegenüber. Bruno wusste aus seiner aktiven Zeit als Rugbyspieler, dass Prunier früher für Clermont-Ferrand, also in einem der besten Vereine Frankreichs, gespielt hatte, zuletzt noch in einem Match, kurz bevor er nach Bosnien gegangen war, in dem sich beide gegenübergestanden hatten, er, Bruno, in einem aus Soldaten bestehenden Team, Prunier in einer Polizeimannschaft. Bruno erinnerte sich: Von ihm getackelt zu werden war wie die Begegnung mit einer Dampfwalze. Und er sah immer noch fit aus.

Wie sein Bürgermeister stand Bruno auf, um ihm die Hand zu geben, während sowohl der General als auch der Präfekt sitzen blieben. Trotzdem schüttelte Prunier auch ihnen die Hand. Dann wandte er sich Bruno zu und sagte: »Schön, Sie wiederzusehen, Courrèges. Als wir uns das letzte Mal sahen, waren Sie der Mann, der mich daran gehindert hat, einen schon fast sicheren Try zu erzielen und das Spiel zu gewinnen. Wie lange ist das jetzt her, zehn oder zwölf Jahre?«

»Über zwölf, Commissaire«, antwortete Bruno und versuchte, sich nicht anmerken zu lassen, wie sehr er sich darüber freute, dass der andere sich noch an ihn erinnerte.

»Nennen Sie mich Pascal. Stimmt es, dass Sie diese Frau in Sicherheit gebracht haben?«

»Ja, leider ist aber aus Saint-Denis zu hören, dass die Gemüter überkochen.«

»Meine Herren, fangen wir an«, sagte der Präfekt. »Der General hat mir soeben mitgeteilt, dass er seine Gendarmerie nach Einbruch der Dunkelheit nicht einsetzt.«

»Gute Entscheidung«, meinte Prunier. »Meine Schnelle Eingreiftruppe steht, wie Sie verlangt haben, ganz in der Nähe in Bereitschaft. Aber auch ich möchte davor warnen, sie nach Einbruch der Dunkelheit in den Wald zu schicken. Den Befehl dazu würde ich nicht geben, Monsieur.«

»Sollen wir dem Mob durchgehen lassen, dass er das Gesetz in die eigene Hand nimmt, fremdes Eigentum ruiniert und außerhalb der Jagdzeit Wild erlegt?«, entgegnete der Präfekt. »Damit wäre Paris bestimmt nicht einverstanden. Der stellvertretende Minister verlässt sich darauf, dass wir hier im Périgord das Heft in der Hand behalten.«

»Dann soll er den Befehl erteilen«, sagte Prunier. »Liegt der schon vor?«

»Er hat nur einen Vorschlag gemacht«, antwortete der Präfekt, sichtlich besorgt. »Und das auch bloß mündlich.«

»Ich habe auch keinen Befehl aus Paris erhalten, lediglich die Bitte, mich mit Ihnen, *Monsieur le Préfet*, zu beraten. Es scheint, die Verantwortung bleibt letztlich bei uns.« Prunier wandte sich dem General zu. »Wie sieht's bei Ihnen aus?«

»Auch wir warten noch auf Befehle aus Paris. Bisher haben aber weder das Verteidigungs- noch das Innenministerium etwas von sich hören lassen. Im Übrigen stimme ich mit Ihnen überein. Seine Gendarmen bei Nacht in den Wald zu schicken wäre mehr als unvernünftig.«

»Sie sind der Mann vor Ort, Bruno. Was denken Sie?«, fragte Prunier. Erstaunlich, dachte Bruno, wie schnell er in dieser Runde das Kommando übernommen hatte.

»Ich wurde während meiner Militärzeit im Nachtkampf ausgebildet und weiß, wie riskant solche Manöver sind, selbst wenn man über Restlichtverstärker verfügt«, antwortete Bruno. »Wenn Sie untrainierte Männer bei Nacht in diese Wälder schicken, riskieren Sie ein echtes Desaster. Und selbst wenn alles gutginge, bliebe das Problem mit den Tieren.«

»Mit dieser Frage beschäftigen sich die Gerichte«, bemerkte der Präfekt und winkte ab.

»Formell, ja«, bestätigte Bruno. »Tatsächlich aber entscheiden heute Nacht die Jäger, die sich, wie im Radio zu hören war, in Saint-Denis zusammenrotten, und ich weiß nicht, wie wir sie noch aufhalten könnten.«

»Moment«, sagte der Präfekt und lehnte sich zurück, um das Radio lauter zu stellen. Peyrefitte gab gerade ein Interview. Er war im Krankenhaus und erklärte, dass eines seiner Kinder außer Lebensgefahr sei, das andere aber noch auf der Intensivstation liege.

»Ich kann nur hoffen, dass anderen Familien eine solche Tragödie erspart bleibt«, sagte Peyrefitte mit belegter Stimme. »Und das alles wegen einer verrückt gewordenen Frau, der Tiere wichtiger sind als Menschenleben. Es ist nicht zu fassen …«

»Behaupten Sie, dass diese Frau verantwortlich ist für den Tod Ihrer Frau?«, fragte der Reporter.

»Ja, was denn sonst? Ich werde vom Procureur verlangen, dass er sie wegen Mordes anklagt, und wenn er sich weigert, werde ich zivilrechtlich gegen sie vorgehen, auch auf die Gefahr hin, dass man sie für rechenschaftsunfähig erklärt, was ich als ihr Anwalt tun würde. Aber wo kämen wir hin, wenn man auf öffentlichen Straßen nicht mehr sicher sein kann, weil das Wild überhandnimmt? Kommen wir Menschen denn nicht an erster Stelle?«

Die nächste Nachrichtenmeldung kam aus dem Nahen Osten. Der Präfekt drehte die Lautstärke wieder herunter und sagte: »Ich muss mit dem Procureur reden.«

»Peyrefitte hat uns gerade einen guten Grund geliefert,

aus der Schusslinie zu treten«, sagte der Bürgermeister zuversichtlich. »Soll doch Peyrefitte Klage einreichen.«

Der Präfekt nickte bedeutungsvoll und sagte: »Wir dürfen die politische Dimension nicht aus den Augen verlieren.«

»Falls Peyrefitte das durchziehen sollte, würde er bei der nächsten Wahl einen Erdrutschsieg davontragen«, entgegnete Prunier.

»Wieso ›falls‹?«, fragte der Präfekt. »Er ist doch schon dabei.«

»Er hat seine Frau verloren und muss sich jetzt um die beiden Kinder kümmern, von denen eins offenbar so schwer verletzt ist, dass sich der Heilungsprozess noch hinziehen wird«, rekapitulierte der Bürgermeister. »Ich kenne ihn. Er ist ein anständiger Kerl, und seine Kinder kommen für ihn an erster Stelle. Vermutlich wird er sich für eine Weile aus der Politik zurückziehen und zu Hause bei seinen Kindern bleiben. Und das wäre auch das Richtige.«

»Demnach würde der Regierung der bedrohte Sitz im Parlament doch nicht verlorengehen«, sagte der Präfekt sichtlich erleichtert.

»Möglich, es sei denn, die Republikaner finden schnell Ersatz, und sie hätten da auch eine Kandidatin in Bergerac, die schwer zu schlagen wäre«, meinte der Bürgermeister. »Ich denke an Madeleine Desaix. Sie sieht gut aus, ist glücklich verheiratet, Mutter, führt ein Weingut, und ihr Schwiegervater ist der Patriarch. Wenn der alte Herr für sie die Werbetrommel rührt, und davon gehe ich aus, wird sie sehr gute Chancen haben.«

Bruno runzelte die Stirn. Madeleine durfte sich offenbar größere politische Hoffnungen machen, als er angenommen hatte. Der Präfekt rutschte ein wenig tiefer in seinen Sessel und blickte zum Himmel empor. Es wurde dunkel. Er schaute auf die Uhr und schien ein wenig zu schwanken, als die Männer in der Runde auf je ihre Weise diskret zu einer Entscheidung drängten, indem auch sie auf die Uhr sahen oder ein Smartphone aus der Tasche zogen.

»Übrigens, *Monsieur le Maire*, ich habe eine kleine Rechnung angestellt«, sagte Bruno, um dem Präfekten für seine Entscheidung noch einen weiteren Faktor zu bedenken zu geben. »Falls der Richter anordnen sollte, den Rot- und Rehwildbestand in Imogènes Revier zu dezimieren, schätze ich die anfallenden Kosten auf zwanzig- bis dreißigtausend Euro.«

»Wir könnten uns das Geld vielleicht zurückholen«, antwortete der Bürgermeister, der sofort ahnte, worauf Bruno abzielte, und ihm in die Karten spielte. »Aber dafür müsste sie ihr Haus verkaufen, und das würde einen Skandal hervorrufen. Die Grünen würden auf die Barrikaden gehen. Klüger wäre es, Sie, *Monsieur le Préfet*, um eine Bezuschussung zu bitten.«

Der Präfekt ließ seinen Blick misstrauisch zwischen Bruno und dem Bürgermeister hin und her pendeln und schaute dann Prunier und den General an. Er ahnte, dass er manipuliert wurde, wusste aber auch, dass diese Männer durchaus recht hatten, wenn sie davor warnten, bewaffnete Männer bei Nacht in den Wald zu schicken. Ein Scheitern der Aktion würde seiner Karriere womöglich ein Ende setzen.

»Haben Ihre Männer vor Ort Neues zu berichten, General?«, fragte er. Der General schaute auf seinem Mobiltelefon nach, ob Nachrichten eingegangen waren.

»Nein, Monsieur. Außer dass vor wenigen Minuten vereinzelt geschossen wurde, allerdings nur in benachbarten Revieren, wo die Jagd erlaubt ist. Auf einen organisierten Marsch gegen Imogènes Haus liegen keine Hinweise vor.«

»Dann sollte ich wohl die CRS abziehen lassen, bevor weitere Überstunden fällig werden«, sagte Prunier. »Ich könnte sie in Bereitschaft halten und morgen zurückrufen.«

»Von uns sind Kradfahrer rings um Saint-Denis postiert, die Alkoholkontrollen vornehmen«, berichtete der General. »Ein Einsatzfahrzeug mit Scheinwerfern wird die ganze Nacht über vor der Zufahrt zum Haus stehen. Eins noch, *Monsieur le Préfet,* haben Sie Befehle für meine Leute für den Fall, dass es zu Schießereien kommt?«

»Nein, es sei denn, der Dritte Weltkrieg bricht aus«, antwortete der Präfekt mit einstudiertem Lächeln. Er stand auf. »Nun denn, wir beschränken uns also darauf, das Anwesen dieser Frau die Nacht über zu bewachen, ohne unnötige Risiken einzugehen. Ich werde dem stellvertretenden Minister mitteilen, dass unsere Entscheidung einstimmig getroffen wurde. Vielen Dank, meine Herren, für Ihre Berichte und ihre sehr hilfreiche Beratung. Ich schätze, morgen wird das Problem gelöst sein, so oder so.«

14

Als sie das Haus des Präfekten verließen, legte der Bürgermeister eine Hand auf Pruniers Arm. »Es hat mich sehr gefreut zu hören, dass Sie und Bruno alte Bekannte sind. Ich wollte ihn hier in der Stadt zum Essen einladen. Würden Sie sich uns anschließen? Da Sie beide Polizisten sind, sollten wir es vielleicht mit dem *Hercule Poirot* versuchen. Ein Restaurant nach einem Detektiv zu benennen hat mir selbst immer schon vorgeschwebt.«

»*Monsieur le Maire,* ich müsste schnellstens zurück. Vielleicht kann ich den Wachposten vor Imogènes Haus irgendwie helfen«, protestierte Bruno.

»Keine Widerrede, Bruno, Sie leisten mir Gesellschaft. Überlassen Sie alles andere den Gendarmen. Das ist ein Befehl. Nun, Prunier?«

»Ich würde ja gern, sehe aber meine Frau und die Kinder selten genug«, erwiderte Prunier. »Wie wär's, Sie kommen mit zu mir? Meine Frau stammt aus dem Elsass und könnte uns auf die Schnelle ein paar Flammkuchen machen. Sie ist daran gewöhnt, dass ich Überraschungsgäste mitbringe.«

Alle drei hatten ihre Fahrzeuge im Hof des Präfekten abgestellt. Als Bruno und der Bürgermeister nun in ihren eigenen Autos Prunier folgten, vibrierte Brunos Handy. Das grüne Licht im Display verriet ihm, dass ihn jemand über eine geschützte Verbindung zu erreichen versuchte. Das Handy hatte er vom Brigadier aus dem Innenministerium, dessen Anrufe nie Gutes verhießen.

»Bruno, wieso holen Sie Erkundigungen über Colonel Gilbert Clamartin ein?«, fragte der Brigadier, ohne ein Wort der Begrüßung.

»*Bonjour, mon général*«, erwiderte Bruno. Er brauchte eine Weile, um sich zu sammeln. »Er starb in der vergangenen Nacht, auf der Geburtstagsfeier des Patriarchen, und weil kein Testament zu finden war, habe ich versucht, irgendwelche Erben aufzuspüren. Außerdem haben mich die Todesumstände neugierig gemacht. Angeblich ist er seinem Alkoholproblem zum Opfer gefallen, aber warum hatte man es so eilig, die Leiche einzuäschern?«

»Clamartins Name steht auf einer Sonderliste. Sobald sich jemand für seine Akte interessiert, wird mein Büro verständigt.«

»Stehen auf dieser Liste alle diejenigen, die wie er in Moskau gedient haben?«, fragte Bruno.

»Das geht Sie nichts an!«

»Wussten Sie, dass er gestorben ist?«

»Nein, das habe ich gerade erst von Ihnen erfahren. Was mich einigermaßen beunruhigt. Ich fürchte, unsere Systeme sind nicht effizient genug. Zweifeln Sie daran, dass er auf natürliche Weise ums Leben gekommen ist?«

»Ein wenig, ja. Stutzig macht mich unter anderem ein Treuhandfonds in Liechtenstein, denn die Leute, bei denen er wohnte, gaben an, dass er pleite war. Eine Bekannte von mir hat dem *fisc* einen Hinweis gegeben, der zurzeit verfolgt wird.«

»Verstanden, ich kümmere mich darum. Halten Sie mich bitte auf dem Laufenden.« Der Brigadier legte auf.

Pruniers Haus lag in einem gepflegten Vorort am Golfplatz von Périgueux. Die beiden Töchter, fünf und sieben, schon im Schlafanzug, wurden kurz vorgestellt und gleich darauf ins Bett gebracht. Während ihr Vater ihnen noch eine Gutenachtgeschichte vorlas, unterhielten sich Bruno und der Bürgermeister mit Monique und erfuhren von ihr, dass sie die Tochter des ehemaligen Chef de police von Colmar war. Sie war zwar Grundschullehrerin gewesen, hatte aber an Abenden, in denen es viel zu tun gab, im Restaurant ihrer Tante ausgeholfen. Dort hatte sie Pascal kennengelernt, der damals in Colmar stationiert gewesen war. Stolz erzählte sie, dass sie ihr jetziges Haus ganz allein neu gestrichen habe. Als Nächstes, sagte sie, wollten sie sich einen Hund anschaffen.

»Die Auswahl sollten Sie vielleicht uns überlassen«, sagte der Bürgermeister. »Bruno und ich verstehen eine Menge von Hunden, und wir kennen uns bestens aus mit der Züchtung, die Sie brauchen, nämlich einen Basset. Ich hatte selbst welche viele Jahre lang, jetzt hat Bruno einen, und es gibt keine besseren Hunde für Kinder. Die Nachkommen meiner letzten Hündin leben über das ganze Tal verstreut, und die meisten anderen wurden von Brunos inzwischen verstorbenem Rüden Gigi gezeugt. Irgendwo wird es bestimmt einen neuen Wurf geben.«

Voller Bewunderung schaute sich Bruno in dem großen Zimmer um, das fast die gesamte Grundfläche des Hauses ausmachte. Mehrere Glastüren führten hinaus auf eine Terrasse und den großen Garten. Zwischen Küche und

Fernsehecke stand ein runder Esstisch, der bereits für sie mitgedeckt war. Alles wirkte bequem und einladend. Als Prunier die Treppe herunterkam, ertappte sich Bruno bei einem Anflug von Neid und dem Gedanken, dass er womöglich nie eine Familie haben würde, mit der er ein solches Haus würde füllen können.

Bald darauf saßen sie zu viert am Tisch, tranken Riesling und aßen die Elsässer Spezialität *tarte flambée*, die Bruno immer für eine teutonische Abart von Pizza gehalten hatte. Eine dünne Teigschicht wurde mit Crème fraîche bestrichen und mit dünnen Zwiebel- und Speckscheiben belegt. Dazu servierte Monique einen Tomatensalat mit Basilikum und grünen Salat mit Schnittlauch.

»Spielen Sie immer noch, Bruno, oder haben Sie Ihre Rugbystiefel an den Nagel gehängt?«, fragte Prunier, als er die zweite Flasche Riesling öffnete und seine Frau einen weiteren Flammkuchen zum Tisch brachte, diesmal belegt mit dünnen Porreescheiben und getrockneten Tomaten.

»Er ist der Star unserer Ü30-Mannschaft«, verriet der Bürgermeister. »Außerdem trainiert er unsere Kinder. Aufhören wird er noch lange nicht. Wie man hört, machen Sie sich inzwischen als Schiedsrichter verdient.«

»Stimmt, wenn ich die Zeit dazu habe«, antwortete Prunier. »Während meiner aktiven Zeit habe ich Schiedsrichter so oft verflucht, dass ich es schließlich nur fair fand, das Spiel auch mal von der anderen Seite der Trillerpfeife aus zu sehen. Aber lassen wir uns auf die jüngsten Ereignisse in Saint-Denis zu sprechen kommen. Ich kenne unseren Präfekten. Er möchte, dass ich morgen hart durchgreife und Verhaftungen vornehmen lasse, um die Grünen zu besänftigen.«

»Morgen werden die Krawallmacher verschwunden sein«, sagte Bruno. »Und was hätte man gegen sie in der Hand? Man kann sie nicht einmal wegen Jagens außerhalb der Jagdzeit belangen. Allenfalls könnte man Einzelne herauspicken und ihnen vorwerfen, dass sie allzu viele Tiere abgeschossen haben. Aber das müsste in jedem einzelnen Fall nachgewiesen werden. Bis morgen aber hat jeder seine Büchse geputzt, und es wird keine Zeugen geben.«

»Aber Kugeln. Wir könnten die Waffen einsammeln und ballistische Tests vornehmen. Wir könnten Schuldsprüche erwirken«, entgegnete Prunier.

»Möglich, aber dann können Sie ihnen höchstens die Jagderlaubnis entziehen und ein Ordnungsgeld aufbrummen«, mischte sich der Bürgermeister ein. »In unserem Département hat fast ein Drittel der erwachsenen Männer einen Jagdschein und viele Frauen auch. Das sind jede Menge Wählerstimmen. Glauben Sie, unser Präfekt wäre so töricht, sich bei all denen unbeliebt zu machen, während Peyrefitte im Radio Stimmung macht und außerdem Wahlen anstehen? Ich jedenfalls werde ihm etwas anderes empfehlen und damit nicht der Einzige sein. Am Ende wird er von seinem Vorhaben Abstand nehmen, und dann wären Sie der Prügelknabe.«

Prunier nickte düster. »Als ich den Posten übernahm, hat mich mein Vorgänger gewarnt und gesagt, es gebe zwei Arten von Präfekten und der derzeitige Amtsträger gehöre zu dem Typus, von dem man Order ausschließlich in schriftlicher Form entgegennehmen sollte.«

Sie fuhren nach Saint-Denis zurück. Der Bürgermeister folgte Bruno, um sicherzustellen, dass er am Ende nicht ausscherte und Imogène aufsuchte. Bruno war schwer verärgert darüber, dass man ihm befohlen hatte, auf direktem Weg nach Hause zu fahren und sich vom Ort des Geschehens fernzuhalten. Zwar verstand er die Beweggründe des Bürgermeisters und vertraute seinen politischen Instinkten, doch die Vorstellung, seine Pflichten zu verletzen, war ihm unerträglich. Saint-Denis war seine Stadt, er war ihr Chef de police, und als solcher hatte er zur Stelle zu sein. Es überraschte ihn, dass im Radio nichts Neues zu hören war – keinerlei Hinweise darauf, dass ein Haus brannte oder Schüsse im Wald zu hören waren. Als er Mortemart hinter sich gelassen hatte und bergan fuhr, tippte er ein paarmal aufs Bremspedal und setzte den Blinker, um dem Bürgermeister hinter ihm zu verstehen zu geben, dass er kurz anhalten wollte. Beide stiegen aus ihren Fahrzeugen und lauschten. Schüsse waren tatsächlich nicht zu hören, und am Horizont war weit und breit kein Feuerschein.

»Es ist ruhig geblieben«, sagte der Bürgermeister und klang erleichtert. Bruno zog sein Handy hervor und rief Sergeant Jules von der Gendarmerie an, der die Straße hatte sperren sollen, die zu Imogènes Haus führte. Bruno und der Bürgermeister fuhren zu ihm. Vor Einbruch der Dunkelheit sei ungefähr eine halbe Stunde lang geschossen worden, berichtete Jules. Jede Menge Wild habe Reißaus genommen, weshalb er gezwungen gewesen sei, die Straße komplett dichtzumachen. Danach sei es ruhig geblieben. Kollegen hätten bei Straßenkontrollen ein halbes Dutzend alkoholisierte Verkehrsteilnehmer festgesetzt, aber bei allen sei das Jagdgewehr vorschriftsmäßig im Futteral oder im Koffer gewesen.

»Und niemand hat sich dem Haus genähert?«, fragte Bruno.

»Nein, die Protestler sind offenbar gut organisiert und diszipliniert«, antwortete Jules. »Ich habe davon gehört, dass in der Jagdhütte am Forstweg, der nach Saint-Cirq führt, jede Menge Büchsen ausgetauscht worden sein sollen. Ballistische Tests werden demnach zu nichts führen.«

Bruno grinste. Er spürte, dass er tief im Innern ein wenig stolz war auf seine listigen Jagdgenossen, und fragte sich, wer als Anführer dahintersteckte. Es würde ihn nicht im Geringsten verwundern, wenn es Sergeant Jules selbst wäre, doch diesen Gedanken behielt er lieber für sich. So etwas war zu erwarten gewesen. Die Leute im Tal und auf den umliegenden Hügeln hatten während des Zweiten Weltkriegs die schlagkräftigsten Widerstandsgruppen hervorgebracht. Brunos Nachbarn wussten gewissermaßen instinktiv, wie Einmischungen von außen wirkungsvoll zurückzuweisen waren, ob es sich um feindliche Übergriffe oder um Bevormundungsversuche der fernen Regierung in Paris handelte.

»Tun Sie jetzt bloß nicht überrascht«, sagte der Bürgermeister. »Sie kennen diese Leute und sind gut Freund mit ihnen. Was immer sie tun, sie werden darauf achten, Ihnen nicht zu schaden.« Der Bürgermeister klopfte ihm auf die Schulter. »Fahren Sie nach Hause, Bruno. Gehen Sie ins Bett. Wir sehen uns morgen früh bei Fauquet, und ich werde mir von Pamela bestätigen lassen, dass Sie dann schon die Pferde bewegt haben. Kommen Sie bloß nicht auf den Gedanken, in aller Herrgottsfrühe zu Imogènes Haus zu fahren. Gute Nacht.«

Bruno fuhr nach Hause. Balzac stand in der Zufahrt und

begrüßte ihn mit fröhlichem Gebell. Er tätschelte seinen Hund und spürte an der Wärme seines Körpers, dass er noch nicht allzu lange draußen auf ihn gewartet hatte. Und tatsächlich war die Decke im Zwinger, in dem Balzac während der Sommermonate schlief, noch warm. Cleveres Hündchen. Es hatte offenbar in seinem Nest geschlafen und war erst nach draußen gekommen, als es das vertraute Motorengeräusch des Landrovers gehört hatte.

Bruno öffnete die Eingangstür. Balzac trippelte mit erwartungsvollem Blick hinter ihm ins Haus. Seine intelligenten Augen folgten ihm bis an die Stelle des Flurs, wo er seine Schuhe auszog und die Plastiktonne stand, in der er die selbstgemachten Hundekekse aufbewahrte. Balzac schlang seine Portion in Sekundenschnelle hinunter, dazu eine Scheibe Schinkenspeck, frisch abgeschnitten von der Keule, die in der Küche von einem Sparren herabhing. Danach schleckte er Wasser aus seiner Schale, lief zur Hintertür und schaute zu seinem Herrchen auf.

Es war längst ein festes Ritual, dass sie zum Abschluss des Tages eine letzte Runde ums Haus drehten. Balzac führte den Weg an durch den Garten. Hinter den Weißeichen, die Bruno gepflanzt hatte, um eigene Trüffeln zu ziehen, hielt er kurz an und lief dann schnüffelnd den Hang hinauf, wo sich Kaninchen einmal erdreistet hatten, einen Bau anzulegen. Bruno blickte zu den Sternen auf und wünschte nicht zum ersten Mal, die eine oder andere Konstellation mehr benennen zu können. Sie umrundeten den Gemüsegarten und stiegen die Stufen zum großen Gehege für die Hühner hinauf, die schon alle schliefen. Bruno vergewisserte sich, dass die Tür verschlossen war, während Balzac argwöhnisch nach Duftspuren suchte, die Auskunft darüber hätten geben können, ob in letzter Zeit ein Fuchs in der Nähe gewesen war. Alles schien in Ordnung zu sein. Bruno ging zurück ins Haus, wusch sich und putzte sich die Zähne, schlüpfte in das alte Rugbyhemd, das er statt eines Schlafanzugs trug, und wartete, bis es sich Balzac auf seinem Kissen in der Küchenecke bequem gemacht hatte, bevor er selbst ins Bett ging.

Zu müde, als dass er noch hätte lesen mögen, schaltete Bruno das Licht aus und kroch unter die Daunendecke. Sein letzter Gedanke vor dem Einschlafen trieb ihm ein Lächeln ins Gesicht; er fragte sich, ob es tatsächlich Sergeant Jules gewesen war, der das Manöver der Jäger so wohlbedacht organisiert hatte. Oder gar der gerissene Bürgermeister höchstpersönlich, nachdem er erfahren hatte, dass Bruno Imogène aus dem Haus gelockt hatte.

15

Fünf Minuten nach Öffnung des Lokals war Fauquets Café schon voll. Die Espressomaschine arbeitete nonstop, und kaum dass die frischen Croissants aus dem Ofen geholt wurden, waren sie auch schon verspeist. Die verführerischen Düfte von Butter, Backwaren und frischem Kaffee begrüßten Bruno, als er mit dem Bürgermeister zur Tür hereinkam. Die allgemeine Stimmung hätte kaum besser sein können und erinnerte Bruno an den Tag, an dem die städtische Rugbymannschaft die regionale Meisterschaft errungen hatte. Freunde und Nachbarn kamen, um Bruno und dem Bürgermeister auf die Schultern zu klopfen. Sie fragten witzelnd, wer denn Paris oder Périgueux brauchte, wo doch Saint-Denis seine Probleme mit überzähligem Wild selbst lösen könne. Der einzige anwesende Reporter war Philippe Delaron, selbst ein passionierter Jäger, der Bruno mit einem Grinsen anvertraute, dass anonyme Spender jedem Seniorenheim im Umkreis von zwanzig Kilometern sechs sauber ausgeweidete Hirsche hatten zukommen lassen.

»Hoffen wir, dass ich am Ende nicht jeden Jäger in der Stadt festnehmen muss«, sagte Bruno. »Es wird doch keiner so dumm gewesen sein, frisches Wildbret in seine Tiefkühltruhe zu legen.«

Philippe zeigte ihm die Titelseite der aktuellen *Sud Ouest*, auf der ein Foto abgedruckt war, das drei Jäger von hinten vor einer langen Strecke toter Hirsche und Rehe zeigte. Die Schlagzeile lautete: Saint-Denis – das Gesetz der Jäger. Im Lead hieß es: Rehbock verursacht Familientragödie. Auf einem Bild war zu sehen, wie Anwalt Peyrefitte das Krankenhaus verließ, nachdem er dort seine Kinder besucht hatte; ein zweites Foto war ein Porträt seiner toten Frau. Seite drei brachte ein Foto, das Philippe vor einiger Zeit von Imogène aufgenommen hatte; sie machte darauf einen gehetzten, schuldbewussten Eindruck und versuchte, sich vor der Kamera zu verstecken. In dem Artikel war zu lesen, dass Bruno Courrèges, Chef de police von Saint-Denis, sie noch vor Beginn der Treibjagd von zu Hause abgeholt und in Sicherheit gebracht hatte.

Der Bürgermeister hatte bereits das Wartungsteam der Mairie zusammengetrommelt und zwei Lastwagen bereitstellen lassen, die mit gefüllten Benzinkanistern beladen waren. Sie folgten Brunos Landrover und dem Wagen von Achille Veltrier, dem städtischen Veterinärmediziner, zu Imogènes Anwesen. Bruno hatte seine Dienstpistole eingesteckt für den Fall, dass ein verwundetes Tier erschossen werden musste, doch er entdeckte kein einziges. Die Jäger hatten gründliche Arbeit geleistet. Weit und breit war kein lebendes Rotwild zu sehen, und nur wenige tote Tiere hatte man zurückgelassen. Die meisten waren mitgenommen worden. In einigen Lichtungen und rund um Imogènes Haus aber entdeckte er Berge von Eingeweiden, umschwärmt von zahllosen Fliegen. Um manche schlichen Imogènes Katzen, die Reißaus nahmen, als die Männer kamen, Benzin über die Reste schütteten, trockene Zweige darüber breiteten und in

Brand steckten. Bruno fragte sich, wie viele derer, die jetzt an den Aufräumarbeiten beteiligt waren, am Vorabend selbst die Büchse angelegt hatten.

»Ein seltsamer Anblick, dieser Wald. Sehr traurig das Ganze«, sagte der Bürgermeister und deutete auf den fast kahlgefressenen Untergrund und die von Wildverbiss geschädigten Bäume. Manche waren schon abgestorben. Bruno konnte zwischen den geschälten Stämmen an die hundert Meter weit blicken, was äußerst ungewöhnlich war. Normalerweise versperrte dichtes Gestrüpp schon nach wenigen Metern die Sicht. Vögel waren keine zu hören noch das Geraschel, das sonst die vielen kleinen Kerbtiere in gesunden Wäldern verursachen. Dieser Wald hatte unter der allzu großen Menge von Imogènes Rotwild sehr gelitten, würde sich aber, wie Bruno wusste, in ein oder zwei Jahren wieder erholt haben.

»Es wird nicht lange dauern, und das Rotwild ist wieder da«, sagte der Tierarzt. »Sobald im nächsten Frühjahr die Triebe sprießen, werden Sie die ersten Exemplare sehen. Vor allem die, die in diesem Revier zur Welt gekommen sind. Es zieht sie hierher zurück. Und dann, in ein paar Jahren, wenn Imogène immer noch ihre schützende Hand über sie hält, fängt der ganze Stress von vorn an.«

»Vielleicht zieht sie ihre Lehre aus dieser Sache«, sagte der Bürgermeister, doch seine Stimme klang wenig hoffnungsvoll. »Tja, wir werden sehen, was passiert, wenn Peyrefitte Klage gegen sie erhebt. Womöglich muss sie ihren Besitz aufgeben, um ihre Verteidigung finanzieren zu können.«

»Ich schätze, die Grünen werden die Verhandlung, wenn es dazu kommt, zu einem Schauprozess hochstilisieren und für ihre Zwecke ausschlachten«, sagte Bruno. »Wahrscheinlich rufen sie zu Spenden auf, um gute Anwälte bezahlen zu können, die es fertigbringen, von Imogène abzulenken und Saint-Denis an den Pranger zu stellen.«

Der Geruch verbrannten Fleisches hing in der Luft, kein Vergleich mit den Bratendüften, die von einem Holzkohlegrill aufsteigen. Es war ein unangenehmer Gestank wie der von Jauche, vermischt mit Benzin. Die Arbeiter, von denen sich manche Masken aufgesetzt hatten, warfen weitere Zweige in die Flammen und achteten darauf, nicht im Wind zu stehen und von dem schwarzen öligen Rauch verschont zu bleiben. Bruno, der Tierarzt und der Bürgermeister gingen auf Imogènes Haus zu. Es schien unberührt zu sein, obwohl die Jäger ein Zeichen ihrer Anwesenheit hinterlassen hatten. Am Verandageländer war ein Kitz angebunden worden. Es lag stumm am Boden, hatte die Läufe unter dem schmächtigen Leib zusammengezogen und zitterte vor Angst. Die Augen, die es auf die drei herannahenden Männer richtete, wirkten riesengroß.

»Es ist erst wenige Wochen alt«, sagte der Tierarzt, der sich im Landkreis um die Nutztiere auf den Bauernhöfen kümmerte, während sein Partner die Haustiere von Saint-Denis betreute. »Wahrscheinlich wurde das Muttertier getötet, und das Kitz ist nicht von seiner Seite gewichen. Die Jäger werden es hierhergebracht haben, damit wir es finden. Mir bleibt hier weiter nichts zu tun. Ich werde es mit in die Praxis nehmen und aufpäppeln.«

»Dann werde ich für die Kosten aufkommen«, sagte Bruno. Er bückte sich und versuchte, das winzige Tier zu streicheln und so zu beruhigen. »Wie lange dauert es, bis es sich allein ernähren kann?«

»Wir können es füttern, bis es groß ist«, antwortete Achille. »Das eigentliche Problem besteht darin, später ein Rudel für das Tier zu finden, das es nicht gleich wieder vertreibt. Vielleicht hat es Glück, und manche seiner ehemaligen Rudelmitglieder sind davongekommen und treffen irgendwo anders wieder aufeinander. Wenn nicht, steht ihm ein einsames Leben bevor, das wahrscheinlich bald zu Ende ist. Immerhin ist es kein Bock, denn Böcke sind nur schwer in ein neues Rudel zu integrieren.«

»Könnte man es als Haustier halten?« Bruno dachte daran, dass eine solche Aussicht Imogène vielleicht über den für sie schweren Schlag ein wenig hinwegtrösten würde.

»Möglich wär's, aber es müsste sich rasch an Menschen gewöhnen, je schneller, desto besser. Und dann sollte die Beziehung sehr eng sein. Zum Beispiel brauchte das Kitz an seinem Schlafplatz etwas, was den Duft seiner Pflegeperson trägt. Denken Sie daran, sich selbst zur Verfügung zu stellen?«

»Nein, ich hatte Imogène im Sinn«, antwortete Bruno und sah, wie der Bürgermeister die Augen verdrehte. Ob amüsiert oder verzweifelt, ließ sich nicht erkennen.

Achille nickte. »Keine schlechte Idee. Es könnte ihr über den Schock hinweghelfen und etwas zu tun geben. Wenn Sie Imogène später am Tag in meine Praxis bringen würden, könnte ich ihr ein paar Ratschläge zur Pflege geben.«

Zurück in seinem Büro in der Mairie versuchte Bruno, Raquelle in Le Thot zu erreichen, wo ihm aber gesagt wurde, dass sie zu Hause sei. Er rief sie dort an, erkundigte sich nach Imogène und erfuhr, dass Raquelles Hausarzt ihr ein starkes Beruhigungsmittel gegeben hatte. Bruno erinnerte sich, gelesen zu haben, dass in Frankreich mehr Medikamente dieser Art geschluckt wurden als überall sonst in Europa. Er berichtete Raquelle von dem Kitz und seiner Idee, die sie spontan begrüßte. Sie versprach, mit Imogène zum Tierarzt zu fahren und sich erklären zu lassen, wie es zu füttern sei. In seinen E-Mails fand Bruno eine Nachricht von Gilberts Notar, der ihn um Rückruf bat.

»Danke, dass Sie sich so schnell bei mir melden«, sagte Rouard. »Es geht um mögliche Erben des Verstorbenen. Ich hoffe, ich kann mich auf Ihre Diskretion verlassen. Wissen Sie, ob Gilbert in Verbindung mit einer Familie namens Desaix stand?«

»Ja, er hat bei ihr gewohnt. Victor Desaix war ein alter Luftwaffenkamerad. Die beiden haben ihre Ausbildung zum Piloten gemeinsam absolviert. Victor hat mit seiner Frau Madeleine zwei Kinder, Raoul und Chantal. Victors Vater ist *der* Desaix, der Patriarch. Zufälligerweise war ich zu Gast bei dessen Geburtstagsfeier an dem Abend, als Gilbert starb.«

»*Mon Dieu*, ich hatte keine Ahnung, dass er der Familie nahesteht. Können Sie mir eine Adresse nennen?«

Bruno gab die Anschrift des Weingutes durch und sagte, dass Victor wahrscheinlich dort zu erreichen sei. Na also, dachte er, als er den Hörer auflegte. Ein Rätsel war gelöst. Gilberts Besitz ging an seinen alten Freund Victor, den Mann, den er stets als seinen nächsten Angehörigen angegeben hatte. Er fragte sich, ob Annettes Hinweis an den *fisc*, Gilberts mysteriösen Treuhandfonds in Liechtenstein zu überprüfen, Victor womöglich Probleme mit der Steuerbehörde einhandeln würde – und Madeleines politischer Karriere schaden könnte.

Er schrieb ihren Namen in die Suchmaske seines Computers, zusammen mit den Buchstaben LR für *Les Républicains,* die inzwischen stärkste Partei im Lager der Konservativen. Etliche Links wurden aufgelistet, die meisten auf Seiten, die Nachrichten aus der *Sud Ouest* und der *Dordogne Libre* zitierten, aber auch solche auf Weinmagazine und die Homepage von *Gala,* einer Hochglanzillustrierten. Er ging sie der Reihe nach durch und las einen längeren Artikel mit Fotos vom Patriarchen und der Restaurierung des Châteaus. Auch von Madeleine, beschrieben als seine Schwiegertochter und Managerin, gab es mehrere Abbildungen. Ein Foto zeigte die ganze Familie mit dem Patriarchen in der Mitte, umgeben von Victor, Madeleine und den Kindern sowie von Jewgeni und Raquelle.

Nachrichtenartikel skizzierten ihre politische Karriere, die mit ihrer Wahl in den Stadtrat von Bergerac sowie in den Exekutivausschuss der Frauenorganisation der Republikaner anfing, die damals noch *Union pour un mouvement populaire,* kurz UMP, geheißen hatte. Steil aufwärts ging es mit ihr, nachdem sie als geladener Gast an der Willkommensparty für Nicolas Sarkozy teilgenommen hatte, als der 2007 während seines Wahlkampfs um die Präsidentschaft in Bergerac zu Besuch gewesen war. Sarkozy hatte sie in den landwirtschaftspolitischen Ausschuss seiner Partei geholt. Sie hatte zur französischen Delegation gehört, die an der vierten UN-Frauenweltkonferenz in Peking teilnahm. Zu dieser Story gehörte ein Foto von Madeleine im Gespräch mit Hillary Clinton.

Weitere Fotos zeigten sie auf Wahlkampfveranstaltungen mehrerer konservativer Bürgermeisterkandidaten aus der Region. Sie wurde als brillante Rednerin und aufgehender Stern der Partei beschrieben mit den besten Aussichten, ins Europäische Parlament gewählt zu werden. In keinem Artikel wurde versäumt, darauf hinzuweisen, dass sie die Schwiegertochter des Patriarchen war.

So funktionierte das also, dachte Bruno – der Weg nach oben führte offenbar über diverse Parteiausschüsse und -organisationen sowie den persönlichen Kontakt zu Parteigrößen. Und dank ihrer Erscheinung würde niemand, der ihr begegnete, sie wieder vergessen. Bruno war an Parteipolitik nur wenig interessiert und wunderte sich deshalb auch nicht darüber, dass er in diesem Zusammenhang von Madeleine nie etwas gehört hatte. Dann aber stieß er auf einen von ihr selbst verfassten Artikel für die *Sud Ouest*, der für Weine aus dem Bergerac warb, und er erinnerte sich, ihn gelesen und mit ihren Voten übereingestimmt zu haben. Auch ein anderer Artikel von ihr, auf den er nun stieß und der sich mit Frauen in der Armee beschäftigte, fand seinen Beifall.

Er klickte sich zurück auf das ganzseitige Foto in der *Gala*, das sie an der Seite des Patriarchen zeigte, elegant, gelassen und wunderschön. Victor war ein Glückspilz. Sie stand nun vor der Wahl, einen sicheren Sitz im Europäischen Parlament anzunehmen oder in den nächsten nationalen Parlamentswahlen gegen Peyrefitte als Kandidatin für Périgueux anzutreten. Wer weiß, dachte Bruno, der selbst keinen einzigen Abgeordneten im Europäischen Parlament kannte, vielleicht bevorzugte sie ja das internationale Parkett. Er betrachtete noch immer ihre raffinierte Pose auf dem Foto, als der Bürgermeister zur Tür hereinkam.

»Was macht sie auf Ihrem Schirm?«, fragte er.

Bruno erklärte, inwieweit Gilberts Letzter Wille Madeleines politische Karriere beeinflussen könnte. In Paris hatte vor kurzem ein Minister wegen eines geheim gehaltenen Bankkontos im Ausland zurücktreten müssen.

»Wieso sollte es ihr schaden, wenn ihr Ehemann Begünstigter eines Testaments ist und das Erbe ordnungsgemäß versteuert? Übrigens wird Madeleine morgen Abend in Bergerac auf einer öffentlichen Veranstaltung auftreten und mit einem Grünen aus dem Europaparlament diskutieren. Ich wette, es wird unter anderem um Imogènes Rotwild gehen. Kommen Sie doch mit, ich fahre hin.«

»Interessieren Sie sich für sie oder für das Thema?«, fragte Bruno lächelnd.

»Sowohl als auch. Ich habe mich gerade mit einem Parteifreund von ihr unterhalten. Peyrefitte hat den Vorstand darüber informiert, dass er seinen Kindern zuliebe von seiner Kandidatur Abstand nimmt. Madeleine wird sich also durchsetzen, vorausgesetzt, sie macht morgen einen guten Eindruck. Mehrere Parteiobere werden zugegen sein und etliche mehr am Fernseher zusehen.«

Bruno runzelte die Stirn. »Geht da tatsächlich ein neuer Stern am Polithimmel auf?«

»Nicht unbedingt«, erwiderte der Bürgermeister. »Sie müsste vorher noch einen nicht unerheblichen Familienmakel loswerden.«

»Sie meinen die Nähe ihrer Familie zum Vichy-Regime? Aber das macht der Ruf des Patriarchen vergessen, oder?«

»Selbst mit seiner Unterstützung steht noch nicht fest, ob sie den Sitz tatsächlich bekommt. Es wird knapp, auch wenn sie sich auf die meisten Stimmen der Konservativen verlassen kann. Sie braucht unbedingt auch die der Jäger.«

»Ihren Auftritt morgen Abend möchte ich mir um nichts in der Welt entgehen lassen«, sagte Bruno. »Ihr grüner Kontrahent tut mir jetzt schon leid.«

16

Jewgenis Haus, ein umgebauter Bauernhof, lag auf einer Anhöhe über dem Tal von Siorac. Die Terrasse war nach Süden ausgerichtet, und das Arbeitszimmer befand sich auf der gegenüberliegenden, weniger intensiv beschienenen Nordseite des Gebäudes. Das Grundstück war so klein, dass es nicht für einen Garten reichte, nur für ein paar Blumentöpfe, in denen Geranien kümmerten, und einen kleinen Rasen, der einen ungepflegten Eindruck machte. Das Haus selbst, aus Steinen der Umgebung gemauert, war von bescheidener Größe, quadratischem Grundriss und zweigeschossig mit jeweils vier Zimmern, wie in der Region üblich. Im Westen stand eine große alte Scheune, in der früher Tabakblätter getrocknet worden waren. Heute diente sie mit ihren weißgestrichenen Wänden und Raumteilern als Galerie.

Von den ausgestellten Werken gefielen Bruno die wenigsten. Es waren Bilder an der Grenze zwischen Fantasy und Science-Fiction. Sie erinnerten ihn an die Gestaltung von LP-Hüllen aus den siebziger Jahren des vergangenen Jahrhunderts. In manchen von Jewgenis utopischen Kompositionen posierten grünblaue und überlange Frauengestalten mit haarlosen Köpfen vor einem Hintergrund aus bizarrer Vegetation. Die Gesichter waren verzerrt, sollten aber offenbar schön sein. Bruno hörte, wie sich Pamela um ein paar höfliche Kommentare bemühte, als sie an Jewgenis Seite an den Gemälden vorbeischlenderte. Als er einen Blick in den Katalog warf und sah, welche Preise verlangt wurden – zwischen vier- und neuntausend Euro –, schüttelte er unwillkürlich den Kopf.

Er ging um einen Raumteiler herum und trat vor eine Reihe von winterlichen Straßenszenen, die offenbar in Russland gemalt worden waren, denn die Passanten trugen Fellmützen, und über den Ladenschaufenstern hingen Schilder mit kyrillischen Buchstaben. Füllige Frauen schlugen mit Eisenstangen das Eis von den Gehwegen. Andere schleppten Kinder und große Taschen bergan. In einer Seitengasse ließen drei Männer eine Flasche Wodka kreisen, während ein Polizist in dicken Fellstiefeln und grauem Mantel in die andere Richtung schaute. Diese Bilder gefielen Bruno sehr viel besser. Sie waren schlicht und zeigten doch etwas von der Atmosphäre des Lebens in einer düsteren, von Eis und Schnee beherrschten Stadt unter stahlgrauem Himmel. Die dafür angesetzten Preise rangierten zwischen tausend und zwölfhundert Euro, also immer noch weit über Brunos Budget.

»Die sind schon eher nach meinem Geschmack«, äußerte auch Pamela Jewgeni gegenüber. Sie trat näher an eines der Bilder heran und setzte ihre Lesebrille auf. »Schön, der Ausdruck, den Sie diesen Kindern gegeben haben. Sie wirken sehr lebendig.«

Früher am Tag hatte Jewgeni Bruno im Bürgermeisteramt angerufen und ihn für den Abend zu sich nach Hause eingeladen, auf einen Aperitif, und er könne auch jemanden mitbringen. Bruno hatte Pamela gefragt, etwas zögernd, denn er war sich immer weniger darüber im Klaren, in welcher Beziehung sie inzwischen zueinander standen. Sie sagte sofort zu, machte aber zur Bedingung, dass sie vorher die Pferde ausritten. Sie habe von Jewgenis Arbeiten gehört, sagte sie, und sei neugierig darauf. Weil Pamela nach dem Ausflug ungewöhnlich lange unter der Dusche gestanden hatte, waren sie recht spät angekommen. Dafür hatte sie sich besonders schön zurechtgemacht mit einem schlichten schwarzen Kleid mit grünem Gürtel, dessen Farbe ausgesprochen gut zu ihren Augen und dem bronzenen Haar passte. Bruno liebte diese dicken, immer schimmernden Haare, die vor Gesundheit strotzten. Er fragte sich, für wen sie sich so schick gemacht hatte, für ihn oder für Jewgeni, korrigierte sich aber sogleich, weil er im Grunde wusste, dass Frauen sich einfach gern schönmachten oder allenfalls andere Frauen beeindrucken wollten.

Jewgeni führte sie über den Hof in sein Atelier, wo ein paar Leinwände mit konventionell gemalten Périgord-Landschaften vor den Wänden standen. Auf einer Staffelei lehnte das Porträt einer dunkelhaarigen jungen Frau, deren Schultern von einer gestreiften Decke umhüllt waren. Der Hintergrund sah noch unfertig aus, zu erkennen waren nur die skizzierten Linien eines Bettfußendes und eines kleinen Tisches. Der Gesichtsausdruck wirkte ernst. Die Haut aber war gerötet, und die Augen schienen voller Übermut zu flackern. Mit erhobenem Arm strich sich die Frau über den Hinterkopf, die andere Hand hielt die Decke um ihre Schultern gefasst. Irgendwie war es dem Maler gelungen zu zeigen, dass es ihr dabei nicht um Sittsamkeit ging, sondern darum, sich vor Kälte zu schützen.

»Großartig«, sagte Pamela. »Ist die Frau aus der Gegend?«

»Nein«, antwortete Jewgeni, sowohl geschmeichelt als auch ein wenig verschämt, wie es schien. »Das ist Laroschka, eine Freundin aus Moskauer Zeiten, meine Muse, wenn man so will. Ich habe sie aus der Erinnerung gemalt, aus liebender Erinnerung. Kennengelernt haben wir uns in den siebziger Jahren, während der Breschnew-Ära. Eigentlich heißt sie Lara, aber ich nannte sie Laroschka. Sie wollte Schauspielerin werden, doch daraus wurde nichts. Inzwischen ist sie Mutter, eine korpulente Frau mit grauen Haaren und dicken Brillengläsern. Aber ich sehe sie immer noch so, wie sie damals war.«

Auf einer anderen Staffelei war ein unfertiges Porträt des Patriarchen zu sehen, der zu einem Himmel aufblickte, an dem sich drei Kampfflieger näherten. Das Gesicht war fast ausgemalt, das wallende weiße Haupthaar erst halb fertig. Die Flugzeuge waren nur skizziert, aber man sah ihnen an, wie ungeheuer schnell sie flogen, eine Bewegung, die im Kontrast stand zu dem ruhigen, wenngleich sehnsüchtigen Blick, mit dem ihnen der ehemalige gealterte Pilot entgegenschaute.

»Mit diesem Bild habe ich unmittelbar nach der Geburtstagsfeier angefangen«, erklärte Jewgeni. »Ich habe ihn beobachtet, als die Düsenjäger kamen, und gesehen, wie sehr ihn die Fliegerei immer noch begeistert. Eine Leidenschaft stirbt wohl nie. Ich versuche das damit zum Ausdruck zu bringen, dass ich dem Porträt die Augen eines jungen Mannes gebe. Das ist sehr schwer und mir leider noch nicht richtig gelungen.«

Er führte sie in einen Korridor, der sich über die gesamte

Länge des Hauses zu erstrecken schien und in ein Treppenhaus mündete. Die Wände waren voller Porträts von Mitgliedern der Familie des Patriarchen. Bruno blieb stehen, um diejenigen von Raquelle und Victor, von Raoul, Chantal und dem Patriarchen zu bewundern, und stellte fest, dass nur der Schwägerin Madeleine kein eigenes Bild gewidmet war. Man sah sie nur zusammen mit anderen Familienmitgliedern. Jewgenis Wohnzimmer war klein, aber sehr schön eingerichtet mit zwei Sofas zu beiden Seiten eines großen Kamins mit Glastüren, die geöffnet waren, so dass man ihn nur noch anzuzünden brauchte. An der Wand gegenüber, zwischen zwei französischen Fenstern, die hinaus auf die Terrasse zeigten, hing ein Porträt der Roten Komtesse in einem breitkrempigen Hut und mit einem schwarzen Stock in der Hand. Schlank, in eleganter Pose und entsprechend gekleidet, wirkte sie wie ein *Vogue*-Model aus den fünfziger Jahren.

»Wein, Wodka, Champagner?«, fragte Jewgeni in der Tür zur Küche. Seine Gäste entschieden sich für Letzteren, worauf er Bruno eine Flasche Gosset reichte mit der Bitte, sie zu öffnen, während er die Gläser holte. Wenig später kehrte er mit einem Tablett zurück, auf dem unter anderem drei Champagnerkelche mit weitem Rand und kurzem Stiel standen, wie sie Bruno seit Jahren nicht gesehen hatte. Jewgeni verteilte kleine Teller und Gabeln und setzte das Tablett ab, auf dem sich noch eine Platte voller Schwarzbrotscheiben und Räucherlachs, Sauerrahm, eingelegter Champignons, Schinkenstreifen und Cornichons befand, dazu eine Flasche Wodka, die so tiefgekühlt war, dass sich auf dem Glas eine Eisschicht gebildet hatte.

»Zakuski«, sagte er. »Eine Vorspeise auf Russisch. Wir trinken nie, ohne einen Happen dazu zu essen.« Er deutete auf eine kleine Schale, in der ein Silberlöffel in einer Masse steckte, von der Bruno annahm, dass es sich um Schwarze-Johannisbeer-Marmelade handelte. Doch Jewgeni sagte: »Und ein bisschen Kaviar, kein russischer, tut mir leid, dafür aber aus unserer Vézère. Waren Sie schon einmal an der Stelle nahe Les Eyzies, wo diese besondere Sorte produziert wird? Ich finde sie sehr gut.«

»Wenn das ein Russe sagt, muss sie gut sein«, meinte Pamela. Dann lobte sie die Porträts, die sie gesehen hatte, und äußerte sich verwundert darüber, wie sehr sich diese doch von den merkwürdigen Landschaften in seiner Galerie unterschieden.

»Das sind die Bilder, nach denen meine russischen Kunden verlangen.« Jewgeni zuckte mit den Schultern. »Wenn ich in Moskau ausstelle, verdopple ich die Preise, weil ich weiß, dass die Interessenten zu handeln versuchen. Sie möchten sich einbilden können, ein Schnäppchen zu machen.« Er leerte sein Glas und füllte es mit Wodka auf.

»Ich könnte mir kein Einziges leisten, freue mich aber darüber, dass ich sie mir hier ansehen darf«, sagte Bruno und schüttelte den Kopf, als Jewgeni ihnen die Wodkaflasche reichte. »Wie lange brauchen Sie für ein Gemälde?«

»Die Neue-Welt-Landschaften für meine russischen Kunden sind in zwei, drei Tagen gemalt, und auch die Moskauer Straßenszenen. Für die Porträts brauche ich länger. Aber ich male sie auch lieber. Das Porträt meines Vaters wird erst fertig sein, wenn die Augen so sind, wie ich es mir vorstelle. An Laroschka könnte ich eine Ewigkeit arbeiten.

Für das Porträt, das Sie gesehen haben, habe ich ein Jahr gebraucht, und es ist immer jemand anders zum Vorschein gekommen, eine andere Frau, die mir vor Augen schwebt.« Er lachte und hob sein Glas. »Auf die Beinchen, die einem die Erinnerung stellt.«

»Die Rote Komtesse ist wunderbar getroffen«, sagte Bruno und blickte auf das Gemälde an der Wand. Er fragte sich, wie sich ein so talentierter Künstler herablassen konnte, derart kitschige Vorlagen für Plattenhüllen zu malen wie die, die er zuerst gesehen hatte. »Kennt sie das Gemälde?« Er legte seine Hand auf sein Glas, als Jewgeni versuchte, ihm mehr Champagner einzugießen. Pamela akzeptierte einen zweiten Drink.

»Das nicht, aber ein ähnliches, das ich in Moskau gemalt habe. Es hängt jetzt im Schlafzimmer meines Vaters. Dieses hier habe ich für mich gemalt. So habe ich sie während unserer ersten Begegnung gesehen, als sie mir diese leckere Schokolade aus Paris geschenkt hat. Ich glaube, damals hat sich mein Vater bis über beide Ohren in sie verliebt. Verständlich, dass meine Mutter sie hasste und sich nicht einen ihrer Filme angesehen hat, obwohl sie sehr populär waren. Den Spitznamen Parischanka, die Pariserin, hatte sie von ihr, meiner Mutter. Den Ausdruck kann man im Russischen so betonen, dass er entweder wie ein Fluch oder wie ein Kosewort klingt.«

Wieder erhob er sein Glas. »Auf das Andenken Gilberts, der in seiner Seele ein guter Russe war. Er sprach unsere Sprache perfekt und liebte das Land und seine Menschen so sehr, dass er fast einer von uns war, genau wie der Patriarch.«

»Haben Sie Heimweh nach Russland?«, fragte Pamela,

während Bruno noch darüber nachdachte, wie wichtig Gilbert offenbar diese Familie und wie entscheidend Russland für ihn gewesen war. Bruno ahnte, dass er diesen Mann gemocht hätte.

»Nicht nach dem Russland von heute.« Jewgeni schüttelte entschieden den Kopf. »Wohl aber nach dem Russland meiner Erinnerung, meiner Vorstellung. Ja, das vermisse ich so sehr, dass ich mich hier wie im Exil fühle. Ähnlich erging es übrigens Gilbert, als er aus Moskau zurückkehrte. Seine Seele ließ er dort zurück. Immerhin kann ich in Gedanken hin- und herreisen. Vielleicht male ich deshalb so viele Szenen imaginierter Welten.«

»Sind Sie mit Gilbert hier im Périgord häufiger zusammengetroffen?«, fragte Bruno.

»Ja, wir haben manchen Abend miteinander verbracht und Wodka getrunken, Blok und Achmatowa zitiert und Lieder von Wyssozki gesungen. Sie hätten mal Gilbert seine ›Wolfsjagd‹ singen hören sollen. Er konnte dessen Reibeisenstimme genau nachmachen. Mir war dann zumute, als säßen wir in Wolodjas Wohnung an der Malaja-Grusinskaja.«

»War dieser Wyssozki nicht mit einer französischen Schauspielerin verheiratet?«, fragte Bruno. Die anderen Namen sagten ihm nichts.

Jewgeni nickte. »Ja, er war selbst ein großer Schauspieler, ein großer Poet und ein großer Russe. Er inspirierte die einzige Kreml-Geschichte mit Happyend, von der ich weiß: Sämtliche Parteibosse wie Suslow hassten Wyssozki. Sie hätten ihn am liebsten am Schreiben und Singen gehindert und in den Gulag gesteckt. Aber Breschnew liebte seine Soldatenlieder. Er lag eines Tages krank in seiner Datscha, als das Telefon klingelte. Seine Tochter Galina hatte erfahren, dass Suslow die Gelegenheit seiner Abwesenheit nutzen wollte, um Wyssozki verhaften zu lassen. Daraufhin hatte sie ihn, Wyssozki, zu sich in ihre Wohnung geholt und gebeten, am Telefon für ihren Vater zu singen, und der Alte sorgte dafür, dass Wyssozki auf freiem Fuß blieb.«

Jewgeni legte eine Pause ein und hob sein Champagnerglas, das er erneut mit Wodka gefüllt hatte. »Genau hier in diesem Raum habe ich diese Geschichte auch Gilbert erzählt, und der sagte, dass er Breschnew dafür einiges verzeihen werde.« Er wischte sich mit der Hand übers Gesicht. »Wir haben sehr russische Abende miteinander verbracht, aber leider den Fehler gemacht, zu unseren Getränken nicht genug zu essen. Am Ende lagen wir immer unterm Tisch.«

»Gibt es jemand anders, mit dem Sie solche Abende feiern können? Mit Ihrem Vater vielleicht?«, fragte Bruno.

»Mit dem Vater anzustoßen ist nicht dasselbe«, antwortete Jewgeni und schenkte sich einen weiteren Wodka ein. »Es ist, als küsste man die eigene Schwester. Das Herz ist nicht mit von der Partie.«

»Vielen Dank, dass Sie uns Ihre Arbeiten gezeigt haben, und danke auch für den Drink. Aber wir wollen Ihre Gastlichkeit nicht länger strapazieren«, sagte Pamela und stand auf. Bruno, der von Pamela wusste, wie sie Verlegenheit mit Höflichkeit überspielte, erhob sich ebenfalls. »Dürfte ich, bevor wir gehen, kurz Ihr Badezimmer benutzen?«, fragte sie.

»Gehen Sie den Korridor entlang, dann rechts, gegenüber von meinem Atelier.«

»Ich müsste auch mal«, sagte Bruno.

»Es gibt ein zweites, oben, am Ende des Ganges.«

Im Obergeschoss fand Bruno drei Türen, die auf Jewgenis vage Beschreibung zutrafen. Hinter der ersten entdeckte er Jewgenis Schlafzimmer, das so groß war wie das Wohnzimmer im Parterre. Zwischen zwei großen Fenstern mit Blick auf die Felsen im Süden stand ein riesiges Bett. An der Wand gegenüber hing in einem prächtigen Rahmen das Ölbild einer jungen Frau in Lebensgröße, die nackt auf einer Chaiselongue lag. Die Brustwarzen waren rot wie Erdbeeren, und die sorgfältig platzierte Hand bedeckte nicht ganz das Schamdreieck, das ein bisschen dunkler war als die Haare, die in üppigen Wellen vom Kopf fielen. Ihr zugeordnet war eine Ikone, die an der Wand neben dem Bett hing und die Jungfrau mit Kind darstellte, die die Nackte anzuschauen schien. Auf einem kleinen Beistelltisch stand ein Glas in silberner Einfassung, das Tee zu enthalten schien.

Erst auf den zweiten Blick erkannte Bruno in der Dargestellten die junge Madeleine. Soso, dachte er. Hatte Jewgeni doch ein Porträt von ihr gemalt, und ausgerechnet das hing in seinem Schlafzimmer. Der Hintergrund ließ vermuten, dass das Gemälde in Moskau entstanden war. Entweder hatte Jewgeni eine ungewöhnlich ausgeprägte Vorstellungskraft, oder Madeleine hatte ihm tatsächlich Modell gestanden. Und ihr Blick war so innig, dass Bruno, ein wenig neidisch, darauf wetten mochte, dass der Künstler der Liebhaber dieser Frau gewesen war.

Bruno warf einen letzten bewundernden Blick auf das Gemälde, zog die Tür hinter sich zu und suchte das Badezimmer auf. Als er auf der Toilette saß, entdeckte er ein kleines Selbstporträt Jewgenis, der ihm von oben herab zuzwinkerte und damit zum Lachen brachte. Der Duschvorhang war eine Folie mit stark vergrößertem Fotoaufdruck, der den Roten Platz darstellte, aufgenommen im Moment der Wachablösung vor Lenins Mausoleum vor dem Hintergrund der farbenprächtigen Türme der Basilius-Kathedrale.

Als er die Treppe hinunterging, stand Pamela bereits in der Haustür und verabschiedete sich von Jewgeni.

»Würdest du mich bitte in Trémolat absetzen?«, fragte sie Bruno, als sie die Hauptstraße erreichten, die am Fluss entlangführte.

»Wie willst du von dort nach Hause kommen?«

»Ich werde gefahren«, antwortete sie beiläufig und hatte es offenbar eilig, das Thema zu wechseln. »Was er über Gilbert gesagt hat, war sehr interessant, nicht wahr? Beziehungsweise das, was er nicht gesagt hat. Es schien, als wollte er uns einen Hinweis geben, etwas andeuten, ohne zu wissen, ob oder wie er darauf zu sprechen kommen sollte. Stellst du immer noch diskrete Ermittlungen an in Bezug auf Gilberts Tod?«

»Das bringt doch nichts«, entgegnete er und fragte sich, ob Pamela zu verschweigen versuchte, was sie in Trémolat vorhatte, oder tatsächlich an Jewgenis Bemerkungen interessiert war. »Selbst wenn etwas faul an der Sache wäre … Es gibt keine Indizien, die eine Untersuchung rechtfertigen würden.«

»Hast du dich schon mit Jack Crimson darüber unterhalten? Er und Gilbert waren anscheinend Freunde, und Gilbert hat ihn auf der Geburtstagsparty kurz beiseitegenommen, offenbar, um ein persönliches Wort mit ihm zu wechseln.«

Bruno merkte auf. Davon hatte Crimson ihm gegenüber nichts erwähnt.

»Hast du eine Ahnung, was uns Jewgeni sagen wollte?«, fragte er.

»Nein, aber es könnte sein, dass er dir gegenüber gesprächiger gewesen wäre und sich nur gescheut hat, weil ich dabei war.«

Bruno warf ihr einen liebevollen, wissenden Blick zu. Für Pamela schien es selbstverständlich zu sein, dass Männer wie Frauen Gefallen daran fanden, Geheimnisse auszutauschen. Nach Brunos Erfahrung aber kam es dazu kaum – oder allenfalls im Hinblick auf durchzechte Nächte wie die von Jewgeni angedeuteten. Hin und wieder ließ sich Bruno auch gern ein Glas Scotch schmecken, aber dass er sich mit Freunden hätte volllaufen lassen, war schon seit Jahren nicht mehr vorgekommen. Die Vorstellung einer durchzechten Nacht mit Jewgeni hatte keinen Reiz für ihn.

»Hier kannst du mich rauslassen, danke«, sagte Pamela, als sie die Mairie in Trémolat passierten. Als er angehalten hatte, gab sie ihm einen Kuss auf die Wange, öffnete die Tür und sagte: »Wir sehen uns dann morgen früh im Stall.«

Bruno wendete den Wagen und sah Pamela vor dem Schaufenster eines Immobilienbüros stehen, das die Fotos von Kaufobjekten ausstellte. Er nahm an, dass sie Zeit vertrödeln wollte und darauf wartete, dass er außer Sichtweite war, ehe sie ihr eigentliches Ziel ansteuerte. Es lag ihm fern, ihr nachzuspionieren, und so fuhr er schnell davon. Als er aber am Parkplatz von *Le Vieux Logis,* dem besten Restaurant in der Region, vorbeikam, sah er den Jaguar seines englischen Freundes Jack Crimson dort stehen.

17

Als sie am nächsten Morgen im grauen Licht der Dämmerung auf ihren Pferden den Felsabsatz über Saint-Denis erreicht hatten, zügelte Pamela ihre Stute, warf einen kurzen Blick auf Bruno und schaute auf die Wälder im Osten, über denen die Sonne aufstieg. Die Luft war kühl, aber noch ohne Biss, ein leichter Wind bewegte das Laub der Bäume, das sich in Gold und Rot zu verfärben begann. Die Vögel, die die schnaufenden Pferde hatten verstummen lassen, fingen wieder zu singen an, zuerst vereinzelt, dann im Chor. Balzac schloss zu Hector auf, hob eine Vorderpfote, reckte den Schwanz in die Höhe und die Schnauze schnuppernd nach vorn. Bruno beugte sich über seinen Wallach und tätschelte ihm den Hals, straffte die Schultern und holte tief Luft. Er hatte sich die ganze Zeit über gefragt, wann und wo Pamela mit der Sprache herausrücken würde.

»Ich muss dir etwas sagen, Bruno. Ich liebe dich sehr …« Sie stockte, und Bruno wartete auf das unausweichliche ›aber‹. Umso mehr überraschte es ihn, als Pamela fortfuhr mit den Worten: »… und das wird immer so sein, obwohl wir beide wissen, dass unsere Beziehung keine Zukunft hat. Zwar genieße ich sie so, wie sie ist, aber das ist wohl dir gegenüber nicht fair.

Ich weiß, du möchtest dich fest binden und mit einer Frau

eine Familie gründen, und das solltest du auch versuchen. Ich komme dafür allerdings nicht in Frage, und solange wir zusammenbleiben, verzögert sich für dich die Erfüllung deiner Wünsche. Das belastet mich, so selbstsüchtig ich manchmal auch erscheinen mag. Ich fühle mich schuldig dir gegenüber, Bruno. Wenn ich dir also, um dich freizugeben, sagen muss: ›Trenn dich von mir!‹, nun, dann sei es hiermit geschehen.«

Es blieb eine Weile still. Bruno blickte auf die weiten Flussschleifen im Tal hinab und bemerkte erst mit einiger Verspätung, dass Pamela ihn betrachtete. Weil längst damit zu rechnen gewesen war, dass sie ihm den Laufpass geben würde – was er insgeheim und tief im Herzen begrüßte –, hatte er sich selbst ein paar Worte zurechtgelegt. Nun aber war er wie betäubt von der Entschiedenheit und Endgültigkeit, mit der Pamela den gemeinsamen Lebensabschnitt zum Abschluss brachte. Dann nahm er am Rand seines Gesichtsfeldes eine Bewegung wahr, blickte zu Boden und sah, dass Balzac verunsichert zu ihm aufschaute. Dass er die Witterung von Kaninchen aufgenommen hatte, war vergessen, denn der Hund ahnte, dass die Stimmung seines Herrchens umgeschlagen war.

Bruno verspürte einen Kloß im Hals und biss sich auf die Zunge, aus Angst, dass er aus einer gewissen Verletztheit heraus etwas Unbesonnenes sagen könnte. Als er Crimsons Wagen auf dem Parkplatz am Restaurant gesehen und begriffen hatte, wo und mit wem Pamela den Abend verbringen würde, war ihm bewusst geworden, wie eifersüchtig er insgeheim war, so dass er an ein unverfängliches Abendessen mit einem Mann, den er für seinen Freund hielt, nicht mehr glauben konnte. Warum hätte sie es ihm sonst auch verschweigen sollen?

»Wir werden natürlich immer Freunde bleiben«, sagte sie. »Und wir werden nach wie vor zusammen ausreiten, gemeinsam kochen und Abende mit Fabiola und Gilles verbringen. Nur meine Schlafzimmertür wird für dich verschlossen bleiben, Bruno«, fuhr sie fort. Ihre Stimme war klar, ihr Rücken gerade, eine Frau, die sich selbst und ihre Gefühle unter Kontrolle hatte. »Du musst dich umorientieren, dir selbst zuliebe.«

Er nickte langsam, schaffte es aber immer noch nicht, sie anzusehen. »Verstehe«, sagte er und lenkte Hectors Kopf zur Seite, so dass er in die entgegengesetzte Richtung blickte. Er wollte die von Pamela würdevoll eingerichtete Abschiedsszene nicht mit einer gehässigen Bemerkung verunstalten.

»Die Zeit mit dir war wunderschön, danke«, sagte er. »Ich glaube, du weißt, dass in meinem Herzen immer ein Platz für dich frei sein wird. Jetzt möchte ich lieber eine Weile allein sein. Ich bringe Hector zurück.«

»Wenn du ihm einfach nur den Sattel abnehmen würdest … Ich kümmere mich dann um den Rest. Wir sehen uns dann morgen früh wieder.« Ihre Stimme klang freundlich, aber bestimmt.

Er lenkte Hector an den Waldrand und bog jenseits der Hügelkuppe in den Reitweg ein. Bald schlossen sich die Bäume hinter ihm, so dass er nicht mehr versucht war, sich im Sattel umzudrehen und zurückzublicken. Die Gedanken an Pamela, das wusste er, würden ihn noch viele Nächte um den Schlaf bringen, zärtliche Worte und Laute des Entzückens von den Wänden seines Schlafzimmers widerhallen.

Auf seinem Kopfkissen wäre noch lange ihr Duft wahrzunehmen, und sein Sehnen nach einer Berührung von ihr, nach ihren ausgebreiteten Armen würde ihn im Halbschlaf nach ihr suchen lassen. Schon jetzt spürte er, wie sich gewisse Erinnerungen in ihm festsetzten: Pamela, wie sie sich, vom Mond beschienen, in seinem Bett aufrichtete und die Arme hob, um ihre Haare zu richten; wie sie ihn ungeduldig an der Hand hinter sich herzog; wie sie ihn morgens mit einem warmen Kuss aufweckte. *Mon Dieu*, seufzte er stumm in Gedanken daran, wie tief eingeprägt die Spuren waren, die Pamela in ihm hinterlassen hatte, und wie reich beschenkt er sich fühlte.

Er erreichte die Brandschneise, die längs zum Hang den Wald durchschnitt. Dort ließ er seinem Pferd freien Lauf und spürte den vertrauten kraftvollen Rhythmus, mit dem es die Gangart wechselte und innerhalb weniger Schritte in einen leichten Galopp fiel. Dann trieb er es weiter an und verlagerte sein Gewicht nach vorn, was Hector als Aufforderung verstand und der darauf seinen Lauf explosionsartig beschleunigte, bis Bruno nur noch das Donnern der Hufe, den Gegenwind im Gesicht, die Kraft des Pferdes unter sich und von den vorbeifliegenden Bäumen nur noch Schemen wahrnahm.

So rasant hatte er Hector noch nie geritten. Vor lauter Begeisterung jubelte er lauthals. Das Tempo, so spürte er, ließ die kleinlichen Gefühle, die ihn beschlichen hatten, weit zurück, und das mit Hector gemeinsam empfundene Vergnügen an diesem wilden Ritt ließ keinen Raum für Traurigkeit. Sie bezog sich auf Vergangenes, das unter den Hufen zurückblieb und vom Wind davongetragen wurde. Er war frei, ungebunden, konnte anderen Frauen nachblicken, ohne ein schlechtes Gewissen zu haben. Ihm eröffneten sich neue Möglichkeiten, die in neue Richtungen wiesen.

Noch in schwelgerischen Gedanken versunken, sah er das Ende der Schneise vor sich, die Bäume am Rand wurden weniger, und der herrliche Galopp näherte sich seinem Ende. Er richtete sich im Sattel auf und zog vorsichtig am Zügel, was aber gar nicht mehr nötig war, weil auch Hector das Ziel im Auge hatte und von sich aus abbremste. Im leichten Trab durchquerten sie das offene, parkähnliche Gelände, das bis an die Koppel und die Straße nach Les Eyzies reichte. Bruno bremste auf Schritttempo ab, drehte sich um und sah seinen Basset mit flappenden Ohren, heraushängender Zunge und nach hinten ausgestrecktem Schwanz hinter sich herrennen. Bruno glaubte schon fast den Kaffee und das Croissant zu schmecken, die bei Fauquet auf ihn warteten. Oder vielleicht sollten es an diesem Morgen zwei Croissants sein, denn nach einem solchen Rennen hatte Balzac zumindest eine Hälfte verdient.

»Hast du von der Podiumsdiskussion gehört, die heute Abend in Bergerac stattfinden soll?«, fragte Fauquet und reichte ihm einen mit warmen Croissants gefüllten Korb und die erste der zwei Tassen Kaffee, die Bruno seit kurzem immer morgens trank. Dazu hatte ihm ein Kollege geraten, einer, der sich auskannte. In dieselbe Tasse nachgeschenkter Kaffee schmeckte, aus welchen Gründen auch immer, weniger gut als aus einer frischen. »Das Fernsehen ist dabei. Man wird bestimmt auch über Imogènes Rotwild sprechen. Wann holst du sie zurück?«

»Wenn ich davon ausgehen kann, dass sie nichts zu befürchten hat und die Hitzköpfe sich beruhigt haben«, antwortete Bruno und riss von seinem ersten Croissant eine Ecke ab, um sie Balzac zu geben. »Du kennst ja unsere Leute. Sie werden sich ihretwegen bald schuldig fühlen und sagen, dass sie vielleicht ein bisschen wirr im Kopf ist, aber ein gutes Herz hat.«

Brunos Handy vibrierte, und auf dem Display sah er, dass Rollo anrief, der Rektor des Collèges. Er klang aufgebracht und bestand darauf, dass Bruno zu ihm nach Hause kam und sich ein Bild vom Tatort machte.

»Was ist denn passiert?«, fragte er und ächzte stumm, als Rollo antwortete: »Mein Garten. Er ist völlig verwüstet.«

Sein Garten war Rollos ganzer Stolz und seine Freude. Er wohnte in einem Neubau oberhalb der Straße nach Limeuil, und der am Hang bis hinunter zur Straße angelegte Steingarten war im Frühling und Sommer eine einzige Farbenpracht. Zu beiden Seiten des Hauses hatte er Obstbäume gepflanzt, und der Rasen auf dem flachen Stück nach vorn hinaus war der gepflegteste weit und breit, gewalzt, gewässert und gejätet – ein perfekter grüner Samtteppich. Ihn rahmten Rosenspaliere und -bögen ein, die jedes Jahr bei der Gartenschau preisgekrönt wurden. Hinter dem Rasen lag der sorgfältig gehegte Gemüsegarten.

An jedem Sonntagmorgen moderierte Rollo für *Bleu Périgord* eine beliebte Sendung, in der er Gärtnertipps gab und Hörerfragen beantwortete. Wie fast alle seine Freunde und Bekannten hörte auch Bruno regelmäßig zu. Während er Geschirr spülte, Hemden bügelte oder im Haus saubermachte, ließ er sich von Rollo beraten, wie Schnecken fernzuhalten waren oder unter welchen Voraussetzungen Salat und Gemüse besonders gut gedeihen konnten. Bruno hatte sich vorgenommen, Rollo mitzuteilen, was er auf dem Reiterhof gelernt hatte, nämlich, dass sich mit Eierschalen, die man in die Bäume hängte, der Kräuselkrankheit vorbeugen ließ.

Er traf seinen Freund mit Tränen in den Augen vor einem der eingerissenen Rosenbögen an. Die Blüten lagen auf dem Rasen verstreut, der seinerseits wie von einem wild gewordenen Pflüger aufgebrochen worden war. Der Gemüsegarten war ein einziges Schlachtfeld. Bruno war betroffen. So etwas hatte er noch nie gesehen, aber er wusste sofort, dass die Ursache nur schwere Artillerie oder eine Rotte *sangliers* sein konnte. Die Wildschweine drangen inzwischen bis in die Wohngebiete vor und ließen sich, wenn sie Hunger hatten, auch von elektrischen Weidezäunen nicht aufhalten.

»Um das verdammte Rotwild wird ein Riesenaufsehen gemacht, aber wann wird man endlich etwas gegen diese Wildschweine unternehmen?«, ereiferte sich Rollo. »Sieh dir das nur an!«

»Tut mir schrecklich leid für dich«, erwiderte Bruno, obwohl ihm klar war, dass er Rollo mit solchen Worten nicht trösten konnte. Fast hätte er gesagt, dass dies der Preis für ein Leben auf dem Land sei, aber auch das würde Rollo jetzt nicht hören wollen, und Rollo war ein Freund. Aber was erwartete der von ihm? Bruno konnte die Wildschweinrotte ja schließlich nicht in Arrest nehmen. »Wie sind sie hier reingekommen?«, fragte er stattdessen.

Rollo führte ihn durch Gemüsereste zu einem Zaun, dessen Stromleiter auf einer Länge von gut zehn Schritten abgerissen war. Bruno erinnerte sich an ein kurzes nächtliches Gewitter. Vielleicht hatte es zu einem Kurzschluss geführt. Es hatte sich allerdings niemand über einen Stromausfall beklagt. Er blickte talwärts auf die Domaine und sah mehrere Lichter brennen. In der Weinscheune auf der linken Seite konnte er vor dem großen Schiebetor einen Arbeiter mit einem Elektrogerät in der Hand erkennen.

»Hast du einen getrennten Stromkreis für den Garten?«, fragte Bruno. Rollo nickte und sagte, dass in der Nacht die Sicherung herausgeflogen sei. Wahrscheinlich war ein Wildschwein in den Zaun gerannt, was zu einem Kurzschluss geführt hatte. Möglich auch, dass während des Gewitters ein größerer Zweig auf den Zaun gefallen war. Tatsächlich lag ein morscher Ast von rund zwei Metern Länge und so dick wie Brunos Unterarm auf einem Knäuel ineinander verschlungenen Drahtes. Bruno schaute bergan in Richtung Waldrand und suchte nach einem Baum, von dem der Ast abgerissen worden sein mochte, konnte aber keinen entdecken.

Verdutzt beugte er sich über das Knäuel und sah zu seiner Überraschung, dass der Draht an einem der gekappten Enden metallen glänzte, als wäre er vor kurzem durchgeschnitten worden. Er stieg die zwanzig oder dreißig Meter hinauf zum Waldrand, bahnte sich einen Weg durch das Dickicht und die erste Reihe der Bäume, hinter der, wie er wusste, ein Pfad verlief. An seinen Rändern waren im hohen Gras Reifenspuren zu erkennen, und aus den frischen Knicken an den Schösslingen war zu schließen, dass vor kurzem ein großes Fahrzeug hier entlanggefahren war. Die breiten Reifenspuren reichten nicht bis an Rollos Grundstück heran, wohl aber kleinere Spuren, vielleicht die eines Fahrrads. Für eine

Schubkarre waren sie jedenfalls zu schmal. Bruno legte ein Maßband an und machte Fotos mit seinem Handy, wobei er darauf achtete, dass sich die schattigen Spuren von der sonnenbeleuchteten Umgebung deutlich abhoben.

»Hast du in der Nacht Motorengeräusch gehört oder Taschenlampenlicht im Wald gesehen?«, fragte Bruno, als er wieder neben Rollo stand. Der schüttelte den Kopf.

»Wurde geschossen?« Wieder verneinte Rollo.

Wilderer und skrupellose Jäger gingen gern nachts mit Gewehren auf die Pirsch, auf denen sie mit Klebestreifen Taschenlampen befestigten. Es mochte sein, dass sie auf Schwarzwild Jagd gemacht hatten und die Rotte auf Rollos Grundstück ausgewichen war, was den eingerissenen Zaun erklären würde. Aber wie war der morsche Ast herbeigeschafft worden? Er erinnerte sich an ein Gerichtsverfahren in Burgund, dem sich mehrere Jäger stellen mussten, weil sie Wildschweine betäubt und in den Garten eines unliebsamen Jagdgegners gelegt hatten, wo sie dann aufgewacht waren. Lag hier ein ähnlicher Fall vor? Um auch nur einen einzigen Keiler vom Wald in Rollos Garten zu schleppen, waren mindestens zwei bis drei starke Männer vonnöten. Es sei denn, es hätte ein Mountainbike zur Verfügung gestanden, das den Transport erleichtert hätte.

»Hast du dir in letzter Zeit Feinde unter den Jägern gemacht?«

Rollo blickte erstaunt auf. »Nicht dass ich wüsste. Ich gehe zwar selbst nicht auf die Jagd, habe aber auch nichts dagegen. Dafür, dass ich dem Jagdverein von Limeuil erlaube, auf meinem Grund und Boden zu jagen, bekommen wir im Austausch Wildbret und Fasane. Warum fragst du?«

»Du weißt, was mit Imogènes Rotwild passiert ist.«
Bruno verzichtete darauf, Rollo in seinen Verdacht ein-
zuweihen, jedenfalls so lange, bis er mehr in der Hand haben
würde als einen frisch durchgeschnittenen Draht. »Vielleicht
waren einige der Hitzköpfe auch gestern Nacht im Wald
und haben Wildschweine aufgescheucht, die in ihrer Panik
hierhin gerannt sind. Was man normalerweise zu vermeiden
versucht, insbesondere unter Freunden.«

»Wenn's nach mir ginge, hätten die Jäger mehr Rechte. Ich
wünschte, unser Département wäre wildschweinfrei. Vielleicht sollte ich mich demnächst selbst auf die Jagd machen.«

18

Bruno versprach Rollo, einen Bericht für dessen Versicherung aufzusetzen. Er ließ sich noch zu einer Tasse Kaffee einladen und versuchte, den Freund zu trösten. Seinen Verdacht aber behielt er nach wie vor für sich. Als er wenig später in sein Büro zurückgekehrt war, recherchierte er am Computer den Fall in Burgund. Schnell hatte er einen Hinweis gefunden. Als er den verlinkten Bericht las, fiel ihm wieder ein, wieso ihm der Fall von damals in Erinnerung geblieben war. Er hatte nämlich zu neuen Bestimmungen geführt, was den Besitz und die Aufbewahrung von Betäubungswaffen anging. Im großen Ganzen war es nur Zoos, Naturreservaten und Veterinärmedizinern erlaubt, sie zu erwerben und zu nutzen. Nur in Ausnahmefällen, und zwar dann, wenn geschützte Tiere zur Gefahr wurden, durften auch registrierte Jagdvereine darauf zugreifen.

Bruno rief in der Präfektur an und ließ sich eine Liste der im Département zugelassenen Betäubungswaffen zufaxen. Gut ein Dutzend Adressen waren darin aufgeführt, darunter auch die des prähistorischen Wildparks von Le Thot. Eher ungewöhnlich fand er den Eintrag einer Fischfarm, die wegen einer Otterfamilie Einbußen hatte erleiden müssen und darum Betäubungsmittel mit dem Ziel gegen sie einsetzen durfte, sie am Oberlauf des Flusses wieder auszusetzen. Appliziert wurden diese Mittel in Bolzen, die mit herkömmlichen Luftgewehren verschossen wurden. Über die Art des Mittels und dessen Dosierung entschied ein zugelassener Veterinärmediziner.

Zuerst fuhr Bruno in die Tierarztpraxis von Saint-Denis, wo Veltrier ihm sein Bolzengewehr zeigte, das in einem verschließbaren Schrank aufbewahrt wurde. Ähnliche Sicherheitsvorkehrungen wurden im neuen Wildpark von Saint-Félix getroffen, den er anschließend besuchte. Der Leiter der Fischfarm sagte jedoch, das von ihnen benutzte Gewehr selbst nie gesehen zu haben; es sei in Verwahrung des Wildhüters, der zur Lösung des Otterproblems habe engagiert werden müssen. Wo die Bolzen aufbewahrt wurden, wusste er ebenso wenig zu beantworten wie die Frage, ob der zuständige Tierarzt befugt war, eine Betäubungswaffe einzusetzen. Bruno bat darum, einen Blick auf die Ausrüstung des Wildhüters werfen zu dürfen, und wurde in eine Scheune geführt, in der hauptsächlich Fischfutter lagerte. Der Metallspind, den man ihm zeigte, war unverschlossen und leer bis auf ein Paar Gummistiefel, eine Jacke in Tarnfarben und eine fast leere Flasche billigen Cognacs.

»Ich habe seinen Jagdschein und seine Mitgliedschaft im Jagdverein von Lalinde überprüft«, sagte der Leiter der Fischfarm. »Soweit ich weiß, hat er im Führerhaus seines Pick-ups ein verschließbares Fach, in dem er seine Waffen aufbewahrt. Fabrice arbeitet meist nachts. Bislang hat er einen guten Job gemacht. Er fängt Zuchtpaare und setzt sie flussaufwärts im Nachbar-Département aus.«

»Fabrice?«, hakte Bruno, der aufmerksam geworden war, nach. So hieß auch der Wildhüter, den er auf der Geburtstagsfeier des Patriarchen gesehen hatte. »Wie ist sein Nachname?«

»Daubert, Fabrice Daubert. Ich glaube, er kommt aus Bergerac.«

Bruno erinnerte sich. Vor einem Jahr war ein Mann namens Daubert wegen Unfairness aus einem der regionalen Rugbyvereine ausgeschlossen worden.

Bruno warnte den Vorsteher der Fischfarm und sagte, er solle seine Unterlagen auf den neuesten Stand bringen und die Betäubungswaffe sicher unter Verschluss nehmen, er, Bruno, werde sich bei seinem nächsten Besuch alles genau ansehen. Dann rief er seinen Kollegen Quatremer, den Chef de police von Lalinde, an, ließ sich die Nummer des Jagdvereins durchgeben und erwähnte, dass er sich für Fabrice interessiere.

»Verdammt guter Schütze, der Bursche, und er versteht sich auf sein Waidhandwerk«, wurde ihm gesagt. »Ist aber nicht gerade beliebt. Lässt es sich nicht nehmen, immer den ersten Schuss zu landen und die größte Beute mit nach Hause zu nehmen. Immerhin scheint er jetzt seinen Platz gefunden zu haben. Wildhüter ist genau der richtige für ihn, und er hat einen festen Job, genau genommen sogar zwei.«

»Ich weiß, dass er für die Fischfarm arbeitet«, erwiderte Bruno. »Welchen Job hat er noch?«

»Von einer Fischfarm weiß ich wiederum nichts«, entgegnete Quatremer. »Seinen ersten Job hat er drüben, ganz in Ihrer Nähe, bei diesem berühmten Piloten, dem Patriarchen, und dann arbeitet er noch für dessen Sohn auf dem Weingut hier bei uns. Kennengelernt haben sich die beiden im Jagdverein. Fabrice hat großes Glück gehabt, denn zum

Job gehört auch ein Häuschen auf dem Anwesen, in dem er frei wohnen kann. Anscheinend gibt es Probleme mit den Fasanen. Aber fragen Sie mich nicht, inwiefern, ich habe so etwas nur läuten hören.«

»Wie lange ist er schon im Jagdverein von Lalinde?«, fragte Bruno. »Ich kenne einige der anderen Mitglieder, doch die haben mir gegenüber nie einen Fabrice erwähnt. Und das hätten sie spätestens nach seinem Rauswurf aus dem Rugbyklub bestimmt getan.«

»Erst wenige Monate. Vorher war er im Jagdverein von Bergerac. Irgendjemand vom Weingut hat ein gutes Wort für ihn eingelegt. Wahrscheinlich Victor, der Eigentümer. Seine Frau Madeleine ist die Sekretärin des Vereins.«

Um seinem Amtskollegen nicht ins Gehege zu kommen, bat er Quatremer, Fabrice' Bolzengewehr zu überprüfen und festzustellen, ob es vor kurzem benutzt worden war. Quatremer aber sagte, dass er schrecklich viel zu tun habe, er, Bruno, möge sich doch selbst ein Bild machen. Also schlug Bruno den ihm inzwischen bekannten Weg zum Weingut ein und war nicht überrascht zu erfahren, dass Fabrice in das vormals von Gilbert bewohnte Haus umgezogen war und dass er an diesem Tag auf dem Anwesen des Patriarchen arbeitete. Bruno ließ sich Fabrice' Handynummer geben und sprach ihm auf die Mailbox, dass er dringend zurückrufen solle. Eine Nachricht mit derselben Aufforderung hinterlegte er im Sekretariat des Weingutes. Danach fuhr er nach Hause, duschte, zog sich um, packte ein halbes Dutzend Enteneier ein, mit denen er der Komtesse eine Freude machen wollte, und fuhr talaufwärts zu ihrem Château zum verabredeten Mittagessen.

Das Hausmädchen führte ihn durch die große Halle in den Flügel, wo er das Krankenzimmer der Komtesse vermutete, in dem er ihr zum ersten Mal begegnet war. Das aber war inzwischen in ein helles Wohnzimmer umfunktioniert worden, mit bequemen chintzbezogenen Polstermöbeln, davor eine Terrasse im Sonnenlicht, von der er Frauenstimmen hörte. Vor ihm waren schon Chantal und ihr Bruder Raoul erschienen, derjenige, von dem die Komtesse hoffte, dass er ihre Urenkelin heiratete. Chantal und Marie-Françoise saßen zu beiden Seiten der Komtesse, die ein modernes Smartphone in der Hand hielt. Die beiden jungen Frauen zeigten ihr, wie man damit umging. Raoul saß ihnen gegenüber und schickte der Komtesse von seinem Handy aus kichernd eine Textnachricht nach der anderen.

»Ich bin wohl zu alt für diesen sms-Unsinn, Bruno, und meine Finger sind viel zu groß«, sagte sie, als er sich über sie beugte, um ihr die Wangen zu küssen. Statt des ernsten schwarzen Kostüms wie auf der Geburtstagsparty des Patriarchen trug sie an diesem Tag einen hellgrauen Hosenanzug und eine weiße hochgeschlossene Bluse, die wie ein plissiertes Frackhemd aussah. An ihrem Rollstuhl lehnten zwei Krücken.

»Und was soll ich im Internet?«, fuhr sie fort. »Ich mag ja noch nicht einmal telefonieren. Wenn es was Wichtiges gibt, sollte es wichtig genug sein, um einen entsprechenden Brief zu schreiben oder, besser noch, den anderen aufzusuchen und ihm von Angesicht zu Angesicht gegenüberzutreten. Ich bedaure, dass ich selbst kaum mehr Briefe bekomme. Umso mehr hat mich Ihre reizende Karte gefreut, Bruno. Dabei hätte ich mich schriftlich bei Ihnen bedanken sollen.

Schließlich waren Sie es, der mich auf Marcos Geburtstag umhergeschoben hat.«

Raoul stand auf, um ihm die Hand zu geben. Die beiden jungen Frauen begrüßten Bruno mit *bisous* und wollten alle blutigen Details über Imogène und ihr Rotwild wissen. Ob er sie tatsächlich im Kreuzfeuer wütender Jäger habe verschwinden lassen? Habe er das Gemetzel mit ansehen müssen? Werde man sie tatsächlich wegen fahrlässiger Tötung vor Gericht stellen? Bruno hob wie zur Abwehr beide Arme und erklärte, welche bescheidene Rolle er in dieser ganzen Sache spielte.

»Ich war in der Präfektur«, sagte er. »Wahrscheinlich weiß jeder andere in Saint-Denis besser Bescheid.«

»Jedenfalls haben Sie einen Drink verdient«, meinte die Komtesse und forderte ihn auf, sich an dem gutbestückten Getränkewagen zu bedienen. Die anderen tranken Weißwein, wofür er sich nun auch entschied. Es war, wie ihm auffiel, der neue *Réserve du Patriarche,* den er schon selbst hatte verkosten dürfen. Raoul stand auf und reckte den Hals, um zu sehen, von welchem Sportwagen der röhrende Motorenlärm ausging, der in der Auffahrt zu hören war und rasch lauter wurde. Wenig später trat der Patriarch in Erscheinung. Mit einer Verbeugung öffnete er Fabiola die Tür. Marie-Françoise lief auf sie zu und umarmte sie. Nach den traumatischen Erlebnissen in der Höhle war Fabiola die erste Ärztin gewesen, die sich um die junge Frau gekümmert hatte. Später hatte sie ihr einen renommierten Kieferchirurgen empfohlen, schließlich auch noch gute Sprachlehrer, die ihr die Übersiedlung aus Kalifornien erleichtern konnten.

»Ist es dein Auto, Marco, das diesen schrecklichen Krach

macht?«, fragte die Komtesse. Auf eine der Krücken gestützt, erhob sie sich, was ihr sichtlich schwerfiel, um den Patriarchen zu empfangen, der auf sie zukam. Er gab ihr einen Kuss und begrüßte auch die anderen, bevor er sich wieder ihr zuwandte.

»Mein kleiner Ferrari ist älter als unser Enkelkind, *ma belle*, und es wäre für ihn wie für mich eine große Ehre, wenn wir dich wieder einmal zu einer Spritztour einladen könnten. Es hat dir doch immer gefallen, mit offenem Verdeck herumkutschiert zu werden, stimmt's?«

»Aber auch nur deshalb, weil man aus einem Cabriolet schneller herausspringen kann, wenns brenzlig wird, mein Lieber.«

Der Blick, den sich die beiden zuwarfen, zeugte von großer Zuneigung und tiefem Einvernehmen. Vor nunmehr fast sechzig Jahren hatten sie sich ineinander verliebt, und noch immer waren sie voller Zärtlichkeit füreinander. Bruno konnte nur hoffen, dass er ein ähnliches Alter erreichte und dann mit einer alten Liebe ebensolche Blicke würde tauschen können. Es versetzte ihm einen Stich, als er plötzlich registrierte, dass er seit dem frühen Morgen nicht mehr an Pamela gedacht hatte. Der Patriarch, dachte Bruno, wäre an seiner Stelle wahrscheinlich sehr viel galanter gewesen. Bruno betrachtete die jungen Leute, die sich mit Fabiola unterhielten, und glaubte zu bemerken, dass zwischen Raoul und Marie-Françoise entgegen den Hoffnungen der Komtesse keinerlei Funke überzuspringen schien. Stattdessen hielt er seine Schwester im Arm und hörte Marie-Françoise zu, die berichtete, wie sie sich dank Fabiolas Hilfe in Frankreich eingerichtet hatte.

Der Patriarch schenkte sich ein Glas Wein ein und wandte sich Bruno zu. »Am ersten Samstag im nächsten Monat werden wir uns in der Confrérie wiedersehen, wo es ein Dutzend Enten- und mehrere Gänsepasteten für uns zu probieren gibt. Anschließend marschieren wir zum Alten Markt, wo ich ein Loblied auf Ihre Tugenden singen werde, bevor Sie den Schwur als Chevalier ablegen. Nachdem wir Sie dann mit einer Ente zum Ritter geschlagen und Ihnen das Amtssiegel verliehen haben, geht's zum Mittagessen, das voraussichtlich sehr unterhaltsam sein wird und erst am frühen Abend endet. Und wenn ich Ihnen einen Rat geben darf: Sorgen Sie dafür, dass Sie jemand nach Hause fährt, oder nehmen Sie lieber den Zug.«

»Danke für den Rat. Was machen Ihre Fasane? Wie ich hörte, gibt es Probleme mit ihnen.«

»*Tiens,* Sie sind gut informiert. Ich habe einen Wildhüter engagiert, damit er in den Wäldern nach dem Rechten sieht. Diese arme Frau und ihre Tiere haben mich daran erinnert, dass ich meinen Wildbestand kontrollieren muss. Fressfeinde sind wichtig, und wenn es nicht genug natürliche Räuber gibt, haben wir Menschen für ein Gleichgewicht zu sorgen. Victor und Raoul gehen nur noch selten auf die Jagd, und jetzt, da Gilbert tot ist, bleibt die Bestandspflege an Madeleine und mir hängen. Übrigens war die Jagd das Einzige, dem zuliebe Gilbert nüchtern blieb. Er war ein sehr guter Schütze. Wie man hört, jagen Sie auch. Wo?«

Bruno antwortete, dass er in allen drei Jagdvereinen von Saint-Denis Ehrenmitglied sei, aber für gewöhnlich nur in den Wäldern rund um Saint-Cirq und Audrix jagen gehe. »Wenn die Hunde keine einzige *bécasse* aufscheuchen, findet man dort wenigstens zum Trost jede Menge Pilze«, sagte er.

Ein Gong ertönte. Weiter unten auf der Terrasse tauchte ein Hausmädchen vor einer Doppeltür auf. Auf wackeligen Beinen führte die Komtesse die Gruppe zu Tisch und erklärte, es gebe auf Wunsch ihrer Urenkelin ein *déjeuner à la Californie*.

»Das bedeutet sehr kleine Mengen, verglichen mit Périgord-Standards«, erläuterte sie dem Patriarchen, »nur einen kleinen *Salade périgourdine*, eine kalte Gemüsesuppe und für uns Karnivoren auch etwas geräucherten Schinken.« Bruno sah, wie ihre Hand zitterte, mit der sie sich auf der Krücke aufstützte. »Marie-Françoise wollte ursprünglich nur Fruchtsaft und Mineralwasser ausschenken, aber dagegen habe ich mein Veto eingelegt.«

Die Gespräche wurden bei Tisch fortgesetzt und der Wein des Patriarchen gelobt, bis dieser sein Glas mit einer Gabel zum Klingen brachte und die Runde einstimmte auf die vollständige Geschichte der Rettung der Komtesse sowie der Schrecken, denen Marie-Françoise in der Höhle ausgesetzt gewesen war. Bruno protestierte und wies darauf hin, dass die eigentlichen Helden, nämlich seine Freunde Jean-Jacques und Sergeant Jules, nicht zugegen seien. Jean-Jacques, der Chefermittler des Départements, habe den entscheidenden Schuss abgefeuert und Jules Marie-Françoise aus dem unterirdischen See geborgen. Den Blick auf Fabiola gerichtet, sagte er, dass sie eine falsche Diagnose aufgedeckt und damit die Komtesse gerettet hatte.

»Marie-Françoise erzählt eine ganz andere Geschichte«, wandte Chantal ein. »Und ihre Version hat so ähnlich auch in der *Paris Match* gestanden.«

»Wem soll man nun glauben?«, fragte der Patriarch. »Geschichtsschreibung und Journalismus verfälschen immer mehr oder weniger. Im Rückblick müssen Ereignisse Sinn ergeben und eine logische Reihenfolge einhalten. Aber die Wirklichkeit verhält sich oft anders. Immerhin stimmen alle unterschiedlichen Berichte darin überein, dass es ein glückliches Ende gab. Und jetzt hätte ich gern eine Tasse Kaffee, bevor ich nach Hause gehe, um meiner Schwiegertochter dabei zuzuhören, wie sie ihre Rede probt.«

»Für die Podiumsdiskussion heute Abend in Bergerac?«, fragte Bruno, als Chantal Kaffee einschenkte.

»Ja, und ich glaube, dass der heutige Abend über ihre politische Zukunft entscheidet«, entgegnete der Patriarch. »Madeleine ist sehr ehrgeizig. Das scheint in der Familie zu liegen«, sagte er zur Komtesse.

»Ihre Urahnin ist Éléonores Tochter Alix von Blois, während ich von der anderen Tochter namens Johanna abstamme, die Königin von Sizilien wurde und Stammmutter der Herzöge von Toulouse ist«, präzisierte die Komtesse. »Über die Rohans und die Rochechouarts kommen unsere Linien wieder zusammen, und dort liegt auch unsere Verbindung zu Madame de Montespan.«

»Die Geschichte Frankreichs wurde maßgeblich von der jahrhundertelangen Abfolge großartiger Frauen geprägt«, sagte der Patriarch. Er wandte sich an Bruno: »Sie haben uns Männer in unsere Schranken gewiesen.«

»Aber für gewöhnlich sind es die Männer, die Geschichte machen«, konterte die Komtesse. Sie nahm einen letzten Schluck Kaffee, zerknüllte ihre Serviette und legte sie neben den leeren Teller. »Marie-Françoise, würdest du dich bitte um unsere Gäste kümmern? Ich hätte Marco gern noch einen Moment allein gesprochen.«

Ihre Worte klangen wie ein dezenter Rauswurf, doch Marie-Françoise führte die Gäste durch den Garten, eine altmodische Anlage aus Kiespfaden und in Form geschnittenen Buchsbaumhecken, dann über eine Steintreppe hinab zu einem Swimmingpool, der offenbar erst vor kurzem angelegt worden war. Vor der schmalen Seite des Rechtecks reihten sich mehrere Glasbögen. Es dauerte einen Moment, ehe Bruno entdeckte, dass sie sich über das Becken schieben ließen, so dass der Pool das ganze Jahr über genutzt werden konnte. Marie-Françoise deutete auf ein Häuschen, das neben dem Pool stand und mit Solarzellen gedeckt war.

»Die Herren gehen nach links, die Damen nach rechts. Badesachen und Handtücher sind in ausreichender Menge vorhanden, falls jemand schwimmen möchte«, sagte sie. »Der Pool ist ein Willkommensgeschenk meiner *grand-mère*. Sie glaubte, dass ein Mädchen aus Kalifornien unbedingt einen Pool haben muss. Das Wasser wird übrigens geheizt und ist jederzeit angenehm warm.«

Raoul und Chantal gingen geradewegs in die Umkleide. Bruno und Fabiola nahmen Marie-Françoise' Angebot einer weiteren Tasse Kaffee dankend an, worauf sie durch die mittlere Tür des Häuschens ging und eine mit dem Nötigsten eingerichtete Küche betrat. Sie schloss eine Espressomaschine, die neben einem großen Kühlschrank auf der Anrichte stand, ans Netz an und stellte Tassen und Untertassen auf ein Tablett.

»Was ich Sie noch fragen wollte«, sagte Bruno. »Auf der Geburtstagsfeier … waren Sie dabei, als dieser Betrunkene an Chantal herumgezerrt hat?«

»Ja, aber so schlimm war es nicht«, antwortete Marie-Françoise. »Er hat sich bei mir entschuldigt und gesagt, er müsse unbedingt mit ihr reden. Er kannte sie offenbar gut, und dass er betrunken war, habe ich zuerst gar nicht bemerkt. Ich dachte, er hätte einen Sprachfehler. Von Chantal habe ich dann später erfahren, dass er ihr Patenonkel und alkoholsüchtig ist.«

Raoul und Chantal kamen aus der Umkleide und sprangen in den Pool. Es sah aus, als lieferten sie sich ein Wettrennen, doch plötzlich schlug Chantal einen Haken und warf sich laut triumphierend auf den Rücken ihres Bruders, um ihn unter Wasser zu drücken. Marie-Françoise lachte und schenkte Kaffee aus. Wahrscheinlich wünschte sie sich, selbst ins Wasser zu springen, sobald die Gäste verschwunden sein würden. Doch Bruno wollte eine Antwort.

»Haben Sie gehört, was er von ihr wollte?«, hakte er nach. Er nippte an seinem Kaffee und war sich darüber bewusst, dass Fabiola ihn neugierig beobachtete.

»Ich erinnere mich nicht mehr genau, aber es waren irgendwelche Familienangelegenheiten, von denen er glaubte, sie müsse darüber Bescheid wissen«, antwortete Marie-Françoise. »Anscheinend lebte er seit Jahren bei ihnen und war so etwas wie ein Ehrenmitglied der Familie. Chantal und ich hatten über etwas ganz anderes geredet. Sie wollte nicht unterbrochen werden und hat sich deshalb von ihm losgerissen. Er ist gestolpert, hat sein Glas fallen lassen und den Arm nach ihr ausgestreckt, um sich an ihr festzuhalten. Erst in dem Moment fiel mir auf, dass er wohl betrunken sein musste, und dann kamen auch schon Raoul und Victor, um ihn wegzubringen.«

»Erinnern Sie sich noch, was er getrunken hat?«

»Ja, seltsam, das Ganze. Er hatte ein großes Glas, gefüllt mit Orangensaft, wie es schien. Ich erinnere mich daran, weil, als er stolperte, ein Spritzer auf meinem Fuß gelandet ist, ehe er das Glas fallen ließ. Ich habe die Flüssigkeit abzuwischen versucht, aber sie war klebrig und hat mir den Schuh verhunzt.«

»Haben Sie den Schuh noch?«, wollte Bruno wissen.

»Er ist in meinem Zimmer. Ich wollte das Paar schon wegwerfen, dachte dann aber, dass es in Bordeaux vielleicht einen Spezialisten gibt, der den Fleck wieder entfernen kann.«

»Lassen Sie mich das machen«, sagte Bruno voller Hoffnung, dass die Kriminaltechnik herausfinden würde, was Gilbert getrunken hatte. »Darauf verstehe ich mich.«

Im Pool versuchte jetzt Raoul, seine Schwester unter Wasser zu drücken, doch die löste sich von ihm und schwamm so schnell und wendig wie ein Aal davon. Marie-Françoise schaute ihnen grinsend zu und wandte sich dann an Fabiola. »Großmutter will mich mit Raoul verkuppeln, und das nicht etwa unter der Hand, sondern ziemlich offenkundig.«

»Kommt er für Sie denn nicht in Frage?«, erkundigte sich Fabiola.

»Als Freund schon, schließlich ist er Chantals Bruder. Aber darüber hinaus sind wir nicht aneinander interessiert, und außerdem ist es für mich viel zu früh, an Heirat zu denken. Davon abgesehen, stehen sich die beiden so nahe, dass für einen Dritten kaum Platz wäre.«

19

Die Salle de l'Orangerie in Bergerac fasste an die hundertfünfzig Gäste und war fast bis auf den letzten Platz besetzt, als Bruno und der Bürgermeister eintrafen, nachdem sie sich auf dem Hinweg im Parc Jean Jaurès durch ein Gedränge laut skandierender Demonstranten hatten hindurchzwängen müssen. Im hinteren Teil der Halle war ein Podest aufgebaut worden. Davor hatte sich ein Fernsehteam postiert. Ein Reporter hielt eine weiße Karte vor die Linse einer Kamera, um dem Kameramann die Möglichkeit zu geben, einen Farbausgleich vorzunehmen. Die Stimmen der vielen Besucher mischten sich zu einem summenden Dauerton. Bruno erkannte mehrere Lokalpolitiker, die sich allesamt für die Neuankömmlinge zu interessieren schienen, um abschätzen zu können, wer wichtig oder sogar nützlich sein würde.

Er entdeckte den Patriarchen, der mit Raoul und Chantal in der ersten Reihe stand und sich mit drei Männern unterhielt. Einer von ihnen war Peyrefitte, der Anwalt aus Périgueux, der gerade seine Frau verloren hatte. Der Patriarch winkte Bruno herbei und stellte ihn den Herren vor. Peyrefitte kannte Bruno offenbar aus Presseberichten und murmelte anerkennende Worte. Bruno erkundigte sich nach seinen Kindern. Dem einen gehe es schon sehr viel besser, das andere befinde sich noch auf der Intensivstation, wurde ihm gesagt. Der Bürgermeister gesellte sich zu ihnen und gab jedem der Reihe nach die Hand.

Bruno glaubte plötzlich zu verstehen, dass Politiker nicht nur einer beliebigen Partei oder einem Gremium angehörten, sondern einem alteingesessenen Stamm, in dem bestimmte Sitten und Bräuche herrschten, eine eigene Sprache gesprochen und eine besondere Art von Geselligkeit gepflegt wurden. Normalerweise sah er in Gérard Mangin, seinem Bürgermeister, keinen Politiker, zumal die Leitung der kommunalen Geschäfte für ihn weniger mit Parteipolitik zu tun hatte als eher damit, dass die Müllabfuhr funktionierte. Hier aber schien der Bürgermeister erst eigentlich in seinem Element zu sein. Er kannte fast alle und schien Freunde im gesamten politischen Spektrum zu haben. Er witzelte mit dem einen, drückte den Arm eines anderen und flüsterte einem Dritten etwas ins Ohr, nickte und beschrieb eine Visitenkarte, die ihm gereicht wurde, während ihm jemand auf die Schulter klopfte. Schließlich kehrten er und Bruno in die dritte Reihe zurück, wo Fauquet zwei Plätze für sie freigehalten hatte.

»Die Grünen machen einen großen Fehler«, grinste er. »Sie demonstrieren draußen und überlassen es uns, ihr Beifall zu spenden oder sie auszupfeifen.«

»Und an der Abstimmung beteiligen kann man sich auch nur, wenn man hier ist, oder?«, fragte der Bürgermeister.

Fauquet schüttelte den Kopf. »Nein, es geht auch telefonisch beziehungsweise per sms. Aber das dauert eine Weile. Wir geben als Erste unsere Stimme ab und bestimmen damit den Trend. Außerdem sind wir im ganzen Département gut miteinander vernetzt.«

Fauquet, der Wirt des Cafés im Zentrum von Saint-Denis, war ein Veteran der Kleinstadtpolitik und kannte alle Tricks bei Kommunalwahlen. Bei einem Abendessen im Rugbyklub hatte er Bruno einmal verraten, wie man Ratswahlen für sich entscheiden konnte. Erstens galt es, Kandidaten aufzustellen, die den größten Familien der Kommune angehörten, denn gewählt wurde immer der oder die Angehörige, egal, wie zerstritten eine Familie auch sein mochte. Zweitens musste man die Mitglieder der Tennis-, Rugby- und Jagdvereine für sich gewinnen, weshalb jeder Bürgermeister immer auch ein spendabler Förderer des städtischen Sports war. Und drittens war es wichtig, einen Arzt, Apotheker oder Lehrer kandidieren zu lassen, denn sie kamen mit Hunderten potenzieller Wähler zusammen, und die gaben meist denen ihre Stimme, die sie persönlich kannten.

»Mich kennen auch alle«, hatte Bruno bemerkt, worauf Fauquet erwiderte: »Aber Polizisten wählen die Leute nicht, jedenfalls nicht in halbwegs friedlichen Zeiten.« Bruno hatte entgegengehalten, dass der Bürgermeister immer wieder gewählt werde und doch keiner großen Familie angehörte und auch keinen der genannten Berufe ausübte. »Der ist eben eine Ausnahme«, hatte Fauquet gegrummelt und sich abgewendet.

Die beiden Kontrahenten betraten die Bühne und gaben sich die Hand. Schon äußerlich hätten sie kaum unterschiedlicher sein können. Der Grünenpolitiker, ein ehemaliger Lehrer namens Georges Luchan, war hochaufgeschossen und sehr dünn. Er trug Jeans und einen Blazer über einem gestreiften Hemd mit offenem Kragen. Die spärlich gewordenen, langen grauen Haare hatte er zu einem Pferdeschwanz zusammengebunden, und ob er es auf einen modischen Dreitagebart anlegte oder sich einfach zu rasieren vergessen hatte, war nicht zu entscheiden. An seinem Revers steckte ein großer Wahlkampfkleber der Grünen. Madeleine hingegen war in ihrem schlichten dunkelblauen Kleid und mit einem hellblauen Seidenschal betont konservativ gekleidet. Sie hatte die hellen Haare zu einem straffen Knoten zusammengesteckt, sich nur dezent geschminkt und versuchte, geschäftsmäßig, wenn nicht sogar streng auszusehen. Ihr klassisch geschnittenes Gesicht und ihre stolze Haltung aber zogen auch jetzt die Blicke der meisten Männer im Saal auf sich, einschließlich Brunos. Obwohl er fest entschlossen war, der Diskussion konzentriert zu folgen, tauchte unwillkürlich das von Jewgeni gemalte Bild vor seinem inneren Auge auf.

Die beiden Diskussionsteilnehmer standen auf jeweils einem Podest rechts und links auf der Bühne. Der Bürgermeister von Bergerac moderierte von einem kleinen Tisch in der Mitte aus. Die Veranstaltung ging auf seine Idee zurück. Er wollte unter anderem in Erfahrung bringen, wie die Öffentlichkeit auf die Anwendung von Fracking zur Förderung von Erdgas aus den tiefen Bodenschichten des französischen Südwestens reagierte. Die sozialistische Regierung und deren grüner Koalitionspartner waren strikt dagegen, die Konservativen geteilter Meinung. Mehr und mehr Bürgermeister aber, ob der einen oder anderen Partei, versprachen sich davon Jobs und steigende Einnahmen. Die jüngsten Ereignisse – der Tod von Peyrefittes Frau und die Jagd auf Imogènes Rotwild – hatten das öffentliche Interesse an der Debatte geschärft, und es wurde schnell deutlich, dass Madeleine dies für ihre Zwecke zu nutzen beabsichtigte.

Den Diskussionsteilnehmern war jeweils eine Viertelstunde Redezeit eingeräumt worden. Danach konnte das Plenum zwanzig Minuten lang Fragen stellen. Schließlich hatten die beiden noch einmal jeweils fünf Minuten Zeit für ein Schlusswort. Insgesamt sollte die Veranstaltung also genau eine Stunde dauern, womit man den lokalen Radiosendern entgegenkam, die live berichteten. Der Bürgermeister hatte eine Münze geworfen, um auszulosen, wer zuerst zu Wort kommen sollte. Es war der Abgeordnete der Grünen. Er referierte kompetent über die drohende Klimakatastrophe, die Gefahren der Fracking-Technologie und die Notwendigkeit des Ausbaus erneuerbarer Energien. Bruno sympathisierte zwar mit seinen Gedanken, fand den Vortrag aber langweilig. Er klang wie zum x-ten Mal heruntergeleiert. Seine letzten Worte galten dem Verlust, den Peyrefitte erlitten hatte.

»Ich bin zwar entsetzt darüber, wie die Hirsche und Rehe von Saint-Denis abgeschlachtet wurden, stimme aber mit der Forderung überein, dass Vorsichtsmaßnahmen zum Schutz der Verkehrsteilnehmer getroffen werden müssen. Wir wollen nicht, dass weitere solcher furchtbaren Unfälle geschehen. Diese Tragödie lehrt uns, wie wichtig es ist, mit allen Bürgern im Gespräch über die Notwendigkeit eines ausgewogenen Verhältnisses zwischen Umwelt und Ökonomie und zwischen Mensch und Tier zu bleiben, um sicherzustellen, dass solche Unfälle nicht mehr passieren und dass wir unseren Kindern einen sicheren, bewohnbaren Planeten hinterlassen.«

Madeleine stand auf, als sich Luchan unter höflichem, aber verhaltenem Beifall setzte. Sie dankte dem Bürgermeister wie auch dem Vorredner und sagte: »Ich bin froh, dass es die Grünen gibt, und habe in der Vergangenheit immer wieder ernsthaft in Erwägung gezogen, sie zu wählen. Inzwischen frage ich mich allerdings, ob sie nicht im Zuge einer natürlichen Selektion zum Aussterben verurteilt sind, da sich mittlerweile alle politischen Parteien den Schutz der Umwelt zu eigen gemacht haben. Die Grünen haben einen großen Sieg errungen und damit ihre geschichtliche Rolle erfüllt.

Jetzt degenerieren sie zu einer irrelevanten, querulanten Sekte, die, von Wind- und Solarparks abgesehen, alles ablehnt und sich nicht weiter fragt, wie wir Energie gewinnen, wenn kein Wind weht und die Sonne nicht scheint. Sie sind gegen Atomkraft, gegen jede Gewinnung von Erdgas, gegen Kohle und Öl, gegen *foie gras* und nicht zuletzt gegen gentechnisch veränderte Lebensmittel, die Hunger beseitigen und Kinder selbst in ärmsten Ländern mit lebenswichtigen Vitaminen versorgen könnten. Viele Grüne wollen uns sogar eine fleischlose Diät verordnen.«

Madeleine ließ sich in einer sachlichen Analyse über Vor- und Nachteile der Fracking-Technologie aus, bezifferte die Kosten des aus dem Ausland importierten Erdgases und warnte vor den Gefahren einer Abhängigkeit von Energielieferungen aus Russland. Die Grünen sollten Fracking unterstützen, sagte sie, denn mit Erdgas betriebene Kraftwerke würden sehr viel weniger Treibhausgase emittieren als solche, die Kohle verfeuerten.

Natürlich, fuhr sie lächelnd fort, seien nicht alle Grüne gegen alles. »Monsieur Luchan ist kein Extremist, sondern sehr vernünftig.« Sie nickte ihrem Kontrahenten freundlich zu und sagte, dass er gewiss kein Gegner der Jagd und des Waidwerks sei. Aus einem Briefumschlag zog sie eine Zeitungsseite, faltete sie auseinander und hob sie in die Höhe.

»Ich habe hier den Bericht der *Sud Ouest* über das alljährliche Festdîner von Nontron, einer Kleinstadt im Norden unseres Départements, zu dem Monsieur Luchan als Festredner eingeladen wurde. Kein Wunder, denn das Städtchen gehört zu seinem Wahlbezirk. Und es soll ein wahrhaft vortreffliches Dîner gewesen sein. Hier die Menüfolge: die Vorspeise, rein vegetarisch, eine Champignoncremesuppe, gefolgt von Foie gras du Périgord, dann *médaillons de chevreuil,* großzügigerweise gestiftet vom Jagdverein Nontrons.«

Sie wandte sich an Luchan. »Gratuliere, Monsieur, Sie wissen, was schmeckt. Médaillons de chevreuil zählen auch zu meinen Favoriten. Es geht wirklich nichts über ein gut zubereitetes Stück Wildbret. Nun, Monsieur, wenn Sie das Fleisch von Rehen, die von Jägern geschossen wurden, essen und genießen, wieso wenden Sie sich dann gegen Maßnahmen zur Kontrolle des Bestands, die doch insbesondere dazu angetan ist, Gefahren abzuwehren?

Zum Abschluss meines Vortrags möchte ich meinem Kollegen drei Fragen stellen. Erstens: Sind Sie nicht auch der Meinung, dass wir ein ökologisches Gleichgewicht zwischen Tier- und Pflanzenwelt aufrechtzuerhalten versuchen müssen mit dem Ziel, dass kein Tier hungern muss? Ich denke, als vernünftiger Mann wird Monsieur Luchan dem sofort beipflichten, darum gleich meine zweite Frage: Welche Methoden sollen wir zu diesem Zweck anwenden? Kontrollierten Abschuss oder Empfängnisverhütung?«

Sie legte eine Pause ein, während deren zuerst vereinzelt, dann immer lauter gekichert und gelacht wurde. Sie hob einen Arm, um wieder für Ruhe zu sorgen, und Bruno bemerkte, dass sie den Saal in der Hand hatte. Alles lächelte und schaute erwartungsvoll zu ihr auf.

»Ich überlasse es Ihrer Phantasie, sich vorzustellen, wie wir jede Hirschkuh und jede Ricke in unseren Wäldern davon überzeugen können, tagtäglich die Pille zu schlucken«, sagte sie, worauf der ganze Saal wieder zu lachen anfing. Ein weiteres Mal hob sie den Arm und nahm sich wie eine geübte Schauspielerin Zeit, den Blick lächelnd über ihr Publikum schweifen zu lassen.

»Oder glauben unsere grünen Freunde womöglich, wir könnten alle Böcke und Platzhirsche dazu bringen, ihrerseits Verantwortung für die Familienplanung zu übernehmen? Wer weiß, vielleicht helfen sie beim Anpassen.«

Wieder legte sie eine Pause ein, und diesmal dauerte es eine Weile, bis das Bild, auf das sie anspielte, in den Köpfen ihrer Zuhörer Gestalt annahm. Dann brach schallendes Gelächter aus. Bruno bemerkte, dass sich auch Fauquet, der Bürgermeister und der Moderator auf der Bühne vor Lachen schüttelten und sich Tränen aus den Augen wischten. Selbst Luchan grinste widerwillig.

Als es im Saal endlich wieder still geworden war, sagte Madeleine: »Meine dritte und letzte Frage an Monsieur Luchan lautet: Wem kann ich nachträglich *bon appétit* für die Médaillons de chevreuil wünschen, oder anders gefragt: Wer kommt zuerst, das Tier oder der Mensch?«

Sie stieg vom Podest und verbeugte sich leicht vor Luchan und dem Moderator. Beifall brandete auf. Peyrefitte war der

Erste, der von seinem Platz aufstand und in die hoch erhobenen Hände klatschte. Ihm folgten der Patriarch, dann Fauquet und die große Mehrheit im Saal. Bruno zögerte einen Moment, doch dann erhob auch er sich, weil auch er fand, dass Madeleine für die wirkungsvollste und amüsanteste politische Rede, die er seit Jahren gehört hatte, eine Standing Ovation verdiente.

Der Rest der Veranstaltung war ernüchternd. Luchan antwortete stammelnd auf die ihm gestellten Fragen, eilte nach seinem Schlusswort von der Bühne und überließ, sichtlich geschlagen, der Siegerin das Feld. Madeleine blieb, schaute sich mit leichtem Kopfnicken im Saal um und schien mit jedem Mann für einen kurzen Moment Blickkontakt aufzunehmen. Und da war keiner, der immun gegen ihren Charme gewesen wäre. Selbst die wenigen Frauen in der Menge grinsten breit über den Triumph einer Geschlechtsgenossin in dieser traditionell männlichen Sphäre.

»Sie haben gerade eine zukünftige Vertreterin der Nationalversammlung gesehen«, sagte der Bürgermeister zu Bruno. »Vielleicht sogar eine zukünftige Ministerin.«

»Mir tut der arme Luchan jetzt schon leid«, frotzelte Fauquet. »Auf der nächsten Sitzung seiner Partei wird er nichts zu lachen haben.«

»Dabei hat er sich ganz wacker geschlagen«, meinte der Bürgermeister. »Sie war vielleicht ein bisschen zu rabiat. Das mit dem Menü hätte sie sich sparen können. Familiäre oder persönliche Angelegenheiten haben in der Politik nichts verloren. Außerdem, was kann er als geladener Gast für die Auswahl der einzelnen Gänge? Wie dem auch sei, ich bin froh, nicht gegen sie kandidieren zu müssen.«

Fauquet fing wieder zu lachen an. »Ich stell mir gerade vor … sooft Luchan, dieser Dummbatz, künftig zu einem Essen eingeladen wird, wird er um eine vegetarische Extrawurst bitten müssen oder um einen Früchteteller. Einen ordentlichen Braten wird er in der Öffentlichkeit nicht mehr essen können.«

Madeleine war, wie Bruno fand, eine sehr bemerkenswerte, aber auch einschüchternde Frau. Sie hatte alles, was sie zu einer steilen politischen Karriere geradezu prädestinierte: Schönheit, Verstand, schauspielerisches Talent sowie eine fesselnde und gleichzeitig amüsante Art zu reden. Sie war verheiratet und Mutter und gleichzeitig Geschäftsfrau, die das Weingut der Familie zu managen half. In der französischen Wählerschaft kam gerade dies gut an. Außerdem hatte Madeleine den unschätzbaren Vorteil, die Schwiegertochter eines der bekanntesten und am meisten respektierten Männer Frankreichs zu sein.

Mehr noch, dachte Bruno, sie hatte einen subtilen, aber sehr wirkungsvollen Charme, eine diskrete, vielleicht sogar unbewusst verführerische Art, die jeden Mann im Saal ansprach. Bruno war sich nicht sicher, ob diese Wirkung gezielt von ihr eingesetzt wurde oder aber einfach nur ein zwangsläufiges Resultat ihrer Schönheit war. Frauen ihres Kalibers hatte er nie kennengelernt. Deshalb war er bereit, alle Zweifel, die ihre Person betrafen, zu ihren Gunsten auszulegen. Jeder ihrer Blicke schien zu einem Flirt einzuladen, obwohl sie gleichzeitig klar erkennen ließ, dass sie alles andere war als ein Flirt, geschweige denn flatterhaft. Wohl nicht zuletzt deshalb wurde sie auch von anderen Frauen geschätzt – sie applaudierten und bejubelten sie wie die Männer.

»Kommen Sie«, riss ihn der Bürgermeister aus seinen Gedanken. »Mein Amtskollege hat uns zu einem kleinen Umtrunk in die Mairie eingeladen. Ohne Luchan. Er hat sich aus dem Staub gemacht, vielleicht aus Angst vor den eigenen Parteifreunden. Das sollte uns nicht davon abhalten, mit allen anderen den neuen Star am Polithimmel zu feiern.«

Der Empfangssaal im Bürgermeisteramt war dem Ansturm der Gäste kaum gewachsen, und alle, die gekommen waren, drängten sich um Madeleine, die hinter einem kleinen Tisch Zuflucht gesucht hatte, auf dem neben einer Blumenvase ihre Handtasche und ein Stapel Flugblätter mit einem Foto von ihr, ihrer Familie und dem Patriarchen lagen. Die Bildunterschrift lautete: Madeleine Desaix, Mutter, Winzerin und machtvolle Stimme für unser Périgord. Sie signierte einzelne Blätter und verteilte sie wie Souvenirs. Bruno fühlte sich absurderweise wieder geschmeichelt, als sie ihn erblickte, zu sich winkte und ihm, als er sich bis zu ihr durchgedrängt hatte, einen Kuss auf beide Wangen gab.

20

Immer wenn Bruno allein aufwachte, war er hellwach und fand sich auch im Dunkeln gleich zurecht. Und kaum hatte er an diesem Morgen die Augen aufgeschlagen, kamen ihm Pamelas klare Entscheidung in den Sinn, aber auch glückliche Erinnerungen an ein liebevolles Erwachen an ihrer Seite. Womöglich würde er auf unabsehbare Zeit allein in seinem Bett liegen, dachte er. Doch anstatt sich zu grämen, warf er die Bettdecke zur Seite und machte Licht. Er stand auf und öffnete die Tür, um Balzac zu begrüßen, der in der Küche schlief und irgendwie wie immer einen Moment früher wach geworden zu sein schien als sein Herrchen. Bruno absolvierte seine Morgengymnastik, die er beim Militär gelernt hatte, trank ein kleines Glas Wasser und zog seinen Trainingsanzug an.

Mit Balzac auf den Fersen schaute er kurz im Hühnerstall nach dem Rechten, startete zu seiner allmorgendlichen Runde durch den Wald und ließ sich durch den Kopf gehen, was er an diesem Tag zu tun hatte. Hector musste bewegt werden, dann gab es Frühstück bei Fauquet, bevor der Markt losging, und er musste sich um Imogène kümmern. In dem Zusammenhang würde er sich im Büro des Procureurs diskret danach erkundigen, ob man ein Verfahren gegen sie einzuleiten beabsichtigte. Außerdem nahm er sich vor, Fabrice zu fragen, wo und wie er die Nacht, in der Rollos Garten verwüstet worden war, verbracht hatte.

Kurz vor acht erreichte er das Café. Nach dem Hochbetrieb im Sommer besuchten den Markt jetzt nur noch die Stammkunden. Jeder kannte jeden. Gegen zehn, wenn der erste Ansturm vorbei war, würde hinter den Verkaufstischen ein *casse-croûte* zubereitet und in Gesellschaft von Händlerkollegen gegessen werden. Bruno trank seinen Kaffee und warf einen Blick auf die Titelseite der *Sud Ouest*, auf der ein Foto von Rollo abgebildet war, der mit verzweifeltem Gesichtsausdruck die Verheerungen in seinem Garten betrachtete. Der Artikel dazu nahm fast die gesamte Seite zwei ein.

Bruno wartete, bis die Uhr acht schlug, rief dann seinen Kollegen Quatremer in Lalinde an und fragte, ob Fabrice eine feste Freundin hatte. Er notierte sich ihren Namen – Véronique Ferreira – und erfuhr außerdem, dass sie einen kleinen roten Peugeot fuhr. Der Name ließ vermuten, dass sie von einer der portugiesischen Familien abstammte, die in den zwanziger und dreißiger Jahren des 20. Jahrhunderts als Erntehelfer ins Périgord gekommen und geblieben waren. Nachdem er sein Croissant gegessen und eine zweite Tasse Kaffee getrunken hatte, ging Bruno nach draußen und suchte José auf, der an seinem Stand Arbeitskleidung, Flanellhemden und billige Stiefel verkaufte. Auch er hieß mit Nachnamen Ferreira. Bruno fragte ihn, ob er Véronique kannte. Sie war eine Cousine, wie sich herausstellte.

»Warum wollen Sie das wissen?«, fragte José argwöhnisch. Er kannte Bruno gut, aber wenn es um die Familie ging, war er auf der Hut. Bruno erklärte, dass er sich für ihren Freund Fabrice interessierte und wissen müsse, ob sie,

Véronique, Mittwochabend mit ihm zusammen gewesen sei. Ihm waren schon so oft Freundinnen als Alibi angegeben worden, dass er sich das von den Freundinnen gern selbst bestätigen ließ.

»Mit Sicherheit nicht«, antwortete José. »Da hatte meine Tante Geburtstag. Wir waren alle bei ihr, bis weit nach Mitternacht, die ganze Familie, und Véronique hatte keinen jungen Mann bei sich. Sie hat die Feier zusammen mit ihren Eltern verlassen, deshalb glaube ich nicht, dass sie noch ausgegangen ist, nicht in einer Nacht unter der Woche. Sie arbeitet in einer Zahnarztpraxis in Lalinde, und die macht um acht auf. Was ist denn los mit diesem Fabrice? Steckt er in der Patsche?«

Es liege nichts Konkretes gegen ihn vor, erwiderte Bruno achselzuckend und bat José, im Rugbyklub nachzufragen, warum man Fabrice aus dem Verein geworfen habe. Er bedankte sich bei José, wählte Fabrice' Nummer auf seinem Handy aus und erreichte ihn in seinem Wagen auf dem Weg zum Patriarchen. Er klang nervös, erklärte sich aber einverstanden, Bruno um neun Uhr in der Scheune hinter dem Château zu treffen, in dem die Büros untergebracht waren. Bruno hatte Fabrice schon häufig Rugby spielen sehen und kannte ihn als großgewachsenen, stämmigen jungen Mann, sehr durchtrainiert, aber nicht besonders schnell. Er hatte sich den Kopf fast kahlgeschoren und den Hals sowie die Arme voller Tattoos, die jedoch unter seiner Wildhüterkluft nicht zu sehen waren.

Vor der Scheune stand ein verbeulter Transporter mit offener Pritsche. Die Motorhaube war noch warm. Es konnte kaum ein Zweifel daran bestehen, dass er Fabrice gehörte, denn auf der Stoßstange klebten Sticker mit der Aufschrift »Rugbyspieler machen's ohne Schutz« und »Jäger sind die wahren Ökos«. Bruno erkundigte sich sofort nach seinem Betäubungsgewehr, worauf Fabrice einen Verschlag in seinem Transporter öffnete und die Waffe hervorholte. Sie war sauber, gepflegt und vor kurzem geölt worden.

»Sie kennen die Vorschriften, oder? Die Waffe ist für die Fischfarm zugelassen und muss auch dort aufbewahrt werden«, sagte Bruno.

»Ich weiß, aber hier bei mir ist sie sicherer unter Verschluss.«

»Und wenn der Wagen geklaut wird? Wo haben Sie die Zulassung und die Inventarliste für Bolzen und Betäubungsmittel?« Bruno überprüfte die Papiere, die Fabrice vorweisen konnte, und fragte: »Wann haben Sie die Waffe das letzte Mal eingesetzt?«

»Am Wochenende. Bis Montagmorgen habe ich ununterbrochen nach diesen Ottern Ausschau gehalten. Am Sonntagabend habe ich einen erwischt, ein Männchen. Wir haben es dann in eine Falle neben dem Fischteich gesetzt, und tatsächlich kam sein Weibchen kurz nach Mitternacht, sehr leise, sehr vorsichtig, aber letztlich habe ich es doch erwischt, und jetzt sind beide auf dem Weg flussaufwärts.«

»Hier ist nicht eingetragen, wie viele Bolzen Sie verschossen haben. Und wo befindet sich das Betäubungsmittel?«

»Im Kühlschrank bei mir zu Hause. Ich habe mehrere Bolzen verschossen, einige sind danebengegangen.«

»Wollen Sie mir sagen, dass Sie Ihr Ziel verfehlt haben und das Tier stillgehalten hat, um dann von einem zweiten Bolzen getroffen zu werden? Oder einem dritten? Das kann ich kaum glauben.« Bruno war sich sicher, dass Fabrice die Unwahrheit sagte.

Fabrice zuckte mit den Schultern und schwieg.

Bruno versuchte es auf Umwegen. »Ich habe gehört, dass Sie gern mountainbiken. Stimmt das?«

»Ich und mountainbiken? Wer sagt denn so was? Nein, da müssen Sie mich verwechseln. Motorsport ist mir lieber.«

»Wo waren Sie Mittwochabend und in der Nacht auf Donnerstag?«

»Zusammen mit meiner Freundin Véronique.«

»Irren Sie sich da nicht? Ein Kleinlastwagen, dessen Beschreibung mit Ihrem übereinstimmt, wurde in der Nacht auf Donnerstag in der Nähe von Limeuil gesehen, wo, wie man uns sagte, Wildschweine gejagt wurden.«

»Damit habe ich nichts zu tun«, entgegnete Fabrice und schüttelte den Kopf. »Ich war die ganze Nacht mit Véronique zusammen. Ein heißer Feger, sehr leidenschaftlich, eben typisch portugiesisch.« Er zwinkerte Bruno zu.

»Na schön, nehmen wir Ihre Aussage zu Protokoll, und das geht dann direkt ins Büro des Procureurs. Sehen Sie also zu, dass Ihnen kein Irrtum unterläuft.« Bruno hatte keine Bedenken, den jungen Mann auflaufen zu lassen. Er mochte keine Fouls auf dem Rugbyplatz, keine Männer, die auf diese Weise über ihre Freundinnen redeten, und er mochte auch keinen Waffenmissbrauch. Sehr viel lieber waren ihm Rollo und sein Garten.

Fabrice führte ihn in sein Büro in der Scheune, wo er seine Aussage verschriftlichte. An der Wand hing ein Kalender mit Fotos nackter Frauen.

»Damit wir uns nicht missverstehen, es geht um den

Mittwochabend und die Nacht auf Donnerstag, also vorgestern«, sagte Bruno.

»Ja, kein Zweifel«, erwiderte Fabrice und unterschrieb. Bruno zeichnete gegen und setzte sein Amtssiegel darunter. Fabrice wirkte erleichtert, als sich Bruno von ihm abwendete, um zu gehen.

»Ich werde Ihr Alibi überprüfen und Ihre Freunde befragen. Véronique Ferreira, nicht wahr? Sie wird wohl jetzt in der Zahnarztpraxis in Lalinde anzutreffen sein, stimmt's?«

»Sie kennen sie?« Fabrice war sichtlich überrascht.

»Nicht direkt, aber ich weiß, dass sie am Mittwochabend den Geburtstag ihrer Tante mitgefeiert hat, spät in der Nacht mit ihren Eltern nach Hause gegangen ist und pünktlich am nächsten Morgen in der Praxis war«, entgegnete Bruno. »Sie, Monsieur, waren nicht die ganze Nacht mit ihr zusammen, obwohl Sie das gerade zu Protokoll gegeben haben. Mit dieser Falschaussage haben Sie sich strafbar gemacht.«

Fabrice schluckte. »Ein dummer Fehler. Ich habe die Tage durcheinandergebracht.«

»Sagen Sie das dem Staatsanwalt. Und lassen Sie Ihren Arbeitgeber wissen, dass Sie heute verhindert sind. Sie werden in der Gendarmerie festsitzen. Wahrscheinlich das ganze Wochenende über, denn ich schätze, der Staatsanwalt wird Sie frühestens Montagmorgen verhören können.«

»*Putain*, das können Sie nicht machen. Wie gesagt, ich habe mich nur im Tag geirrt.« Bruno starrte ihn nur an. »Ich kann es mir nicht leisten, diesen Job zu verlieren«, fügte Fabrice hinzu.

»Dann erklären Sie mir, was in der Nacht zu Donnerstag tatsächlich passiert ist. Und versuchen Sie gar nicht erst, mich zu belügen. Ich weiß bereits das meiste, zum Beispiel, dass Sie Wildschweine betäubt und in Rollos Garten gebracht haben.«

Fabrice wurde kreidebleich, fuhr mit der Hand über die Haarstoppeln auf seinem Kopf und ließ sich neben dem Tisch, auf dem noch das Protokoll mit seiner Unterschrift lag, auf einen Stuhl fallen. Schwer seufzend, schaute er zu Bruno auf und warf dann einen Blick auf die Tür, als hoffte er, Reißaus nehmen zu können.

»Das nehme ich lieber an mich.« Bruno nahm das Blatt Papier mit seiner Aussage und steckte es zusammengefaltet in seine Brusttasche. »Warum erzählen Sie mir nicht die ganze Geschichte? Sie waren doch nicht allein, oder? Ich könnte mir vorstellen, dass Sie mit Freunden ein paar Bier getrunken und sich zu dieser Schnapsidee haben überreden lassen, die dann außer Kontrolle geraten ist. Vielleicht gibt es mildernde Umstände, die für Sie sprächen.«

Fabrice sagte nichts. Er hatte die Augen geschlossen und die Hände zu Fäusten geballt, wie so oft auf dem Rugby-feld. Offenbar hielt er die Luft an, denn sein Gesicht lief rot an. Bruno wartete. Er wusste, dass in Verhörsituationen Schweigen eine der besten Waffen war. Schließlich stieß Fabrice einen Schwall Luft aus, was sich fast anhörte, als schnaubte ein Pferd. Bruno machte sich auf Handgreiflichkeiten gefasst. Fabrice war größer als er, jünger und wahrscheinlich stärker, aber bei aller Überlegenheit würde es ihm gelingen müssen, den ersten Schlag treffsicher zu landen. Und daran hinderte ihn der Umstand, dass er noch saß und den Oberkörper nach vorn gebeugt hatte.

Fabrice schüttelte den Kopf, wie um sich Klarheit zu verschaffen. Dann ließ er die Schultern hängen. Es sah nicht danach aus, als wollte er kämpfen. Bis vorhin war er sorgenfrei gewesen. Jetzt schien er erledigt zu sein, obwohl er noch kein Wort gesagt hatte. Bruno würde die Geschichte aus ihm herauskitzeln müssen. Er hatte keine Handschellen, sah aber Ledergurte an der Wand hängen, solche, mit denen man Jagdbeute aus dem Wald holte.

»Jetzt geht's in die Gendarmerie, Fabrice. Dort werden erst einmal Ihre Fingerabdrücke genommen«, sagte Bruno. »Und dann bittet man Sie um eine DNA-Probe. Mit einem Wattestäbchen. Das kennen Sie bestimmt aus dem Fernsehen. Die Kriminaltechnik hat Spuren an dem Weidezaun sichergestellt, und wenn beides übereinstimmt, gibt es keinen Zweifel mehr. Dann haben wir es mit Hausfriedensbruch in Tateinheit mit schwerer Sachbeschädigung zu tun. Mit seiner Radiosendung ist Rollo ein sehr bekannter Mann. Das heißt, Ihnen drohen zwei bis drei Jahre Haft. Ein weiteres Jahr könnte Ihnen der Missbrauch einer Betäubungswaffe einbringen. Ihr Jagdschein geht Ihnen ein für alle Mal verloren. Und Véronique können Sie auch vergessen. Und wenn Sie dann aus der Haft entlassen werden, erwartet Sie ein zivilrechtliches Verfahren, mit dem Rollo Schadenersatz für seinen verwüsteten Garten einfordert.

Die nahe bis mittlere Zukunft sieht nicht gut für Sie aus«, fuhr Bruno fort und ließ Mitgefühl anklingen. Im Stillen machte er sich Sorgen, denn wenn Fabrice nicht von sich aus mit der Sprache herausrückte, würde er wahrscheinlich nicht weiter gegen ihn vorgehen können. Dass er gelogen hatte, war nicht wirklich strafwürdig. Der Procureur würde allenfalls mit den Schultern zucken.

»Haben Sie mir etwas zu sagen? Warum haben Sie ausgerechnet Rollo geschädigt? Sie waren noch nicht einmal auf seiner Schule. Wissen Sie überhaupt, wer er ist?«

»Ja, dieser Typ mit der Gartenbausendung im Radio«, antwortete Fabrice.

Bruno war erleichtert. Immerhin redete Fabrice wieder. »Warum also haben Sie es getan? Wofür riskieren Sie Ihren Job, Ihre Freiheit?«

»Mir wurde gesagt … Man hat mich um einen Gefallen gebeten.«

Bruno atmete tief durch. Er hatte ein Geständnis. »Wer hat Sie darum gebeten?«

Fabrice schüttelte den Kopf und weigerte sich, einen Namen preiszugeben. Weniger frustriert als verblüfft darüber, ging Bruno nach draußen und rief Sergeant Jules in der Gendarmerie an, um ihn darauf vorzubereiten, dass er gleich mit Fabrice kommen werde. Er, Jules, solle eine Zelle für ihn frei halten, es werde eine Anklage gegen Fabrice zu formulieren sein. Jules staunte nicht schlecht, erklärte sich aber bereit, ihn mit einem Wattestäbchen zu traktieren. Er wusste genauso gut wie Bruno, dass ein DNA-Test aufgrund finanzieller Engpässe nicht weiterverfolgt werden würde, jedenfalls nicht in einem derart lapidaren Fall.

Bruno schämte sich fast, als er den Verwalter des Weingutes darüber informierte, dass sich Fabrice einer Falschaussage schuldig gemacht habe und in Gewahrsam genommen werde. Danach machte er sich mit dem jungen Mann auf den Weg nach Saint-Denis. Seine Verhörtricks hatten nicht funktioniert, seine Drohungen würden sich als leer erweisen, und er hatte immer noch keine Antwort auf die Frage, warum Rollos Garten verheert worden war. Wem mochte Fabrice gefällig gewesen sein? Es musste jemand sein, der in der Lage war, Fabrice entweder reich zu belohnen oder auf eine Weise zu bestrafen, die schlimmer war als Brunos Haftandrohung. Vielleicht ein Familienmitglied oder jemand, den er liebte.

Bruno war sich im Klaren darüber, dass er seinen Bluff bis zu Ende durchspielen musste, und führte Fabrice in die Gendarmerie zur erkennungsdienstlichen Behandlung. Sergeant Jules nahm seelenruhig seine Personalien auf und klärte ihn pflichtschuldig über seine Rechte auf. Nachdem Fabrice brav seinen Gürtel und seine Schnürsenkel überreicht hatte, musste er eine Speichelprobe abgeben und seine Fingerabdrücke nehmen lassen. Danach wurde er nach unten in eine der Zellen geführt. Bruno versuchte ein letztes Mal, mit ihm zu reden, doch Fabrice schüttelte stur den Kopf. Er setzte sich auf den Pritschenrand und starrte auf seine offenen Stiefel.

Als sich Bruno abwendete, um wieder nach oben zu gehen, fragte Fabrice: »Wann bekomme ich mein Handy wieder? Der Gendarm sagte, ich hätte das Recht, einen Anwalt zu konsultieren. Wann kann ich anrufen?«

»Sobald der diensthabende Sergeant einen Moment Zeit hat. Ich sage Ihnen Bescheid. Sonst noch etwas?«

Fabrice schüttelte den Kopf. Bruno ging. Die Zellentür schloss sich automatisch hinter ihm. Oben schlug er im Telefonbuch die Nummer der Zahnarztpraxis in Lalinde nach, rief dort an und ließ sich von Véronique bestätigen, dass sie den besagten Abend tatsächlich im Kreis der Familie verbracht hatte. Sie habe Fabrice seit dem vergangenen

Wochenende nicht mehr gesehen, sagte sie und fügte hinzu, dass sie ihn auch nicht mehr sehen wolle.

»Hat er wieder Ärger?«, fragte sie und ließ anklingen, dass ihr die Antwort ziemlich egal war.

»Ich erkundige mich nur routinehalber«, erwiderte Bruno.

Er wartete in einem Nebenzimmer, bis Fabrice den von ihm gewünschten Anruf erledigt hatte und in seine Zelle zurückgeführt worden war. Sofort danach nahm sich Bruno den Apparat der Gendarmerie vor und tippte auf die Wahlwiederholungstaste. Die Nummer kam ihm bekannt vor. Über eine Inverssuche fand er bestätigt, dass Fabrice im Büro des Weingutes angerufen hatte. Dabei wusste er doch, dass man dort von seiner Festnahme unterrichtet worden war. Warum meldete er sich dort als Erstes? Und warum hatte Madeleine im Jagdverein von Lalinde ein gutes Wort für ihn eingelegt? Bruno würde sie danach fragen müssen.

»Das wird dich interessieren«, sagte Sergeant Jules. »Habe ich am Computer aufgerufen, als du am Telefon warst.« Er reichte Bruno einen Ausdruck von Fabrice' Strafakte. Wegen wiederholten Autodiebstahls hatte er mehrere Wochen in einer Jugendvollzugsanstalt eingesessen, wenig später ein halbes Jahr wegen Trunkenheit am Steuer, und zurzeit leistete er eine einjährige Bewährungsstrafe ab, weil er in einer Kneipe in Bergerac einen Mann krankenhausreif geprügelt hatte.

»Schlimmer Finger«, sagte Jules. »Gehört auf Dauer weggesperrt. Ich habe gehört, was mit Rollos Garten passiert ist. Glaubst du, dieser Fabrice steckt dahinter?«

Bruno nickte. »Mich wundert, dass er bei seinen Vorstrafen nach dieser Schlägerei mit einer Bewährung davongekommen ist.«

Jules zeigte auf den Namen des Gendarmen, der ihn festgenommen hatte. »Du kennst Ducas. Er und Fabrice haben in derselben Mannschaft gespielt. Vielleicht hat er in seinem Fall ein Auge zugedrückt.«

Als Bruno in die Mairie von Saint-Denis zurückgekehrt war und sein Büro betrat, vibrierte sein Handy. Er warf einen Blick auf das Display und las Pamelas Namen.

»Jack Crimsons Tochter ist angekommen«, erklärte sie in geschäftsmäßigem Tonfall, der ihn wohl daran erinnern sollte, dass sich ihr Verhältnis verändert hatte. »Wir fahren heute Nachmittag zum Reiterhof. Wenn du mitkommen möchtest … Jedenfalls bist du zum Abendessen in Jacks Haus eingeladen. Jack würde sich sehr freuen. Ich glaube, er will mit den Kochkünsten seiner Tochter angeben. Er ist sehr stolz auf sie. Ihre Kinder hat sie bei den Großeltern in London zurückgelassen.«

»Hast du dich zum Kauf entschlossen?«, fragte er.

»Ja, ich werde wohl zuschlagen, auch wenn ihr der Hof nicht gefällt. In dem großen Haus stehen noch richtig gute antike Möbel, die ich gern mit übernehmen würde. Auch die Scheune ist voller nützlicher Geräte und Gartenmöbel, unter anderem Sonnenstühle aus Segeltuch. Ich habe mir auch noch einmal die Bücher angesehen. Obwohl sie ziemlich schlecht geführt war, hat die Reitschule doch einen kleinen Gewinn gemacht. Ich weiß, dass ich es besser kann.«

Daran zweifelte Bruno nicht. Auch unabhängig von seiner Zuneigung zu ihr bewunderte er ihre Talente. Davon abgesehen interessierte es ihn, Jack in Gesellschaft seiner Tochter zu erleben. In seinen zehn Jahren als Polizist hatte er unter anderem gelernt, dass man viel über eine Person in Erfahrung bringen konnte, wenn man sie im Umgang mit erwachsenen Kindern beobachtete.

Eine von Pamelas Bemerkungen erinnerte Bruno an etwas. Sie hatte Sonnenstühle erwähnt. Auf einem solchen Stuhl hatte auch Gilbert gelegen. Sein Erbrochenes war zum Teil auf das Segeltuch getropft. Vielleicht würde eine Analyse weiterhelfen. Kurzentschlossen fuhr er hinaus zum Anwesen des Patriarchen, wo er von der Haushälterin begrüßt wurde. Obwohl er Uniform trug, erinnerte sie sich daran, ihn auf der Geburtstagsparty gesehen zu haben. Als er sagte, dass er noch einmal in den Raum müsse, in dem Gilbert gestorben sei, führte sie ihn umstandslos in das Nebengebäude, wo sich seine Augen erst einmal an die Dunkelheit gewöhnen mussten. Er schaute sich um, aber einen Liegestuhl sah er nicht. Er fragte, ob er weggeräumt worden sei.

»Wir haben ihn verbrannt«, antwortete sie. »Nicht nur, dass er bloß noch mit scheußlichen Gedanken in Verbindung gebracht worden wäre; er war einfach nicht mehr zu gebrauchen.«

»Haben Sie ihn selbst verbrannt?«

»Nein, der neue Wildhüter, gleich zu Wochenbeginn. Ich glaube, Victor hat ihn dazu aufgefordert. Jedenfalls war es jemand aus der Familie. Das hat mir Fabrice so gesagt.«

21

Bruno war so sehr daran gewöhnt, Uniform zu tragen –
oder sie auch halbwegs zu kaschieren, indem er ein
ziviles Jackett über das hellblaue Diensthemd zog –, dass er
sich in der hellen Freizeithose, dem karierten Hemd und der
leichten Sportjacke merkwürdig vorkam, als er damit kurz
nach sieben vor Crimsons Tür stand. Die braunen Halbschuhe an seinen Füßen fühlten sich ungewöhnlich leicht
an. In der einen Hand hielt er ein Glas selbstgemachter
Stachelbeermarmelade, in der anderen eine Flasche von seinem *vin de noix*. Aufgemacht wurde ihm von einer rund-
lichen, hübschen Frau Anfang dreißig. Sie lächelte zögernd,
und irgendetwas in ihren Augen ließ erkennen, dass sie sich
vom Leben ungerecht behandelt fühlte. Die dunkelbraunen
Haare fielen in natürlichen Wellen bis auf die Schultern herab, und über das schlichte hellblaue Kleid hatte sie sich eine
Schürze mit dem Aufdruck *Vins de Bergerac* gebunden, die
Crimson wahrscheinlich in Huberts Weinladen gefunden
hatte.

Sie streckte die Hand aus, um ihn zu begrüßen, und
fragte: »Sind Sie Monsieur Bruno?« Sie sprach jenes Französisch mit stark englischem Akzent, das unter Franzosen
immer wieder die Frage aufwarf, ob Engländer denn überhaupt keinen Sinn für Melodie und Rhythmus hatten. »Ich

bin Miranda. Herzlich willkommen. Kommen Sie herein. Und vielen Dank, dass Sie die Gemälde und Möbel, die meinem Vater gestohlen worden sind, wieder zurückgebracht haben.«

»Ich glaube, am meisten hat er sich darüber gefreut, dass wir den gestohlenen Wein sicherstellen konnten«, entgegnete Bruno lächelnd. Bevor er ihre Hand losließ, gab er ihr einen leichten Kuss auf beide Wangen. Lieber wäre es ihr vielleicht gewesen, an der lächerlichen englischen Gewohnheit festzuhalten, dass sich Mann und Frau einfach nur die Hand gaben wie unter Geschlechtsgenossen. Aber Crimsons Tochter war jetzt im Périgord. »Und als jemand, den Ihr Vater manchmal zu einem Glas Wein einlädt, war ich genauso froh darüber wie er.«

Etwas verlegen geworden durch seine Begrüßung, bedankte sie sich für die Marmelade und den Likör und führte ihn durch das Haus auf die Terrasse, wo ihr Vater und Pamela den Sonnenuntergang betrachteten und Scotch tranken. Ein schmaler Hefter, der Kontoauszüge zu enthalten schien, lag geöffnet vor ihm, eines der Notizbücher, die sie gern benutzte, vor ihr. Es war auf einer Seite voller Zahlen und Notizen in sorgfältiger Handschrift aufgeschlagen. In Anbetracht der Nähe zwischen Crimson und der Frau, mit der Bruno über ein Jahr lang das Bett geteilt hatte, empfand er einen Stich, der vielleicht mit Eifersucht zu tun hatte. Die Beziehung mochte vorüber sein, dachte er, aber es blieben Bindungen, die sich wahrscheinlich nie auflösen würden. Miranda entschuldigte sich und kehrte in die Küche zurück.

»Ihr wollt also die Reitschule kaufen?«, fragte er und achtete darauf, Pamela zur Begrüßung auf die Wangen zu küssen und nicht auf den Mund. Crimson schüttelte er die Hand, der ihm sofort ein großzügiges Maß Balvenie einschenkte und es Bruno überließ, einen Spritzer Wasser hinzuzufügen.

»Wir werden Marguerite ein Angebot machen«, erwiderte Crimson. »Wenn sie einverstanden ist, werden wir das Anwesen aufteilen. Pamela kauft das Haupthaus, die *gîtes* und den Garten für sich, und Miranda und ich übernehmen die Reitschule und die Ställe. Und natürlich die Koppeln.«

»Wenn es tatsächlich dazu kommt, werden Fabiola und Gilles mein Anwesen übernehmen«, sagte Pamela. »Sie würden mein Haus beziehen und die *gîtes* wie gehabt an Touristen vermieten. Fabiola arbeitet weiter in der Klinik, und Gilles schreibt Bücher und kümmert sich um die *gîtes*. Victoria, das alte Mädchen, und der Stall sind Teil der Verkaufsmasse. Gilles wird unser erster Schüler am Reiterhof sein.

Wir sitzen hier wie auf glühenden Kohlen«, fügte sie hinzu. »Marguerite will uns noch heute Bescheid geben, ob sie unser Angebot akzeptiert. Jack hat eine Flasche Champagner kaltgestellt. Wenn sie ja sagt, lassen wir die Korken knallen.«

»Dann sollten wir, bis es so weit ist, über etwas anderes reden«, meinte Bruno.

»Das trifft sich, denn mir ist noch etwas eingefallen«, sagte Crimson. »Zum Thema Gilbert. Auf der Party kam ein Kellner mit einem Tablett, auf dem ein großes Glas Orangensaft stand. Er flüsterte Gilbert etwas zu, worauf Gilbert das Glas vom Tablett nahm und sein Champagnerglas, an dem er nur genippt hatte, darauf abstellte.«

»War es einer der Kellner in Luftwaffenuniform?«, fragte Bruno.

»Ja. Ich vermute, Gilbert hat um den Orangensaft gebeten, um nicht in Versuchung zu kommen und sich zu blamieren.«

»Und das war's?«, hakte Bruno nach, dem sich der schaurige Gedanke aufdrängte, dass Crimson durchaus Gelegenheit gehabt hätte, Gilbert irgendetwas in den Drink zu rühren. Außerdem wusste er bestimmt, welche Motive unter alten Bekannten und kalten Kriegern in dieser seltsamen, verqueren Welt der Geheimdienste im Spiel sein mochten. Der Gedanke war ihm unheimlich, zumal er Crimsons Gastfreundschaft genoss. Wenn aber seine Zweifel an Gilberts Tod zutrafen, lag der Verdacht nahe, dass Crimson daran mitgewirkt haben könnte.

»Dann gesellte sich Ihr Freund, der Brigadier, zu uns, und Gilbert wanderte zum nächsten Grüppchen, wie es bei Partys eben so zugeht«, sagte Crimson. »Ich habe ihn danach nicht mehr gesehen.«

Die Türglocke läutete. Wenig später traten, von Miranda begleitet, Fabiola und Gilles auf die Terrasse hinaus. In diesem Augenblick klingelte Pamelas Handy. Sie stand auf, wandte sich zum Telefonieren ab, und plötzlich hob sie ihre Hand mit überkreuztem Zeige- und Mittelfinger zum Glückszeichen und drehte sich grinsend um.

»Wunderbar, Marguerite«, sprach sie ins Handy. »Dann sehen wir uns morgen beim Notar und setzen einen Vorvertrag auf.« Pamela strahlte über das ganze Gesicht, als sie das Handy wegsteckte und verkündete: »Wir können die Korken knallen lassen.«

Fabiola und Gilles küssten einander und erklärten, dass demnächst dann wohl auch Pamelas Anwesen auf sie überschrieben würde, und Pamela gab Miranda einen Kuss, als Crimson losging, um den Champagner zu holen. Wenig später stießen alle miteinander an, und jeder küsste jeden.

Miranda führte sie ins Esszimmer, wo Bruno wieder einen Großteil der Gemälde und Möbel bewundern konnte, die er den Dieben abgejagt hatte. An der Längswand hingen zwei große Stillleben, das eine mit erlegten Enten und Hasen, die auf einem Holztisch abgelegt waren, hinter dem zwei Hirschgeweihe von der Decke hingen. Das andere Gemälde war ein Arrangement aus Früchten und Gemüsesorten, in Hülle und Fülle gehäuft auf demselben Holztisch, wie es schien, an dessen vorderem Rand eine altmodische bauchige Weinflasche und ein kleines Glas standen. Bruno erinnerte sich an die von Crimson angefertigte Liste der gestohlenen Gegenstände. Die beiden Gemälde waren französischer Herkunft und stammten aus dem 18. Jahrhundert. Den Namen des Künstlers hatte er vergessen, nicht aber den Schätzwert von zusammen sechzigtausend Euro.

An der Wand rechts von Bruno hing ein englisches Ölgemälde aus dem 19. Jahrhundert, eine Hügellandschaft mit Schafen und einem Himmel aus Wolken und Licht, den Bruno wunderschön fand. Auch den Namen dieses Malers wusste er nicht mehr, doch er erinnerte sich daran, dass das Gemälde auf dreißigtausend taxiert worden war. Es hing über einer hübschen Kommode aus dunklem Holz, die ebenfalls sehr wertvoll war. Das antike Silberbesteck, das der Gastgeber zur Feier des Tages hatte auflegen lassen, war an die zwölftausend Euro und nicht ganz so viel wert wie der gestohlene Wein, wie Bruno wusste.

Hier summierte sich ein Vermögen, das über seine Vorstellung ging. Es war etwas anderes als das, was er an ererbten Schätzen aus dem historischen Château der Roten Komtesse kannte. Im Unterschied dazu konnte Crimson es sich leisten, einen ganz persönlichen Geschmack als Sammler und Kunstliebhaber zu entwickeln. Bruno erinnerte sich, dass für Crimson der Verlust zweier englischer Aquarelle, die er und seine Frau sich gegenseitig zur Hochzeit geschenkt hatten, besonders schmerzlich gewesen war.

Als Miranda eine Suppenterrine auf den Tisch stellte, kehrten Brunos Gedanken wieder in die Gegenwart zurück. Sie hatte offenbar stundenlang in der Küche gestanden und servierte nun als ersten Gang eine Möhrensuppe mit Ingwer. Das Hauptgericht zählte, wie Bruno wusste, zu Pamelas Lieblingsspeisen: eine Fischpastete mit Stampfkartoffeln, knusprig mit Käse überbacken. Anstelle von Kabeljau hatte Miranda Lachs verwendet, aber wie Pamela geräucherte Makrele und Shrimps hinzugefügt und die cremige Sauce mit kleinen Stückchen hartgekochter Eier verfeinert. Bruno glaubte in der Sauce auch eine angenehme Note von Muskatnuss herauszuschmecken, die Pamela auslieĂ. Dazu servierte Miranda Gartenerbsen, während ihr Vater einen trockenen weißen Bergerac vom Château Thénac ausschenkte.

Sie tranken auf Miranda und ihre Kochkünste. Zum Salat und Käse holte Crimson eine Flasche Clos l'Envège Monbazillac aus dem Keller, seinen bevorzugten Dessertwein, wie er sagte. Miranda verteilte schließlich etwas, was wie ein Cheesecake aussah, den Bruno erst bei näherer Untersuchung als eine fast braune Meringue identifizierte. Sie war mit Sahne und Stachelbeeren gefüllt. Als er den ersten Happen probierte, schmeckte er auch Haselnuss heraus.

»Köstlich«, schwärmte er, worauf Miranda errötete und der ganze Tisch Beifall spendete. »Das Rezept hätte ich gern«, fügte er hinzu.

Von Crimsons Tochter wusste Bruno bisher nur, dass sie eine schwierige Scheidung hinter sich hatte und ihren Vater seit vielen Jahren als Witwer kannte. Womöglich war es ein kleiner Schock für sie, ihn in dieser völlig anderen Umgebung zu erleben, umgeben von neuen Freunden, mit denen er in einer anderen Sprache sprach, und dass er sich auch geschäftlich wieder engagierte. Wahrscheinlich, dachte Bruno, hatte sie sich ein wenig unter Druck gesetzt gefühlt, als sie von ihrem Vater gebeten worden war, ein Abendessen für französische Gäste zu kochen, ausgerechnet hier, im kulinarischen Herzen Frankreichs.

Crimson griff zur Flasche, um eine weitere Runde einzuschenken, und fragte Bruno, ob er weitere Entwicklungen hinsichtlich der Todesumstände Gilberts erwarte. Bruno legte eine Hand auf sein Glas und schüttelte den Kopf. In Gilles' Anwesenheit wollte er dazu nichts sagen. Gilles war zwar ein guter Freund, aber auch Journalist, der immer noch freiberuflich für die *Paris Match* arbeitete.

Crimson schien Verständnis für Brunos Zurückhaltung zu haben. Er wandte sich an Gilles und fragte: »Von dem, was hier gesagt wird, dringt doch nichts nach außen, oder?« Gilles nickte und sicherte ihm sein Stillschweigen zu.

»Also los, Bruno, raus mit der Sprache«, sagte Crimson. »Sie wissen, Gilbert war ein Freund von mir. Es scheint, Sie zweifeln daran, dass er eines natürlichen Todes gestorben ist.«

»Warten wir die Testamentseröffnung ab«, erwiderte Bruno und fragte sich, ob nicht Crimsons Neugier an sich schon verdächtig war. »Aber nach der Einäscherung werden wir die Wahrheit über seinen Tod wohl nie erfahren.«

»Dann könnte es also ein perfekter Mord gewesen sein?«, fragte Crimson. »Ein Alkoholiker stirbt im Vollrausch. Das ist das Ende vom Lied.«

Bruno zuckte mit den Schultern. »Warum sollte ihn jemand getötet haben? Und wieso einen Mord riskieren, wo doch Gilbert auf dem besten Weg war, sich selbst totzutrinken?«

»Motive gäbe es genug bei seiner Vergangenheit«, entgegnete Crimson. »Vielleicht wusste er besser als jeder andere Nichtrusse, warum der Putsch gegen Gorbatschow scheiterte und weshalb Gorbatschow so problemlos durch Jelzin ersetzt wurde. Ich weiß noch, dass Gilbert mir gleich am ersten Tag sagte, dass der Putsch zum Scheitern verurteilt sei, dass zwar die Generäle Gorbatschow stürzen wollten, nicht aber die unteren Ränge, geschweige denn die Truppen.«

»Stand er dem Militär nahe?«, fragte Bruno.

»Sehr sogar. Wenn er nicht bei Jelzin im Weißen Haus oder in der Duma war, war er im Verteidigungsministerium am Frunse-Ufer. Er sagte mir, einfache Fernmelder hätten sich geweigert, die Befehle der Generäle weiterzuleiten.«

»Ist das heute allgemein bekannt?«, fragte Gilles.

»Ja, als der Putsch gescheitert war, stand in der russischen Presse zu lesen, dass Marschall Achromejew und seine Generäle Befehle erteilt hätten, aber nichts passiert sei. Ich hatte Gelegenheit, London entsprechend zu informieren. Aber dem armen Gilbert wollten die eigenen Leute einfach nicht glauben. Es war die Rede davon, dass Gilbert und sein Botschafter in dessen Büro heftig aneinandergeraten sind, dass Gilbert vor die Tür gesetzt worden ist und dass man versucht hat, ihn nach Paris zurückrufen zu lassen. Aber als Militärattaché, der dem Verteidigungsministerium unterstand, wurde man ihn einfach nicht los. Und nach wenigen Tagen zeigte sich, dass Gilbert recht hatte.«

»Kaum vorstellbar, dass ein französischer Offizier während eines Staatsstreichs ins sowjetische Verteidigungsministerium spazieren konnte«, sagte Gilles. Fabiola horchte auf, worauf die drei Frauen ihr Gespräch unterbrachen und zuhörten.

»Ja, aber Gilbert hatte beste Kontakte, allen voran den zum Patriarchen, der am zweiten Tag des Putsches vor Ort war. Er war auf Mitterrands Bitte und mit Duldung der sowjetischen Generalität nach Moskau geflogen. Der Patriarch und Achromejew waren alte Freunde. Der Marschall wollte seinen privaten Kanal zu westlichen Führungskreisen pflegen und ihnen versichern, dass der Putsch eine rein innere Angelegenheit sei und für das Ausland keine Gefahr darstellte. Achromejew sorgte dafür, dass der Patriarch auf einer der Militärbasen landen konnte und dann per Hubschrauber nach Moskau geflogen wurde.«

»Soweit ich weiß, ist all dies bislang nicht allgemein bekannt«, sagte Gilles. »Mir ist zum Beispiel neu, dass er für Mitterrand in derselben Funktion, nämlich als persönlicher Emissär im Kreml, tätig war wie für de Gaulle oder dass er gar Kontakte zu den Putschisten unterhielt.«

»Er muss einer der Letzten gewesen sein, die Achromejew lebend gesehen haben. Der alte Mann hat sich umgebracht, als klar war, dass der Putsch scheitern würde.« Crimson nippte an seinem Monbazillac. »Das alles ist nunmehr Geschichte. Apropos, mir fällt gerade ein, was mir einer unserer Generäle nach einem Treffen mit Achromejew gesagt hat. Er, Achromejew, soll zwei Wörter auf Englisch gekannt haben, die beide aus der Zeit des Zweiten Weltkriegs stammten. Das erste ist ›Spam‹, also Dosenfleisch, das zweite ›Studebaker‹, der Name eines amerikanischen Lastwagens. Achromejew meinte, die Rote Armee hätte Berlin niemals erobert, wenn ihre Truppen nicht Spam zu essen gehabt hätten, das von Studebakern geliefert worden sei. Er schwärmte so sehr von Spam, dass wir ihm mehrere Dosen haben zukommen lassen. Als sie bei ihm ankamen, hat er sofort eine geöffnet und leer gemacht.«

»Das erinnert mich an Prousts Madeleine, das Gebäck, dessen Geschmack Kindheitserinnerungen in ihm aufleben ließen«, sagte Miranda. »Wer möchte Kaffee?«

»Ob mir der Patriarch ein Interview geben würde?«, fragte Gilles. »Für eine Geschichte über seine Rolle gegen Ende des Kalten Krieges?«

»Fragen Sie ihn doch«, antwortete Crimson. Er stand vom Tisch auf und bat sie zum Kaffee ins Wohnzimmer.

Bruno folgte und wunderte sich selbst darüber, dass ihm Crimson, der Mann, den er für einen Freund hielt, immer verdächtiger wurde. Zugegeben, ihm fehlten jegliche Beweise, aber falls zutraf, dass Gilbert keines natürlichen Todes gestorben war, führten die Motive eines Mordes aller Wahrscheinlichkeit nach in seine Moskauer Jahre zurück, eine Zeit, in der auch Crimson geheimdienstlich aktiv gewesen war. Und Crimson hatte nicht nur Gelegenheit gehabt, Gilberts Drink mit Gift zu versetzen. Er hatte ihm auch den Flachmann gegeben, aus dem Gilbert seinen letzten Schluck genommen hatte. War es wirklich die zwanzig Jahre alte Originalflasche gewesen? Oder hatte sich Crimson eine neue besorgt, die genau so aussah, sie mit hochprozentigem Wodka gefüllt und Gilbert auf der Party des Patriarchen zugesteckt?

Aber welche Motive könnten hinter einer Ermordung Gilberts stecken? Gab es noch wichtige Geheimnisse aus der Moskauer Zeit zu hüten? Oder hatte sein Treuhandfonds damit zu tun? Wusste Crimson eigentlich davon?

22

Imogène machte einen geradezu glückseligen Eindruck, wie sie da zwischen den Käfigen in der Tierklinik hockte, das Kitz in ihrem Schoß hielt und ihm aus einer Nuckelflasche zu trinken gab. Sie blickte zu Bruno auf und strahlte über das ganze Gesicht, als sie Balzac, der aufgeregt die Luft beschnupperte, in der es nach Wild, Hund und Katze, Desinfektionsmitteln und frischem Stroh roch, seinem Herrchen hinterhertrippeln sah. Beim Anblick des Kitzes blieb er plötzlich stehen und nahm die klassische Vorstehhaltung ein: eine Pfote erhoben, den Kopf nach vorn gestreckt und den Schwanz flach nach hinten gerichtet, eine Pose, die ihm angeboren war.

»Ich habe gute Nachrichten«, sagte Bruno und bückte sich, um Balzac zu streicheln und am Halsband zurückzuhalten. Er wollte nicht, dass sein Hund auf das Kitz zusprang und es erschreckte. Wie immer hatte Bruno auch an diesem Tag während seines Morgentrainings die Lokalnachrichten im Radio gehört und erfahren, dass Peyrefittes Sohn außer Lebensgefahr und von der Intensivstation verlegt worden war. Außerdem war gemeldet worden, dass der Procureur kein Strafverfahren gegen Imogène einleiten wollte. Bruno hatte daraufhin Raquelle auf ihrem Handy angerufen und sich von ihr sagen lassen, wo er Imogène finden würde.

»Ich glaube, Sie können nach Hause zurückkehren.« Dass ihr immer noch eine von Peyrefitte angestrengte zivilrechtliche Klage drohte, sagte er nicht und hoffte stattdessen, dass Peyrefittes Zorn auf sie von der Zeit und seinen Pflichten als Vater gemildert werden würde. »Sie nehmen doch das Kitz mit, nicht wahr? Übrigens, das ist Balzac. Auch er ist ganz jung, ein Welpe noch, und sehr zutraulich.«

»Ein reizendes Hündchen«, sagte Imogène. »Ich kannte auch seinen Vorgänger, ich habe Sie mit ihm immer auf dem Markt gesehen. War er Balzacs Vater?«

Bruno schüttelte den Kopf. »Balzac war ein Geschenk. Wenn ich ihn festhalte, darf er dann Ihrem Kitz hallo sagen? Er hat andere Tiere sehr gern und schläft oft im Stall bei meinem Pferd.«

Imogène nickte, schien aber etwas ängstlich zu sein. Bruno ließ Balzac vorsichtig näher herantreten. Der Hund schnupperte an ihren Füßen und hob den Kopf, um das Kitz zu betrachten, das nur wenig größer war als er. Es zuckte, rührte sich aber nicht weiter und schien sich in Imogènes Armen sichtlich wohl zu fühlen. Langsam drehte es den Kopf, beäugte den Hund und reckte ihm schließlich den langen Hals entgegen. Beider Nasen berührten sich. Gleich darauf und offenbar überzeugt davon, dass der Hund keine Gefahr darstellte, ließ sich das Kitz wieder in Imogènes Arme sinken. Balzac machte Platz, ohne das fremde Tier aus den Augen zu lassen.

»Ja, ich werde versuchen, das Kitz mit nach Hause zu nehmen, aber erst einmal nur probeweise. Mal sehen, ob es von den anderen akzeptiert wird. Ein oder zwei Hirsche sind zurückgekommen«, sagte Imogène. »Heute Morgen auf dem Weg hierher hat Raquelle mich an meinem Haus vorbeigefahren. Ich bin froh, dass es noch steht, trotz Ihrer Befürchtungen. Wenn die anderen Tiere aus dem Rudel nicht einverstanden sind, wird Raquelle das Kleine mit in den Park von Le Thot nehmen, wo ich es jederzeit besuchen kann. Sie ist sehr gut zu mir und hat mir einen Job im dortigen Souvenirladen angeboten.«

»Noch eine gute Nachricht«, sagte Bruno. Der Bürgermeister hatte sich mit Brunos Vorschlag einverstanden erklärt, eine kleine Ausstellung von Imogènes Fotos im Fremdenverkehrsamt anzuregen. Es gab dort einen großen Raum, der immer wieder von ansässigen Künstlern, meist Amateuren, zu solchen Zwecken genutzt wurde. »Wenn Sie also rund dreißig Ihrer besten Fotos aussuchen würden – ich sorge dann dafür, dass sie gerahmt werden. Vielleicht lassen Sie auch gleich ein paar zusätzliche Abzüge machen, die Sie verkaufen könnten. Ich kaufe bestimmt ein Bild von Ihnen.«

»Das ist lieb von Ihnen, aber Sie bekommen natürlich eins geschenkt«, erwiderte Imogène. Das Fläschchen war leer. Das Kitz blieb still in ihrem Schoß liegen und ließ sich streicheln. »Raquelle hat mir gesagt, wie sehr Sie zu helfen versucht haben. Dafür möchte ich mich herzlich bei Ihnen bedanken. Und entschuldigen Sie bitte, dass ich schwierig war und meine Wut und meinen Ärger an Ihnen ausgelassen habe.«

»Es tut mir leid, was Ihnen und Ihren Tieren und was Peyrefitte und seiner Familie widerfahren ist.« Bruno schaute sich um. »Wo ist Raquelle? Ich dachte, sie wäre bei Ihnen.«

»Sie ist arbeiten gegangen. Und wenn sie bei der Arbeit ist, helfe ich hier in der Tierklinik aus, mache die Käfige sauber, führe die Hunde aus, wenn es ihnen wieder besser geht, und mache mich nützlich. Wir haben mein Auto geholt, damit ich unabhängiger bin. Ach, übrigens, der Tierarzt hat eine Idee. Was halten Sie von Hirschpfeifen?«

Sie erklärte, dass der Tierarzt meinte, Hundepfeifen, deren hohe Frequenz für Menschen nicht zu hören ist, könnten vielleicht von Rotwild wahrgenommen werden. Imogène hatte bei Raquelle zu Hause im Internet ein paar Recherchen angestellt und herausgefunden, dass in den Vereinigten Staaten und in Skandinavien solche Pfeifen tatsächlich erfolgreich verwendet wurden, eingebaut in Fahrzeugen, und zwar so, dass der Fahrtwind sie zum Tönen brachte und das Wild fernhielt.

»Klingt gut«, sagte Bruno. »Tolle Idee.« Er dachte sofort an Jean-Luc, der im Collège Technik unterrichtete. Vielleicht würde er mit seinen Schülern solche Pfeifen herstellen und womöglich auch verkaufen können. So etwas durfte nicht allzu schwierig sein, und wenn die Nachfrage groß wäre, ließe sich ein kleines Geschäft für Saint-Denis daraus machen.

Zurück in seinem Büro las Bruno seine Post und E-Mails, während Balzac durch die ihm vertrauten Korridore der Mairie lief, um zu sehen, wer von den Kollegen seines Herrchens ihm heute einen Keks spendierte. Amédée Rouard, der Bürgermeister und Notar, der Gilberts Testament zu vollstrecken hatte, klagte darüber, dass er Schwierigkeiten habe, die verschiedenen Erben zu kontaktieren, und bat Bruno, sich mit ihm in Verbindung zu setzen. Bruno rief sofort an, erreichte aber nur den Anrufbeantworter, auf dem er eine Nachricht hinterließ. Er beschäftigte sich schon mit anderen Dingen, als sich ihm plötzlich die Frage aufdrängte, wieso der Notar ausgerechnet ihn angerufen hatte. Wenn jemand Erfahrung darin hatte, Erben ausfindig zu machen, dann waren es Notare. Bruno hatte gerade eine Notiz für Bürgermeister Mangin geschrieben, mit der er ihn auf Imogènes Pfeifenplan hinweisen wollte, als das Telefon klingelte. Gilberts Notar meldete sich.

»Eine einfache Frage vorab«, begann er. Ob Bruno jemanden mit dem Namen Larignac kenne, es handele sich um einen der Begünstigten. Bruno erinnerte sich an den Namen und antwortete, dass einer von Gilberts Mechanikern bei der Luftwaffe so geheißen habe. Er habe versucht, Gilbert für die Anonymen Alkoholiker zu interessieren. Dieser Larignac wohne in der Nähe von Libourne; er stünde vielleicht sogar im Telefonbuch.

»Augenblick.« Bruno holte den Karton vom Aktenschrank, in dem er potenzielle Beweismittel sammelte. Daraus kramte er eine Plastiktüte hervor, die Gilberts Handy enthielt, ein billiges Modell mit einer Standardladebuchse. Er steckte es auf seine eigene Ladestation und schaltete es ein. Nach wenigen Sekunden leuchtete das Display auf. Das Gerät war nicht passwortgeschützt. Er rief die Adressliste auf, fand den Namen Larignac und diktierte dem Notar dessen Telefonnummer.

»Danke, aber das ist wohl der Falsche. Das Testament begünstigt eine Frau, keinen Mann. Ihr Name ist Nicole Larignac.«

»Eine Nummer von ihr finde ich hier nicht«, sagte Bruno.

»Legen wir das Problem für eine Weile beiseite. Ich hätte

hier noch einen zweiten Namen, dessen Träger womöglich kaum zu ermitteln ist. Scheint ein Russe zu sein. Jewgeni Markowitsch Garanow.«

»Gilbert hat einen russischen Freund namens Jewgeni. Der zweite Vorname und der Nachname sagen mir nichts. Aber vielleicht ist es ein und derselbe.« Bruno dachte, dass es ein Leichtes wäre, Jewgeni anzurufen und ihn nach seinem vollständigen Namen zu fragen. Vielleicht stand er sogar im Telefonbuch.

Er hatte es schon aufgeschlagen, als der Notar sagte: »Ich glaube, bei Russen ist der zweite Vornamen der des Vaters.«

»Markowitsch, Marco«, entgegnete Bruno. »Das muss der Patriarch sein. Jewgeni ist sein russischer Sohn.« Er scrollte durch Gilberts Adressliste bis zu dem Eintrag Garanow, Jewgeni. Dessen Nummer nannte er dem Notar.

»Vielen Dank. Da wäre noch etwas«, sagte Rouard. »Ich bräuchte Rat in einer etwas delikaten Angelegenheit. Der Großteil des Erbes geht an ein Mitglied der Familie Desaix. Ich habe die betreffende Person unter der Adresse, die Sie mir gegeben haben, angeschrieben, aber keine Antwort erhalten.«

»Das dürfte kein Problem sein. Victor Desaix war sein ältester Freund, den er nach dem Tod seiner Schwester immer als seinen nächsten Angehörigen angegeben hat«, erklärte Bruno. »Gilbert war auch Pate eines seiner Kinder. Wenn Sie das Weingut anrufen, wird man Sie bestimmt zu ihm durchstellen.«

»Danke, das ist sehr hilfreich, aber wie gesagt, die Sache ist etwas heikel. Es erbt nur eine Person. Ist Chantal Éléanor Rochechouart Desaix auch ein Patenkind Gilberts?«

»Ja, angeblich schon. Und ich glaube, er war auch Pate ihres Bruders beziehungsweise Halbbruders Raoul, Victors Sohn aus erster Ehe.«

Chantal war im Adressbuch von Gilberts Handy nicht aufgelistet. Bruno fand nur die Nummer des Weinguts und die des Patriarchen, vermutlich die seines Festnetzanschlusses im Château, sowie die Handynummern von Victor und Madeleine.

»Nach meiner Erfahrung gibt es meist Probleme, wenn ein Familienmitglied begünstigt wird und andere leer ausgehen«, sagte der Notar.

Bruno nickte, aber die zu erwartenden Probleme waren nicht seine noch die des Notars. »Wenn ich richtig verstehe, besteht Ihre Aufgabe darin, den Letzten Willen des Verstorbenen zu vollstrecken, oder?«

»Das ist richtig. Aber Gilbert war mein Jugendfreund, und Sie werden verstehen, dass ich niemanden in Verlegenheit bringen will. Von seiner Bank habe ich erfahren, dass der beziehungsweise die Treuhandfonds eine überraschend hohe Summe enthalten.«

»Tatsächlich? Wie hoch ist sie denn?«

»Das darf ich nicht sagen. Die Summe ist jedenfalls höher als alle, die je über meinen Schreibtisch gegangen sind. Darum möchte ich Sie um einen Gefallen bitten oder richtiger: Ihnen eine Aufgabe übertragen. Ich bin befugt, Privatdetektive zum Zwecke der Personenfeststellung von Erbschaftsbegünstigten zu engagieren, und würde gern Sie beauftragen, Nicole Larignac ausfindig zu machen und mich mit dieser Chantal in Kontakt zu bringen. Das wäre alles ganz legal. Ich habe schon häufiger Polizisten für solche

Dienste in Anspruch genommen. Ihr Honorar wäre so hoch wie der Lohn eines Gerichtsdieners, sechsunddreißig Euro die Stunde. Um Mademoiselle Larignac zu finden, werden Sie wahrscheinlich nach Libourne fahren müssen, wofür Sie natürlich zusätzlich Kilometergeld bekämen. Für einen Tag Arbeit könnten bis zu dreihundert Euro für Sie drin sein.«

»Nicht schlecht«, erwiderte Bruno. Damit, dachte er, könnte er Pamela zum Abendessen ins *Vieux Logis* einladen, was sie aber wahrscheinlich als Versuch verstehen würde, sie wieder ins Bett zu locken. Vernünftiger wäre das Geld wohl ausgegeben, wenn er sich die beiden nächsten internationalen Rugbymatches in Paris ansehen oder vielleicht sogar nach Twickenham fliegen würde, um das Match Frankreich gegen England mitzuerleben. »Vorher muss ich mit dem Bürgermeister reden. Wenn er nichts dagegen hat, melde ich mich bei Ihnen.«

Mangin war einverstanden und meinte, dass er am Wochenende gern mit nach Twickenham reisen würde. »Und in Anbetracht der vielen unbezahlten Überstunden, die Sie leisten, können Sie sich jederzeit einen Tag freinehmen.«

Bruno berichtete dem Notar, dass er sofort anfangen könne, und bat darum, ihm eine Vollmacht oder Ermittlungsbefugnis zuzufaxen. Um keine Zeit zu verlieren, wählte er die in Gilberts Handy gespeicherte Nummer von Larignac, doch der Anschluss war gesperrt. Als er bei der Police municipale in Libourne nachfragte, erfuhr er, im aktuellen *annuaire* sei kein Larignac eingetragen, aber vor zwei Jahren habe ein Laurent Larignac in Libourne gewohnt, zufällig in derselben Straße wie ein Kollege von der Polizei.

Bruno ließ sich Namen und Telefonnummer des Kollegen

durchgeben, rief an und erfuhr, dass Laurent Larignac vor gut einem Jahr verstorben war. Seine Frau Nicole sei nach Talence bei Bordeaux umgezogen, um näher bei ihrer Tochter und den Enkelkindern zu sein. Die Telefonauskunft hatte keinen Eintrag für eine Larignac in Talence. So etwas war inzwischen häufiger der Fall, weil die meisten Teilnehmer nur noch Handys benutzten. Bruno rief in der Mairie von Talence an, stellte sich vor und bat darum, im Wahlregister und gegebenenfalls im Kataster der *taxe d'habitation* nach dem Namen der Frau zu suchen. Man versprach zurückzurufen. Sein Faxgerät hatte zwischenzeitlich den Brief des Notars ausgedruckt. Darin wurde der Chef de police als Bevollmächtigter »in Angelegenheiten des Testaments von Colonel Gilbert Clamartin« ausgewiesen. Das sollte reichen.

Als er Chantal im Weingut zu erreichen versuchte, wurde ihm gesagt, dass sie zusammen mit Marie-Françoise an die Uni nach Bordeaux zurückgekehrt sei. Auf ihrem Handy meldete sich nur die Mailbox. Er sprach ihr eine Nachricht auf und schickte gleich noch eine sms hinterher, in der er ihr mitteilte, dass er sie in einer Rechtssache sprechen müsse und sie noch am Vormittag treffen wolle. Er warf einen Blick auf seine Armbanduhr. Wenn er über die Autobahn fuhr, würde er noch vor dem Mittagessen in Bordeaux sein können. Um in Erfahrung zu bringen, wie und warum Fabrice angeheuert worden war, rief er noch einmal im Weingut an und bat darum, entweder mit Victor oder Madeleine verbunden zu werden. Beide waren nicht zu erreichen. Er hinterließ ihnen eine Nachricht, rief dann Sergeant Jules in der Gendarmerie an und wies ihn an, Fabrice auf freien Fuß zu setzen, allerdings nicht, ohne ihm deutlich zu machen, dass er sich für weitere Befragungen des Procureurs zur Verfügung halten solle.

Kaum hatte er den Hörer aufgelegt, rief die Mairie von Talence zurück und nannte ihm die Adresse von Nicole Larignac. Bruno sammelte Balzac ein, weil er wusste, dass es keine bessere Empfehlung gab als die Begleitung eines freundlichen jungen Bassets, und machte sich auf den Weg nach Périgueux, wo er auf die Autobahn wechselte.

Wieder einmal staunte Bruno darüber, wie weit sich der Weinanbau und die Vorstädte von Bordeaux überlagerten. Kleinste Flächen zwischen Wohnhäusern, Lagerhallen und Krankenhäusern wurden als Weingärten genutzt, während altehrwürdige Châteaus mit ihren legendären Lagen wie Haut-Brion und Pape Clément von Bungalows und kleinen Villen umzingelt wurden. Er fand die Avenue de Candau gleich hinter der von Rebstöcken flankierten Straße der Mission Haut-Brion und parkte vor einem ansehnlichen zweigeschossigen Haus, das ihm als Wohnadresse von Nicole Larignac angegeben worden war. Balzac untersuchte das Kinderspielzeug in einem Sandkasten im Garten. Eine hübsche Frau in den Fünfzigern, mit lebhaften blauen Augen und blonden Strähnchen im grauen Haar, öffnete ihm die Tür. Sie trug Jeans, Ballerinas und ein schwarzes Sweatshirt, das ihre schlanke, gutproportionierte Figur betonte. Zu ihren Füßen kroch ein Kleinkind über den Boden. Beim Anblick Balzacs quietschte es vergnügt und krabbelte so schnell auf ihn zu, dass es der Frau, die es aufzuhalten versuchte, entwischte.

»Madame Larignac? Nicole Larignac?« Bruno pflückte das Baby vom Boden auf und legte es der Frau in die Arme, ehe er sich vorstellte und erklärte, weshalb er gekommen war. Er zeigte ihr den Brief des Notars, worauf sie ihn auf eine Tasse Kaffee ins Haus bat.

»Meine Familie hatte auch einen Basset, als ich klein war«, sagte Madame Larignac. Sie ging Bruno voran in die Küche und stellte einen elektrischen Wasserkessel an. Vom Abtropfbord neben der Spüle nahm sie eine *cafetière*, in die sie drei großzügige Löffel fair gehandelten Kaffee aus Äthiopien gab.

»Er hieß Hubert. Ich erinnere mich noch, dass er mir und meinen Geschwistern gegenüber ausgesprochen geduldig war, obwohl wir ihn oft schrecklich gepiesackt haben. Meinen Sie, unser kleiner Patrice dürfte Balzac auch einmal auf die Geduldsprobe stellen?« Sie setzte den Kleinen ab, der sofort damit anfing, Balzacs lange, weiche Ohren zu streicheln, was dem Hund merklich gefiel.

»Gilbert ist also tot«, sagte sie, offenbar wenig beeindruckt von der Nachricht. »Da hat er Laurent nicht lange überlebt. Woran ist er gestorben? An Leberzirrhose wie Laurent?«

»Er starb im Schlaf«, antwortete Bruno diplomatisch. »Ich möchte Sie bitten, den Notar anzurufen. Er vollstreckt das Testament und möchte ein paar Vorbereitungen treffen.« Bruno reichte ihr sein Handy, doch sie winkte ab.

»Ich kann mir nicht vorstellen, dass Gilbert viel hinterlassen hat«, sagte sie. »Laurent konnte immerhin zeitweise trocken bleiben, dank der Anonymen Alkoholiker und seines Flughafenjobs. Einmal fünf Jahre, einmal drei. Sonst hätte ich ihn verlassen. Gilbert aber ließ sich auf nichts ein, schon gar nicht auf Laurents gutes Zureden.«

»Kannten Sie ihn gut?«

»Kein Kommentar«, erwiderte sie mit kokettem Lächeln und schaute zum Küchenfenster hinaus. Offenbar dachte sie an glückliche private Momente zurück. Sie schien, wie Bruno ahnte, eine sehr begehrenswerte Frau gewesen zu sein. Attraktiv war sie immer noch, was sie wohl auch wusste. Sie stellte Tassen, Untertassen und ein Glas Honig auf ein Tablett, reichte es Bruno und sagte: »Würden Sie das bitte ins Wohnzimmer bringen? Es ist gleich links um die Ecke. Ich bringe den Kaffee.«

»Ist Patrice Ihr Enkel?«, fragte Bruno, als sich die beiden in zwei Sessel links und rechts eines Teetisches gesetzt hatten. Auf dem Tisch lag ein aufgeschlagenes Yogamagazin, vielleicht die Erklärung dafür, warum Nicole so fit aussah. Die Wände waren weiß gestrichen, die Möbel modern. Den Blickfang bildete ein riesiges Foto der New Yorker Skyline am Abend.

»Ja, er ist das Kind meines Sohnes. Wie sein Vater war mein Sohn Mechaniker bei der Luftwaffe; auch seine Frau, Patrice' Mutter, arbeitet am Flughafen. Tja, dann sollte ich wohl jetzt mal mit diesem Notar sprechen.«

Bruno wählte Rouards Nummer, reichte ihr sein Handy und nippte an seinem Kaffee, während sie sprach. Sie nannte ihre Adresse und ihre Handynummer und fragte, ob sie zur Testamentseröffnung unbedingt den weiten Weg in die Auvergne auf sich nehmen müsse. Dem war offenbar nicht so, was sie mit Erleichterung aufnahm.

Bruno stellte die leere Tasse ab, bedankte sich und stand auf. »Vielleicht erinnern Sie sich an Victor, Gilberts Freund und Kameraden. Ich vermute, er wird bei der Testamentseröffnung anwesend sein«, sagte er.

»Ich erinnere mich an ihn, aber, offen gestanden, recht ungern. Der arme Kerl stand immer im Schatten seines berühmten Vaters, und auch Gilbert war ihm als Persönlichkeit wie als Pilot weit überlegen. Laurent glaubte, dass Victor ohne Gilbert die Ausbildung nie geschafft hätte. Wie geht es ihm überhaupt? Hat er mit seiner zweiten Frau mehr Glück?«

»Er hat sich in den vergangenen Jahren sehr für Gilbert eingesetzt. Von seiner Trauer um ihn abgesehen, scheint es ihm gutzugehen. Er produziert auf seinem Gut recht ordentliche Weine, und seine Frau macht offenbar Karriere in der Politik«, antwortete Bruno. »Er hat zwei prächtige Kinder, eins mit seiner ersten Frau, das andere mit der jetzigen.«

»Ob sie wohl nach Gilbert geraten?«, fragte sie in leicht spöttischem Ton, als Bruno seinen Hund aus Patrice' Umarmung löste. Er nickte ihr zu und ließ Balzac durch die geöffnete Haustür nach draußen laufen. »Schlimm, was der Alkohol aus diesem früher so liebenswerten Mann gemacht hat. Deshalb rühre ich selbst keinen Tropfen an.«

»Nicht einmal einen Haut-Brion, der in Ihrer Nachbarschaft gekeltert wird?«

»Nicht einmal den«, erwiderte sie. »Danke für Ihren Besuch. Und dass Sie Ihren Hund mitgebracht haben.«

23

Marie-Françoise hatte sich zurückgemeldet und als Treffpunkt zur Mittagszeit das Bistro *Le Bœuf sur la Place* in Pessac vorgeschlagen. Er könne es nicht verfehlen, schrieb sie in ihrer SMS, es liege direkt gegenüber dem Kino. Wieder verblüfften ihn die in vorstädtische Besiedlung eingezwängten Weingärten, die den fantastischen Pessac-Léognan hervorbrachten. Gärten mit Rasenflächen und billigen Swimmingpool-Anlagen nahmen Platz in Anspruch, der für den Anbau großartiger Weine hätte genutzt werden können. Marie-Françoise studierte an der Université Bordeaux Montaigne, die nach der Zusammenlegung der drei anderen Universitäten von Bordeaux unabhängig geblieben war und sich auf geisteswissenschaftliche Studiengänge spezialisiert hatte. Chantal hingegen besuchte das önologische Institut der Universität Victor Segalen. Die beiden jungen Frauen teilten sich ein Apartment in Pessac und trafen auf Fahrrädern ein, als sich Bruno auf der Terrasse vor dem Bistro eine *citron pressé* schmecken ließ.

Beide trugen Jeans und Sweatshirts. Sie nahmen die Helme ab, schüttelten ihre Haare aus und fuhren sich lachend mit den Fingern durch die langen Strähnen. Bruno sah, wie jung sie noch waren, und fühlte sich entsprechend alt, als er aufstand, um sie zu begrüßen. Sie studierten das Menü, das auf einer schwarzen Tafel angeschrieben war, und entschieden sich für den *plat du jour: bifteck-frites* mit grünem Salat und einem Glas Pessac-Léognan.

»Es geht um Ihren Patenonkel Gilbert«, sagte Bruno zu Chantal und erklärte, dass der Notar Kontakt mit ihr aufnehmen wolle, ohne den Rest der Familie in Aufregung zu versetzen.

Sie reagierte überrascht und konnte kaum glauben, dass Gilbert ein nennenswertes Vermögen hinterließ, geschweige denn allein ihr und nicht auch ihrem Bruder. Bruno rief den Notar über sein Handy an und reichte es ihr. Sie hörte sich einen Moment lang an, was ihr die andere Seite zu sagen hatte, zog dann einen Kalender aus ihrem Rucksack und schlug den nächsten Montag vor, an dem sie keine Seminare belegt habe. Sie blickte zu Bruno auf.

»Er will wissen, ob Sie mich am Montag zu ihm nach Hause nach Riom-ès-Montagnes begleiten können. Ich würde mit dem Zug nach Brive kommen, wo Sie mich dann abholen könnten. Wäre Ihnen das recht?«

Sie reichte ihm das Handy zurück, und der Notar sagte zu ihm: »Entschuldigen Sie, dass ich so über Ihre Zeit verfüge, aber es gibt da etwas, was Sie sehen sollten. Es wäre gut, Sie kämen mit.«

Bruno erklärte sich einverstanden und klappte sein Handy zu. Marie-Françoise beugte sich über ihr Smartphone und sagte: »Ich habe hier den Fahrplan der Eisenbahn. Um halb acht fährt ein Zug von Bordeaux-Saint-Jean, der kurz vor zehn in Brive ist. Zurück müsstest du eventuell über Périgueux.«

»Ich will sein Geld nicht«, sagte Chantal, als das Essen

aufgetischt wurde. »Davon bekomme ich ein schlechtes Gewissen. In letzter Zeit war ich nicht besonders nett zu ihm. Er war ja fast immer betrunken, jedenfalls anders als früher.«

»Wie meinst du das?«, fragte Marie-Françoise. »Hat er vorher nicht getrunken?«

»Doch, aber er hat sich zurückgehalten, wenn er mit mir auf Reisen war. Wussten Sie, Bruno, dass man mich auf ein Internat nach England geschickt hat, als ich zwölf war, damit ich die Sprache fließend lerne? In den ersten Sommerferien hatte mich Gilbert nach London geholt und von dort aus Touren in die Umgebung mit mir unternommen. Später waren wir auch zusammen in Venedig, in Barcelona, Amsterdam und Florenz. Während all dieser Zeit hat er kein Glas angerührt. Er besuchte mit mir Museen und gute Restaurants und behandelte mich wie eine Prinzessin. Damals habe ich ihn angebetet. Doch als ich wieder zu Hause war, ins *lycée* ging und ihn in diesem schäbigen Cottage trinken sah, war das schrecklich für uns beide und für ihn obendrein besonders demütigend.«

»Sie sollten das Geld annehmen, müssen es aber nicht behalten«, sagte Bruno, ohne von seinem Teller aufzublicken, und fragte sich, warum Gilbert ausschließlich seine Patentochter bedacht hatte. Möglich, dass er sich ihr besonders eng verbunden fühlte, doch es gab wohl noch einen anderen Grund. Bruno schaute Chantal an, konnte aber keine Ähnlichkeit mit Gilbert feststellen. Ein DNA-Test würde zweifelsfrei Aufschluss bringen. Er überlegte, ob er das Glas, aus dem sie getrunken hatte, heimlich einstecken sollte oder ihre Serviette, mit der sie sich den Mund abgewischt hatte und die jetzt zusammengeknüllt in einem leeren Aschenbecher lag.

»Machen Sie mit dem Geld, was Sie wollen«, fuhr er fort. »Kaufen Sie sich einen eigenen Weinberg, oder spenden Sie es einer wohltätigen Einrichtung. In Saint-Denis wohnt eine Frau, die Geld für ein Wildgehege sammelt. Sie könnten auch ein eigenes Geschäft aufziehen oder auf Reisen gehen. Ihr Patenonkel hat Ihnen freie Wahl gelassen. Denken Sie dankbar an ihn zurück. Ich glaube, das Geld, das er Ihnen hinterlässt, war alles andere als leicht verdient.«

»Was soll das heißen?«, fragte Chantal und schlug dabei einen fast aggressiven Ton an.

»Ich bin mir ziemlich sicher, dass sich sein Vermögen aus den Pensionszahlungen des Geheimdienstes zusammensetzt, für den er während des Kalten Krieges in Moskau gearbeitet hat. Können Sie sich vorstellen, was das für ihn bedeutet hat, die Heimlichkeiten, der Druck, die Anspannung?«

»Aber er war doch als Diplomat geschützt. Wenn er aufgeflogen wäre, hätten die Russen ihn nicht etwa ins Gefängnis gesteckt, sondern nach Hause zurückgeschickt.«

»Und was wäre mit den Leuten passiert, mit denen er zusammengearbeitet hat, mit den Russen, die ihm vertrauten?«, entgegnete Bruno. »Er muss sich verantwortlich für sie gefühlt und gewusst haben, was ihnen blühen würde, wenn man ihn enttarnte. Das war mit Sicherheit sehr belastend für ihn. Es würde mich nicht wundern, wenn er deswegen zu trinken angefangen hat.«

Chantal blickte ihn ernst an. Dann nickte sie. »Verstehe.«

»Wenn du meinst, dass es Raoul gegenüber nicht fair

wäre, wenn er unberücksichtigt bliebe, kannst du ja einen Teil des Erbes an ihn abtreten«, schlug Marie-Françoise vor. »Jedenfalls musst du dir keine Vorwürfe machen, du hast ihn schließlich nicht ausgebootet. Bruno hat recht, was mit dem Geld geschieht, entscheidest du. Und es ist ja nicht so, dass ihr, du und Raoul, darauf angewiesen wärt.«

Bruno lächelte den zwei vermögenden jungen Frauen freundlich zu, die sich einigen Luxus leisten konnten, aber lieber Fahrrad fuhren und sich eine Studentenbude teilten, und sagte: »In dem Fall können Sie Ihr Mittagessen selbst bezahlen.«

Nicht zum ersten Mal fragte sich Bruno, wo er heute stünde, wenn er bessere Schulen besucht, bessere Lehrer und die Möglichkeit gehabt hätte zu studieren. Wahrscheinlich wäre er dann eher mit intelligenten und kultivierten jungen Frauen wie Chantal und Marie-Françoise zusammengetroffen als mit denen, die in den Bars und Discos nahe den Kasernen verkehrten, in denen er einen Großteil seiner jungen Jahre verbracht hatte. Seine Armeezeit bereute Bruno nicht. Er hatte einiges von der Welt gesehen und gelernt, wie man einen Trupp junger Männer anführte und sich um sie wie auch um sich selbst kümmerte. Vor allem hatte er erfahren, welche Fähigkeiten er besaß, wo seine Grenzen lagen und worauf er sich, was seine Person betraf, verlassen konnte. Seine Ausbildung war allenfalls elementar, doch er war immer neugierig gewesen und hatte früh an sich entdeckt, dass er gern las, vor allem Geschichtsbücher und Biographien, aber auch die Klassiker der französischen Literatur.

Diese Seite von ihm hatten, wie ihm bewusst war, Frauen zum Leben erweckt. Katharina, der bosnischen Lehrerin, verdankte er die ersten Lektüreempfehlungen, Isabelle hatte ihm die Gedichte von Prévert nahegebracht, von Pamela hatte er die Vorliebe fürs Reiten und für klassische Musik, von Fabiola die Begeisterung für Filme. Jüngst hatte Florence ihn dazu ermutigt, sich mit Naturwissenschaft und Umwelt zu beschäftigen. Natürlich kamen auch Anstöße von seinen männlichen Bekannten. Der Bürgermeister machte ihn auf Werke zur französischen Geschichte aufmerksam, Hubert lieh ihm Bücher zum Thema Wein. Sein deutscher Freund Horst stellte ihm seine archäologische Bibliothek zur Verfügung, aus der er einen enormen Reichtum an Fachliteratur über die prähistorischen Malereien und Felszeichnungen in den Höhlen des Périgords schöpfen konnte.

Als er auf seinen Landrover zuging, empfand er große Dankbarkeit für alle seine Freunde und Bekannten, die sein Leben seit seiner Ankunft in Saint-Denis vor rund zehn Jahren entscheidend mitgeprägt hatten. Was ihn nach Talence und Pessac geführt hatte, war erledigt. Chantal und Nicole hatten sich mit dem Notar in Verbindung gesetzt. Ihm, Bruno, blieb jetzt noch ein wenig Zeit zur freien Verwendung. Kaum hatte er sich in seinen Landrover gesetzt, beschriftete er eine Beweismitteltüte, in die er Chantals Papierserviette steckte. Dann überlegte er, wie er den Rest des Nachmittags verbringen sollte, bevor er den Heimweg antreten würde.

Als Erstes fiel ihm ein, dass er noch nie das Entrepôt Lainé besucht hatte, das Museum für zeitgenössische Kunst. In den zwanziger Jahren des 19. Jahrhunderts gebaut, waren in dem riesigen Lagerhaus Güter aus Frankreichs Kolonien gehortet worden. Ein Volksbegehren hatte es später, als es leer stand, vor dem Abriss bewahrt. Heute beheimatete es, wie er gehört hatte, eine beeindruckende Sammlung zeitgenössischer Kunst. Er studierte gerade den Stadtplan, als ihn sein Handy ablenkte. Die Nummer im Display kannte er nicht, trotzdem nahm er den Anruf an und war überrascht, Madeleines Stimme zu hören. Sie rufe wegen Fabrice zurück.

»Ich würde mich gern mit Ihnen über ihn unterhalten«, erwiderte er. »Er ist festgenommen worden. Wie es scheint, hat er Wildschweine betäubt und in einem Garten ausgesetzt in der Absicht, ihn zu verwüsten.«

»Leider bin ich heute nicht zu sprechen. Ich bin in Bordeaux – in Parteiangelegenheiten – und werde erst morgen Nachmittag nach Hause zurückkehren. Vielleicht treffen wir uns dann? Über Fabrice werde ich Ihnen allerdings nicht viel sagen können. Mein Schwiegervater hat ihn angestellt.«

»Das trifft sich. Ich bin selbst in Bordeaux«, entgegnete er. »Ich wollte gerade den Versuch starten, im Entrepôt Lainé moderne Kunst zu verstehen, bevor ich in gut einer Stunde die Rückfahrt antrete, aber vielleicht hätten Sie für mich einen Moment Zeit.«

»Ich hätte Zeit bis zum Abend. Besuchen Sie mich doch in meinem Apartment am Place des Quinconces.« Der riesige Platz am Flussufer war bekannt für sein Girondistendenkmal, das an die gemäßigten Abgeordneten der Stadt in der Nationalversammlung erinnerte, mit deren Märtyrertod die Schreckenszeit begann, die der Revolution von 1789 folgte. »Wer weiß, vielleicht ist heute der letzte Tag des Jahres, an dem wir auf dem Balkon die Sonne genießen können.«

Sie nannte ihm die Adresse und den Schlüsselcode, mit dem sich die Eingangstür öffnen ließ. Eine halbe Stunde später saß er ihr in Hemdsärmeln auf dem Balkon im obersten Stock gegenüber, vor sich einen Becher mit frisch gebrühtem Kaffee. Madeleine hatte ihn freundlich begrüßt, mit einem echten Kuss auf beide Wangen und nicht nur, wie inzwischen üblich, einem angedeuteten. Und als sie ihn auf den Balkon hinausgeführt hatte, hatte sie seine Hand einen Tick zu lange gehalten.

Sie war barfuß und trug eine weiße Caprihose und dazu eine weiße Bluse, die ihre Sonnenbräune perfekt zur Geltung brachte. Ihre Haare hatte sie mit einer weißen Schleife zu einem losen Pferdeschwanz zurückgebunden. Kaum geschminkt, wirkte sie fast so jugendlich wie ihre Tochter. Nur noch schöner, fand Bruno. Ihre Augen verrieten, dass sie in ihrem Leben schon manche Enttäuschung erlebt, aber sich dennoch nicht hatte unterkriegen lassen und für neue Abenteuer durchaus bereit war.

Neben den Kaffeebechern standen zwei große Gläser und eine Flasche Mineralwasser. Der Blick über die Gironde war spektakulär, der Balkon so groß wie die Grundfläche seines Hauses. Eine Rebschere und Gartenhandschuhe lagen auf dem Tisch, und daneben stand ein Eimer voll abgeschnittener Blüten, Blätter und eingekürzter Triebe der roten Geranien, die in großen Kübeln die Balkontür flankierten.

»Ich habe ein paar Gartenarbeiten nachzuholen versucht«, erklärte sie. »Danke für die willkommene Unterbrechung. Wahrscheinlich verstehen Sie mehr von solchen Dingen als ich. Glauben Sie, es ist an der Zeit, die Geranien in den Wintergarten zu holen?«

Madeleine deutete auf den hinteren Teil des Balkons, der von seitlichen Glaswänden eingefasst war. Selbst diese einfache, beiläufige Armbewegung wirkte bei ihr ungemein elegant. Sie hätte eine großartige Schauspielerin abgegeben, dachte Bruno, der sich an die junge Catherine Deneuve erinnert fühlte. Nur dass er Madeleine noch reizvoller fand, vielleicht weil er sich an die Verve und den Witz erinnerte, mit denen sie ihren politischen Gegner bei der Podiumsdiskussion in Bergerac zur Strecke gebracht hatte.

»Im Périgord würde es mich wundern, wenn wir vor Dezember Frost hätten, aber vielleicht ist das Wetter in Bordeaux ja anders.« Bruno griff das unverfängliche Thema gern auf. »Die Leute von hier können Ihnen wahrscheinlich zuverlässiger Auskunft geben als ich. Oder rufen Sie doch Rollo an, den Gartenexperten von Radio *Bleu Périgord*, dessen Garten unlängst verwüstet wurde.«

»Sie vermuten, dass Fabrice dahintersteckt, nicht wahr?« Sie schenkte Kaffee ein und drehte den Kopf ein wenig, so dass sie die Gironde im Blick hatte und Bruno in den Genuss ihres klassischen Profils kam.

»Die Indizien sprechen dafür, aber ob tatsächlich Anklage erhoben wird, entscheidet der Procureur. Wenn ich richtig informiert bin, haben Sie ihn durch die Jägerei kennengelernt. Wussten Sie, dass er seinen ehemaligen Jagdverein verlassen musste?«

»Andeutungsweise, ja. Ich weiß auch, dass er als Rugbyspieler gesperrt ist.« Sie schaute auf den Fluss hinaus. Um seinem Blick auszuweichen? »Aber wenn wir jeden aggressiven jungen Mann, der ein bisschen zu weit geht, aus dem Verkehr zögen, würden wir am Ende in einer Welt voller Waschlappen leben. Sie sollten hören, was Marco davon hält. Fabrice ist ein ganz netter Kerl, ein guter Jäger und Schütze.

Marco war mit ihm auf der Pirsch und so beeindruckt von ihm, dass wir ihm diesen Job bei uns gegeben haben. Marco wusste, dass schon sein Vater Wildhüter war und Fabrice selbst einige Erfahrung mitbringt. Es ist heutzutage nicht mehr einfach, eine solche Position gut zu besetzen. Im Übrigen wollte Marco dem jungen Mann auch einfach nur helfen. Aber am besten fragen Sie ihn selbst.«

»Das werde ich.« Bruno nahm einen Schluck aus seiner Tasse, genoss das besondere Aroma und versuchte, den Gedanken an Jewgenis Gemälde von ihr aus seinem Kopf zu verbannen. »Kennen Sie Fabrice inzwischen näher?«

»Seit er bei uns ist, haben wir uns ein paarmal miteinander unterhalten. Nach einer Jagd treffen wir uns natürlich auch zum obligatorischen Casse-croûte am nächsten Morgen, und wenn ich mich richtig erinnere, haben wir auch im Verein einmal zusammen zu Abend gegessen. Er ist ein bisschen schüchtern, aber nach einem Drink oder zwei taut er meist auf.«

»Worauf macht er für gewöhnlich Jagd, Schwarz- oder Rotwild?«

»Rehe und Hirsche vor allem, meist vom Hochsitz aus. Ich war einmal mit ihm draußen. Eines der älteren Vereinsmitglieder hatte sich beklagt, Fabrice sei mit dem Finger zu schnell am Abzug. Deshalb war ich mit ihm am Ansitz.«

»Wissen Sie von einem Betäubungsgewehr, das er benutzt?«

Sie wandte ihm ihr Gesicht zu, schaute ihm in die Augen und nickte. »Es gab da einmal eine trächtige Hirschkuh im Revier. Ich wollte das Kalb retten. Unser Tierarzt gab uns den Rat, das Muttertier zu betäuben.«

»Waren Sie dabei?« Er hielt ihrem Blick stand, doch seine Stimme klang ein wenig heiser. Der Hals war ihm ausgetrocknet. Er nahm einen Schluck Mineralwasser.

»Nein. Ich hätte ohnehin nichts tun können. Eine Hirschkuh ist für mich zu schwer«, antwortete sie mit einem Gesichtsausdruck, der offenließ, ob sie lächelte oder grimassierte. »Ein Wildschwein übrigens auch.«

»Für mich ebenfalls, insbesondere auf unebenem Gelände«, erwiderte Bruno lächelnd. Er hatte ein paarmal erlegte Wildschweine aus dem Dickicht gezogen und zum Fuhrweg geschleppt, wo sie in ein Auto geladen werden konnten. Ausgewachsene Eber brachten oft über hundert Kilo auf die Waage. An einem solchen Koloss, der dann meist an den Läufen an eine Stange gebunden wurde, hatten auch zwei Männer schwer zu schleppen.

»Deshalb haben wir uns für unseren Verein einen dieser neuen Beutelifter aus Deutschland angeschafft, ein großrädriges Fahrzeug mit Kran und Winde. Ein Wildschwein damit zu bergen ist kinderleicht.«

Bruno hörte von einem solchen Lifter zum ersten Mal. So ein Gefährt musste wohl auch Fabrice zum Transport der Wildschweine zu Rollos Garten benutzt haben. Dieses Indiz hatte noch gefehlt und würde eine Anklage rechtfertigen. Aber es gab noch etwas, was zu klären war.

»Fabrice hat ausgesagt, dass er zu dem Anschlag auf Rollos Garten aufgefordert worden sei, und zwar von jemandem, der ihn in der Hand und Macht über ihn hat. Einen Namen aber hat er bislang nicht genannt«, erklärte er im Plauderton und musterte ihr Gesicht in der Hoffnung, dass sie sich irgendwie verriet. Wenn er mit seinem Verdacht richtiglag, konnte es sich bei diesem Jemand nur um Marco, Victor oder Madeleine handeln.

Sie schaute ihn ruhig an, ihre Hände, die sie um den Kaffeebecher gelegt hatte, rührten sich nicht. »Vielleicht seine Freundin«, sagte sie. »Oder ein enger Freund, den er zu schützen versucht.«

Bruno nickte langsam, ohne sie aus den Augen zu lassen. Sie bot ihm nichts als ihre kühle, selbstgewisse Schönheit. Mehr gab sie nicht preis. »Nun denn, vielen Dank für Ihre Hilfe und für den Kaffee«, sagte er.

»Sie müssen sich nicht meinetwegen beeilen«, erwiderte sie freundlich und ohne jede Spur von Erleichterung darüber, dass das Gespräch beendet war. »Sie haben mir noch gar nicht gesagt, weshalb Sie in Bordeaux sind. Oder wie Ihnen die Podiumsdiskussion gefallen hat.«

»Ich suche hier einen Zeugen in einer anderen Sache«, antwortete er. »Und dass Sie siegreich aus der Diskussion hervorgegangen sind, haben Ihnen bestimmt schon andere gesagt. Wie man hört, gelten Sie nunmehr als sichere Anwärterin auf einen Sitz in der Nationalversammlung.«

»Sie interessieren sich für Politik?« Madeleine stand auf, ging ins Wohnzimmer und kehrte mit zwei Gläsern und einer Flasche Balvenie zurück. Sie schenkte zwei eher zurückhaltend bemessene Drinks ein, füllte sie mit Mineralwasser auf, stieß mit ihrem Glas an seines und nahm einen Schluck daraus. Plötzlich saßen sie dicht beieinander, beide über den kleinen Tisch gebeugt. Er fühlte sich erregt und fragte sich, wie sie selbst wohl mit der Wirkung ihres Äußeren zurechtkam. Es war bestimmt auch anstrengend, dachte er, immer allen Männern den Kopf zu verdrehen.

»Eigentlich nicht«, erwiderte er. »Oder höchstens insofern, als ich mich frage, warum Sie für die Nationalversammlung kandidieren und nicht für das Europäische Parlament.«

»Zwischen hier und Paris zu pendeln ist weniger aufwendig als Fahrten nach Brüssel oder Straßburg«, antwortete sie lächelnd. »Apropos, darf ich Sie fragen, was Sie in Saint-Denis hält? Ich habe erfahren, dass ein sehr viel bedeutenderer Job im Innenministerium auf Sie wartet.«

»Wer hat Ihnen das gesagt?« Bruno tippte auf den Brigadier, der ebenfalls auf der Geburtstagsfeier des Patriarchen erschienen war.

»Marco hat sich auf der Party bei Lannes nach Ihnen erkundigt. Die beiden sind seit Jahrzehnten befreundet.« Sie stockte und warf ihm einen kecken Blick zu. »Ich wusste gar nicht, dass Sie so interessant sind.«

»Zu Ihrer Frage. Die Antwort ist simpel. Ich bin einfach gern in Saint-Denis. Nach Paris zieht es mich nicht«, erwiderte er. »Dort könnte ich weder einen Hund noch ein Pferd halten. Abgesehen davon habe ich keine Lust, für Brigadegeneral Lannes zu arbeiten.«

»Es heißt, Sie verschwenden Ihre Talente, solange Sie darauf warten, Gérard Mangin im Bürgermeisteramt abzulösen.«

Bruno kicherte. »Sie zitieren einen Scherz des Bürgermeisters. Er weiß, dass ich überhaupt keinen Sinn habe für Politik – außer an Wahltagen vielleicht, und dann splitte ich für gewöhnlich meine beiden Stimmen und verteile sie gerecht auf beide politische Lager.« Er grinste breit. »Auch so hält man Politiker unter Kontrolle.«

»Das ist wohl manchmal nötig«, entgegnete sie und fügte augenzwinkernd hinzu: »So wie es auch manchmal nötig ist, die Kontrolle ein bisschen zu verlieren.«

Was um alles in der Welt hatte das nun zu bedeuten? Bruno suchte panisch nach einem unverfänglicheren Thema. »Die Weinverkostung bei Ihnen hat mir sehr gefallen. Aber wirklich beeindruckt war ich vom Tennisspiel Ihrer Kinder. Ich habe ihnen vom Parkplatz aus einen Augenblick lang zugesehen. Sie spielen auf hohem Niveau.«

»Wenn Sie auch spielen, kommen Sie doch einmal zu uns aufs Weingut«, sagte sie. »Wir, Sie und ich, könnten ein Doppel bilden.«

Diesmal hatte er keinen Zweifel am Hintersinn ihrer Worte. Er spürte ihren Fuß auf seinem. Sie hatte sich noch weiter über den kleinen Tisch gebeugt und die Arme unter ihren Brüsten verschränkt, so dass sie noch üppiger wirkten. Von ihm unbemerkt, hatte sie außerdem einen weiteren Knopf an ihrer Bluse geöffnet.

Unwillkürlich dachte er wieder an Jewgenis Gemälde, den langgliedrigen Körper und die elfenbeinerne Haut, beides auf fast schmerzliche Weise begehrenswert. Auf dem Bild hatte sie den gleichen Gesichtsausdruck wie jetzt, da sie ihre Hand ausstreckte, um seine zu ergreifen. Überwältigt und bewegt von einer Woge sexueller Erregung, die er so lange unterdrückt hatte, stand er auf, hilflos gegenüber diesem zweifachen Angriff ihrer warmen und lebendigen Gegenwart in seinen Armen, und sah, wie sich dicht unter seinem Gesicht ihre Lippen voller Verlangen öffneten. Und die verführerische Kraft des gemalten Aktes wurde wundervolle physische Realität, die alle Zweifel und Bedenken außen vor ließ.

24

Es gebe kein politisches Treffen, an dem sie teilnehmen müsse, gestand sie ihm, als sie engumschlungen im Wohnzimmer auf der Couch lagen und das Tageslicht am Osthimmel schwand. Die Nacht gehöre ihnen, sagte sie und führte ihn ins Halbdunkel ihres Schlafzimmers. Er fühlte sich hilflos und zugleich voller Energie. Noch nie hatte er mit einer Frau geschlafen, die so betörend war, so erfinderisch, wie sie Stellungen und Tempo variierte.

Irgendwann fragte sie ihn, ob er Hunger habe, und er wollte gerade sagen, dass er nur auf sie Appetit habe, als ihm auffiel, wie ausgehungert er tatsächlich war. Sie nur mit einem Hemd bekleidet, er mit einem Handtuch um die Hüften, durchsuchten sie die Küche. Bruno fand eine Packung Pizzateig im Kühlschrank, Tomaten, Zwiebeln, Käse und *lardons*. Sie öffnete eine Flasche *Réserve du Patriarche*, schenkte ihm und sich ein Glas ein und beobachtete ihn dann dabei, wie er Zwiebeln und Speckwürfel anbriet, den Backofen einstellte, Käse hobelte und die Tomaten überbrühte, um ihnen die Haut abziehen zu können.

»Sehr sexy, einem Mann dabei zuzusehen, wie er für mich kocht, bevor er zum zweiten Mal mit mir schlafen will«, sagte sie. Bruno wusste, dass er jeden Moment dieser Nacht, jedes ihrer Worte und jede ihrer Berührungen in Erinnerung behalten würde. Die Trennung von Pamela, die ihm unterschwellig so zu schaffen machte, war auf einmal in den Hintergrund gerückt, was den Zauber dieser neuen Begegnung noch vertiefte.

Es war kühl geworden. Madeleine schloss die Balkontür und ließ sich mit ihm auf den Sofakissen nieder, die sie auf dem Boden verteilt hatte. In seine Arme zurückgelehnt, schob sie ihm Pizzastücke in den Mund, während er den Blick nicht von ihr wenden konnte. Sie aß, wie sie liebte, mit Appetit und Genuss, plötzlich von lustvollem Heißhunger überwältigt. Dann nahm sie einen tiefen Schluck aus ihrem Glas und ließ, ihre Lippen auf seine gedrückt, einen kleinen Schluck Wein in seinen Mund fließen.

Er ging kurz vor Mitternacht und ließ sie schlafend zurück. Auf dem Heimweg nach Saint-Denis schwirrte ihm der Kopf. Er war nicht dumm, ihm war klar, dass Madeleine ihn nicht nur aus Lust und Laune, sondern planvoll verführt hatte. Und während er den Abend Revue passieren ließ, wurden aus manchen Gedanken Fragen.

Warum? War er ein Zeitvertreib gewesen? Ein potenzieller Verbündeter, den sie sich mit zarten Fesseln gefällig machte? Wohl kaum. Er hatte ihr politisch nicht viel zu bieten. Oder wollte sie ihn nur von seinen Ermittlungen in Sachen Fabrice ablenken und von seinen Zweifeln an Gilberts natürlichem Tod? Wusste sie womöglich, dass er wegen dessen Testament mit Chantal in Kontakt getreten war? Er hatte keine Ahnung, wie nah ihr die Tochter stand. Vielleicht hatte sie die Mutter längst angerufen und ihr alles erzählt, ehe er zu ihr in die Wohnung kam.

In Momenten wie diesen verfluchte er seinen Beruf, der

ihn so zynisch gegenüber Menschen und ihren Motiven gemacht hatte. Sein Job verlangte von ihm, Fragen zu stellen und zu verstehen, nicht nur, was geschehen war, sondern auch, warum. Viel lieber hätte er natürlich unterwegs in Erinnerungen an den vergangenen Abend geschwelgt, an ihren begehrenswerten Körper und daran, wie dieser sich in seinen Armen angefühlt hatte, an den Glanz ihrer Augen im Dunkeln und daran, wie sie, nachdem sie gegessen hatten, langsam ihr Hemd hatte von den Schultern gleiten lassen.

Aber die Fragen ließen ihn nicht los. Jede Erinnerung an sie verlangte nach einer Erklärung und befeuerte seine Neugier auf die Familiengeheimnisse der Desaix, in die er nun verwickelt war. Im Mittelpunkt all dessen stand der Patriarch persönlich, der Held seiner Jugend, der sich plötzlich für ihn interessierte und ihn protegierte. Wieder wollte Bruno wissen, warum. Andererseits sah er sich bereits als jemand, der die Familie gewissermaßen täuschte, indem er, dem Wunsch des Notars entsprechend, Stillschweigen über Gilberts Testament bewahrte und verschwieg, dass Chantal als Alleinerbin eingesetzt war.

Und was hatte Jack Crimson mit alldem zu schaffen? Oder Jewgeni? Vieles schien mit jenen historischen Tagen in Moskau zusammenzuhängen, als der Kalte Krieg zu Ende gegangen war, Gorbatschow gestürzt wurde und Achromejew, Marcos alter Freund, nach dem gescheiterten Putschversuch Selbstmord begangen hatte.

Bruno bog in die Zufahrt zu seinem kleinen Haus ein, ein wenig traurig darüber, in dieser Nacht nicht von Balzac begrüßt zu werden. Sein Hund würde, auf Stroh gebettet, in Hectors Box schlafen, und er vermisste ihn sehr, als er im Hühnerstall nach dem Rechten schaute und zum Waldrand ging, um einen letzten Blick auf den Sternenhimmel zu werfen. Wenn er sich gleich auszog, würde er einen Hauch von Madeleines Duft an seinem Hemd wahrnehmen, der sich seinen Sinnen so sehr eingeprägt hatte. Schade, dachte er, nicht mit der Frau aufzuwachen, mit der man die Nacht verbringen durfte.

Plötzlich glaubte er zu spüren, dass in seiner unmittelbaren Umgebung irgendetwas nicht stimmte. Nicht, dass er eine Bewegung oder einen verdächtigen Laut wahrgenommen hätte. Es war vielmehr die gespenstische Ahnung eines säuerlichen unnatürlichen Geruchs, die ihn aufmerken ließ. Er hatte ihn gerade als schalen Tabakgeruch identifiziert, als er hinter sich ein Rascheln im Gras hörte und wie jemand nach Luft schnappte.

Von Adrenalin durchflutet, tauchte Bruno blitzschnell ab, drehte sich einmal der Länge nach seitlich weg und kauerte am Boden, den Blick von unten auf eine dunkle, stämmige Gestalt gerichtet, die gerade einen wuchtigen Schlag mit irgendeiner Waffe ausgeführt, aber ihr Ziel verfehlt hatte. Sie hatte ihr Gleichgewicht noch nicht wiedergefunden, als Bruno aufsprang und ihr mit seinem Fuß seitlich in den Unterschenkel trat, was seinen Angreifer allerdings nicht weiter behinderte. Die Waffe hielt dieser nun rückhändig, so dass er sie nicht mit voller Kraft führen konnte, zumal er immer noch mit dem Gleichgewicht zu kämpfen hatte.

Geduckt wich Bruno dem Schlag aus, und als der Gegner vom eigenen Schwung herumgerissen wurde, rammte ihm

Bruno seine Faust von der Seite vor den Hals. Eigentlich hätte er zu Boden gehen müssen, aber wieder schien Bruno nicht voll getroffen zu haben, denn der Angreifer grunzte nur, taumelte ein wenig und schlug mit der Waffe um sich. Viel Kraft steckte nicht dahinter, aber zufällig streifte sie Brunos Hüfte, ausgerechnet dort, wo er sich in Sarajevo eine Schussverletzung zugezogen hatte. Bruno schrie vor Schmerz auf. Völlig enthemmt, drosch er mit beiden Fäusten auf die weiche Flanke des Gegners ein.

Der Mann knickte in den Knien ein, worauf Bruno ihm beide Hände links und rechts auf die Ohren klatschte und ihm damit, wie er wusste, eine Gehirnerschütterung sowie zwei gerissene Trommelfelle verpasste. Der Mann stürzte mit dem Gesicht voran nach vorn und prallte mit dem Kopf am Boden auf. Die Waffe rutschte ihm aus den Händen. Sie bestand aus einem glatten und schweren Stück Holz, bei dem es sich vielleicht um einen Axtschaft handelte. Bruno hob es auf, wunderte sich über sein Gewicht und fuhr mit der Hand über das Holz, bis er den stählernen Kopf ertastete.

Der Mistkerl hatte ihn töten wollen!

Keuchend stützte sich Bruno auf der Axt ab und versuchte, die Schmerzen in Bein und Hüfte auszublenden. Der Mann lag, alle viere von sich gestreckt, vor ihm auf dem Boden. Langsam holte Bruno mit dem rechten Fuß aus und ließ sich Zeit, genau zwischen die Beine des Mannes zu zielen, um zuzutreten. Doch er schaffte es nicht. Sein verletztes Bein gab unter ihm nach. Er stürzte und landete mit beiden Knien auf dem Rücken des Angreifers, unter dem Rippenbogen gleich über den Nieren. Er griff nach dem Kopf des Mannes und fühlte Wollzeug zwischen den Fingern, eine Sturmhaube, unter der er sein Gesicht verbarg. Bruno riss sie nach unten und verdrehte sie so fest am Hals, dass dem Kerl die Luft wegbleiben musste. Erst als er mit den kurzen Stoppeln auf dem Kopf in Berührung kam, realisierte er, dass es Fabrice war, der ihn angefallen hatte.

Bruno kam wieder zu Sinnen. Er löste den Griff von der Sturmhaube, stand auf und humpelte, auf die Axt gestützt, zu seinem Haus, wo er hinter der Eingangstür nach Balzacs Leine tastete, die an einem Haken hing. Damit kehrte er zum Waldrand zurück und fesselte Fabrice die Hände auf dem Rücken. Zurück im Haus, machte er Licht und rief einen Krankenwagen für Fabrice. Als er aber eine Hand auf seine schmerzende Hüfte legte, spürte er, dass auch er notärztlich versorgt werden musste.

Aber vorher gab es noch einiges zu tun. Er schaltete die Außenbeleuchtung ein und holte aus seinem Schlafzimmerschrank einen Ledergürtel, mit dem er Fabrice' Beine fesselte. In der Küche fand er eine Plastiktüte, die er über den Axtkopf stülpte, der mit seinem Blut verschmiert war. Kein Anwalt würde es wagen, Bruno vorzuwerfen, unverhältnismäßig gegen einen Angreifer vorgegangen zu sein, der mit einer Axt auf ihn eingeschlagen hatte. Er zog seine Hose aus, machte mit seinem Handy ein Foto vom blutdurchtränkten Tuch und ein zweites von Fabrice, der gefesselt am Boden lag.

Yveline und Sergeant Jules waren als Erste zur Stelle. Unmittelbar nach ihnen kamen die Pompiers mit Blaulicht. Ahmed saß am Steuer. Albert sprang mit einem Erste-Hilfe-

Koffer aus der Beifahrertür und rannte sofort auf Bruno zu, der, von grellem Scheinwerferlicht angestrahlt, mit nackten Beinen und blutender Hüfte am Türrahmen lehnte.

»Ich bin okay«, knurrte er. Der Schock hatte eingesetzt, und er konnte nur kurze Sätze von sich geben. »Seht nach Fabrice. Ich musste ihm weh tun. Trommelfelle. Nieren. Musste ihn aufhalten. Hat mich mit Axt angefallen. Ist mein Blut dran.«

Das Letzte, was er hörte, als er in sich zusammensackte, war das Klicken von Yvelines Handschellen, die um Fabrices Handgelenke zuschnappten.

Allmählich nahm Bruno ein anderes Licht wahr, den Geruch von Desinfektionsmitteln und das Geräusch laufenden Wassers. Er sah weiße Wände und einen Infusionsschlauch, der in seinem Arm steckte.

»Du hast großes Glück gehabt.« Er erkannte Fabiolas Stimme, sah sie aber nicht. »Sechs Stiche und ein großer blauer Fleck. Die Röntgenaufnahmen zeigen, dass die Beckenknochen heil geblieben sind. Anscheinend hat er mit dem stumpfen Ende zugeschlagen.«

Sie rückte in sein Blickfeld und schaute ernst auf ihn herab. »Er wurde nach Périgueux gebracht. Er hat eine Nierenprellung, die wir hier nicht behandeln können. Und was zum Teufel hast du mit seinen Trommelfellen angestellt?«

Er versuchte zu antworten, brachte aber nur ein Krächzen heraus. Fabiola hob seinen Kopf an und steckte ihm einen Trinkhalm in den Mund. Er saugte daran und schmeckte etwas Heißes, das süß und sauer zugleich war. Es tat ihm gut.

»Zitronensaft mit Honig«, sagte sie. »Du musst jetzt

nicht sprechen. Schlaf noch ein wenig, dann geht es dir bald wieder besser.«

Als er aufwachte, brannte nur eine Notbeleuchtung. Bruno war allein. Auf dem Schränkchen neben seinem Bett stand ein Plastikbecher mit Strohhalm. Er nahm einen Schluck daraus und schmeckte denselben Mix, der inzwischen abgekühlt war, klebrig, aber immer noch lecker. Die Hüfte tat kaum weh, woraus er schloss, dass er ein Schmerzmittel bekommen hatte. Er tastete nach dem Lichtschalter, kniff kurz die Augen zusammen, als die Neonbeleuchtung aufflackerte, und schlug die Bettdecke beiseite, um seine Verletzung zu begutachten. Ein Verband war ihm nicht angelegt worden. Er sah nur drei breite Pflasterstreifen, die auf der linken Hüfte ein großes H bildeten, darunter einen pflaumenblauen Fleck, der sich zwischen Rippen und Oberschenkel ausbreitete. Auf dem Infusionsbeutel stand »NaCl«, Kochsalz. Er versuchte, sein Bein zu bewegen, was ihm gelang, wenn auch unter Schmerzen. Das Knie ließ sich beugen, der Fuß drehen, und auch mit den Zehen konnte er wackeln.

Am Stuhl neben dem Bett lehnten zwei Krücken, von denen er annahm, dass sie für ihn bereitgestellt worden waren. Er versuchte, sich aufzurichten, aber weil ihn schwindelte und die Naht schmerzte, ließ er den Kopf aufs Kissen zurückfallen. Er schaltete das Licht aus und schlief wieder ein.

Er wusste, dass er träumte. Er war in einer Galerie und betrachtete Bilder von Madeleine: mal nackt auf Jewgenis Gemälde, mal als Wahlkandidatin in Bergerac, mal auf ihrem Balkon in Bordeaux, den Blick auf die Gironde gerichtet, oder auf der Party des Patriarchen in Begleitung von Chantal und Marie-Françoise. Noch im Traum fasste er einen Gedanken, den er für so wichtig hielt, dass er sich ihn einzuprägen versuchte: Sie bewegte sich nicht wie andere, sondern nahm stets eine einstudierte Pose ein, als erwartete sie, jederzeit von einem Künstler, der das Privileg hatte, sie malen zu dürfen, verewigt zu werden. Zufrieden mit dieser Beobachtung, sank Bruno in tieferen Schlaf.

Der Duft von Kaffee und warmen Croissants weckte ihn. Er öffnete die Augen und sah Fabiola, die offenbar gerade von Fauquet kam und den Reißverschluss ihrer Lederjacke aufzog. Sie half ihm, den Oberkörper aufzurichten, und stellte ein Tablett auf seinen Schoß. Orangensaft und zwei Croissants. Aus einer *cafetière* schenkte sie Kaffee ein, eine Tasse für ihn und eine für sich. Für sich hatte sie ein weiteres Croissant und ein *pain au chocolat* mitgebracht.

»Yveline will, dass ich sie anrufe, sobald du aufgewacht bist. Sie braucht deine Zeugenaussage. So wie du in dein Croissant beißt, bist du dazu wohl schon in der Lage, stimmt's?«

»Ich hab halt Hunger«, erwiderte er und bewegte probehalber Bein und Zehen. Der Schmerz in der Hüfte war erträglich.

»Du solltest jetzt aufstehen und ein paar Runden drehen, deine Muskeln bewegen«, sagte Fabiola. »Nimm die Krücken, wenn du sie brauchst. Die Schnittwunde war nicht besonders tief. Yveline hat mir aufgetragen, dich für eine Woche krankzuschreiben, aber ich weiß, dass du damit nicht einverstanden wärst. Leichtere Aufgaben sind für dich auch durchaus drin, Büroarbeit und dergleichen.«

Es gab ein ungeschriebenes Gesetz, wonach Verletzungen, die sich ein Polizist in Ausübung seiner Pflichten zugezogen hatte, übertrieben dargestellt und Krankenhausaufenthalte beziehungsweise Dienstausfallzeiten verlängert werden sollten. Bruno hatte sich nie daran gehalten, denn zum einen hielt er die Regel für albern, zum anderen war ihm klar, dass ihm niemand glauben würde. Die meisten Bürger von Saint-Denis hatten ihn schon öfter sonntags vom Rugbyfeld humpeln, aber dennoch am nächsten Tag wieder seinen Dienst aufnehmen sehen.

»Du hast mir ein Schmerzmittel gegeben, oder? Was für eins?«

»Aspirin. Etwas Stärkeres brauchst du nicht. Willst du, dass ich dir unter die Dusche helfe? Da steht ein Kunststoffhocker, auf den du dich setzen kannst. Achte darauf, dass der Wasserstrahl nicht direkt auf die Pflaster trifft.« Sie reichte ihm ein Handtuch. »Ich rufe jetzt Yveline an und sage ihr, dass du deine Aussage machen kannst. Erinnerst du dich an das, was geschehen ist?«

»Ja, sogar ziemlich gut. Ich bin spät nach Hause gekommen. Als ich nach den Hühnern gesehen habe, hat mich jemand von hinten überfallen – ein großer Mann. Ich habe mich gewehrt und gemerkt, dass er eine schwere Axt in den Händen hielt, mit der er mich hätte töten können, wenn ich ihn nicht aufgehalten hätte.«

»Das wird reichen. Ich habe schon zu Protokoll gegeben, dass deine und seine Wunden mit deiner ersten Aussage übereinstimmen. Dein Blut an der Axt ist der Beweis. Du kannst von Glück reden, dass du nur von der stumpfen Seite getroffen wurdest und nicht mit der Schneide.«

In der Dusche stand tatsächlich ein Plastikhocker. Bruno

aber sträubte sich, ihn zu benutzen. Stattdessen hielt er sich an Fabiolas ärztlichen Rat und gebrauchte seine Muskeln. Zwar tat ihm jede Bewegung weh, und es war umständlich, sich zu waschen und gleichzeitig die Pflaster trocken zu halten, doch irgendwie schaffte er es.

Als er aus der Dusche gehinkt kam, hatte Fabiola frische Wäsche für ihn zurechtgelegt und sagte: »Ich habe Pamela schon Bescheid gegeben, dass du in den nächsten zwei, drei Tagen nicht reiten kannst. Sie fährt mit Jack Crimson nach Bergerac zum Notar, um den Kauf der Reitschule klarzumachen.«

»Da wird sich einiges ändern«, meinte er und fing an, sich anzuziehen. »Ich habe gehört, du und Gilles werdet Pamelas Anwesen übernehmen.«

Fabiola nickte und ging in die Hocke, um ihm in die Socken zu helfen. »Wir haben abgemacht, dass ich Victoria behalte, weil wir aneinander gewöhnt sind. Und dich wollte ich bitten, Hector da zu lassen, wo er ist. Es wäre schade, wenn Victoria allein im Stall stehen müsste. Wenn Gilles dann gut genug reitet, dass sich ein eigenes Pferd für ihn lohnt, können wir uns ja was anderes einfallen lassen.«

»Danke, ja, so machen wir's.« Bruno hatte sich schon kundig gemacht und einen Waldweg gefunden, der einen Großteil der Strecke zur Reitschule abdeckte und sogar die Möglichkeit zum Galoppieren bot. Er konnte sich durchaus vorstellen, ihn regelmäßig zu benutzen.

»Pamela sagt, es sei aus zwischen euch.« Fabiola schnürte ihm die Schuhe und hielt den Kopf gebeugt, um ihr Gesicht zu verbergen. »Allzu betrübt scheinst du darüber nicht zu sein.«

Bruno überlegte einen Moment lang, bevor er antwortete. »Sie hat ihren Entschluss so formuliert, als täte sie mir einen Gefallen, insofern, als ich frei wäre, eine Frau zu finden, mit der ich eine Familie gründen könnte.«

»Seltsam, dass dich eine solche Frau nie zu reizen scheint. Dabei ist das Périgord voll von Landwirtstöchtern, die sich nach einem Haus wie deinem sehnen und dir jede Menge Kinder schenken würden«, entgegnete sie. »Du lebst offenbar lieber gefährlich.«

Er nickte und wusste, wie ihre Worte zu verstehen waren. »Ich freue mich, dass es zwischen dir und Gilles so gut funktioniert. Ihr seid ein wunderbares Paar.«

»Er will, dass wir heiraten«, sagte sie und fügte, bevor er gratulieren konnte, hinzu: »Ich aber will noch warten, bis entschieden ist, ob wir Kinder haben wollen oder nicht. Wenn ja, können wir immer noch zur Mairie gehen und das Aufgebot bestellen. Von den misshandelten Frauen im Frauenhaus habe ich gelernt, dass die ersten glücklichen Monate nichts darüber aussagen, ob man mit einem Mann ein ganzes Leben zusammen sein kann.«

Bruno nickte und gab ihr im Stillen recht.

»Wir müssen uns noch aneinander gewöhnen«, fuhr sie fort. »Zum Beispiel sitzt Gilles bis tief in die Nacht am Schreibtisch und bleibt morgens entsprechend länger im Bett, während ich gern aufstehe, sobald es hell wird. Außerdem bin ich von deiner und Pamelas Küche verwöhnt. Gilles kann nicht mal ein Ei kochen.«

»Da wüsste ich ein Projekt für mich: Ich werde Gilles Kochunterricht geben«, sagte Bruno lächelnd.

Mit einem leisen Klopfen an der Tür kündigte sich Yveline an. Ihr folgte Balzac, der sogleich auf Bruno zutrippelte und ihm seinen Kopf aufs Knie legte, bevor er die Krücken untersuchte, die Fabiola zurückgelassen hatte. Yveline hatte tatsächlich daran gedacht, ihn mitzubringen, und nicht einmal seine Leine vergessen, von der sie Fabrice befreit hatte, nachdem sie ihm Handschellen angelegt hatte.

25

B runo humpelte über den Markt und stützte sich auf einen ausgeliehenen Stock, nach dem Balzac immer wieder schnappte, weil er glaubte, sein Herrchen habe sich ein interessantes neues Spiel für ihn ausgedacht. Ständig musste er Käufer und Händler abwimmeln, die sich nach seinem Bein erkundigten. Plötzlich ertönte aus seinem Handy ein spezielles Klingelzeichen, und als er nachsah, flackerte ein grünes Licht, das bedeutete, dass ihn jemand aus dem Sicherheitsnetz des Brigadiers zu erreichen versuchte.

»Ich bin auf dem Weg nach Saint-Denis. Wegen einer etwas delikaten Sache. Deshalb sollten wir uns lieber nicht in der Gendarmerie treffen«, meldete sich eine ihm vertraute Stimme in forschem Tonfall. »Ich komme zu Ihnen nach Hause, so gegen zwölf. Jean-Jacques und Polizeirat Prunier begleiten mich.«

Der Brigadier legte auf. Bruno stutzte, nicht zuletzt über dessen letzte Bemerkung, die nur eins bedeuten konnte: Die Police nationale war mit im Boot. Und dass er, Bruno, mit eingebunden wurde, ließ sich nur damit erklären, dass Saint-Denis auf irgendeine Weise involviert war. Er zuckte gleichmütig mit den Achseln. Warum lange fragen, wenn er die Antwort ohnehin bald genug erfuhr? Wie jeder echte Périgourdin dachte er jedoch sogleich auch an das Gebot der Gastfreundschaft und daran, dass er dem Besuch etwas zum Mittagessen anbieten musste. Jean-Jacques mochte am liebsten Herzhaftes, aber weil er, Bruno, gehandicapt war, würde etwas Einfaches auf den Tisch kommen. Für ein Arbeitsessen sollten Brot, Käse, Salat und Aufschnitt genügen.

Das Wetter war noch warm genug, um im Freien zu essen. Im Garten gab es noch Kopfsalat und letzte Cherrytomaten. Die Hühner lieferten jede Menge Eier, und in der Scheune lagerten Pâté-Konserven aus eigener Herstellung. Bruno blieb an Stéphanes Stand stehen und kaufte etwas Käse, einen reifen, nussigen Cantal und ein paar kleine kremige *cabécous*. Gabrielle vom Fischstand hatte Forellen in der Auslage, die so lecker aussahen, dass er nicht an ihnen vorbeikam. *Mon Dieu,* es kamen schließlich Freunde, denen mehr gebührte als kaltes Fleisch. Den Grill anzuwerfen wäre auch nicht viel mehr Arbeit, und weil er wusste, dass Gabrielles Forellen immer frisch waren, kaufte er gleich acht, die sie aus Rücksicht auf sein verletztes Bein gleich selbst ausnahm.

Bei Richard, dem Gemüsehändler, sprangen ihm Riesenchampignons ins Auge. Bruno kaufte vier und ein paar Zitronen für den Fisch. Zum Barbecue, für das er sich nun entschieden hatte, würden die Champignons gut passen und im Handumdrehen zubereitet sein. In Fauquets Café erstand er einen Liter hausgemachtes Vanilleeis, das er sich in eine Thermotasche einpacken ließ, und ein großes, noch warmes Bauernbrot. Ein normales Baguette würde nicht reichen, wenn Jean-Jacques mit seinem gesegneten Appetit mit am Tisch saß. Fauquets Frau versuchte ihm die Würmer aus der Nase zu ziehen und den Grund für sein Hinken zu ergründen, doch Bruno hütete sich, irgendetwas zu sagen, bevor die Untersuchung der Verletzungen Fabrice' abgeschlossen war.

Balzac schaute ihn erwartungsvoll an, als er in der Küche eine Dose Pâté de Périgueux öffnete, ein Geschenk seines Freundes Maurice, das aus getrüffelter und in Schweinefleisch gepackter Stopfleber bestand. Nachdem er im Kühlschrank nachgesehen hatte, ob eine Flasche des guten Monbazillac von Pierre Desmartis und auch ein Bergerac sec kalt standen, ging er mit Balzac auf den Fersen in den *potager*, wo er den besten Salatkopf auswählte und einige Tomaten pflückte. Zurück in der Küche, stellte er ein Tablett mit Besteck, Tellern und Gläsern bereit. Den Tisch mochten die Freunde decken. Aus seiner Scheune holte er ein Bündel Weinreisig, um den Grill anzufeuern. In einem zweiten Gang schaffte er einen kleinen Eimer voll Apfelbaumholzkohle nach draußen, die er mit Vorliebe verwendete, wenn Fisch auf dem Rost lag.

Die Forellen füllte er mit gestoßenen Knoblauchzehen und Zitronenscheiben. Er putzte die Champignons, beträufelte die Höhlung mit etwas Weißwein und stopfte in jede ein kleines Ziegenkäse-Medaillon. Zum Schluss stellte er noch eine Schale Honig, gehackte Walnüsse und ein Glas Kompott aus Schwarzen Johannisbeeren bereit, die er im vergangenen Sommer von den Sträuchern unterhalb des Hauses geerntet hatte. Damit war alles vorbereitet. Er wusch sich Gesicht und Hände, holte sein Notizbuch heraus und schrieb in Stichworten auf, wie er den Brigadier briefen wollte.

Als er Jean-Jacques' Wagen auf der Zufahrt hörte, legte Bruno Feuer an ein zusammengeknülltes Zeitungsblatt und steckte es zwischen das Anmachholz und die Holzkohle. Den Grill hatte er aus Ziegelsteinen selbst gebaut, und zwar mit höhenverstellbarem Rost und einem Extrafach unter der Kohlenpfanne, in dem sich mit der Hitze von oben bestimmte Speisen überbacken ließen.

»Schön, dass Sie uns trotz Ihrer Verletzung empfangen«, sagte der Brigadier und reichte Bruno eine Flasche Balvenie. »Wie geht's dem Bein?«

»Ich kann stehen, gehen und kochen«, antwortete er und bedankte sich auch bei Jean-Jacques für die mitgebrachte Flasche Heidsieck Monopole, die immer noch kühl war. Wahrscheinlich hatte er sie auf der Herfahrt in Huberts Weinladen gekauft. Balzac hatte an den Schuhen der beiden geschnuppert, festgestellt, dass er die Herren kannte, und widmete sich nun Prunier, der sich offenkundig schämte, dass er mit leeren Händen gekommen war.

»Der Kerl, der Sie überfallen hat, wird rund um die Uhr bewacht, aber dass wir ihn verhören, lassen die Ärzte noch nicht zu«, sagte er. »Jean-Jacques hat mir Ihre Aussage zu lesen gegeben. Die Axt wurde sichergestellt. Auch mit dem Procureur habe ich schon gesprochen. Keine Sorge, ein Verfahren wegen unverhältnismäßiger Gewaltanwendung haben Sie nicht zu befürchten. Und bis auf weiteres sind Sie krankgeschrieben.«

Prunier war in seinem eigenen Wagen gekommen und von einer Polizistin chauffiert worden. Bruno bedankte sich bei ihm und schlug vor, sie mit an den Tisch zu bitten. Er würde eine Forelle an sie abtreten.

»Lieber nicht«, sagte der Brigadier. »Vielleicht brauchen wir sie für Kurierdienste.«

»Dann trinken wir jetzt erst einmal ein Glas Champagner. Danach wird gegessen«, sagte Bruno. Er reichte Prunier die Flasche, die Jean-Jacques mitgebracht hatte, und bat ihn, sie zu öffnen.

»*Mon Dieu*, Sie haben einen fantastischen Ausblick«, staunte der Brigadier und blickte über die Johannisbeersträucher und Felder zu den bewaldeten Höhenrücken, die sich nacheinander aufwarfen und in der Ferne verloren. Kein einziges anderes Haus war in Sicht. »*La belle France*. Ich wünschte, auch ich würde morgens mit einem solchen Panorama vor Augen aufwachen.«

»Darauf trinken wir«, sagte Jean-Jacques und ließ sich einschenken, den Blick anerkennend auf den Grill gerichtet statt auf die Landschaft. »Wo genau sind Sie überfallen worden?«

»Gleich da drüben«, antwortete Bruno und zeigte mit dem Stock auf die Stelle. »Zum Glück habe ich früh gespürt, dass was im Busch ist.«

»Sie leben, und der Schurke sitzt ein, darauf kommt es an. Und wir haben dienstlich miteinander zu reden«, sagte der Brigadier. »Es geht um etwas, was Sie, Bruno, ins Rollen gebracht haben, als Sie mir von Colonel Clamartin erzählt haben, von seinem Treuhandfonds und den Ermittlungen der Finanzbehörden. Denen haben wir natürlich Einhalt geboten. Aber dann gab's eine große Überraschung.«

Der Treuhandfonds sei eingerichtet worden, fuhr der Brigadier fort, um Clamartin aus verdeckten Quellen für seine Geheimdiensttätigkeiten in Moskau zu bezahlen. Der Fisc habe den Innenminister ersucht, sich zu erkundigen und die Einlage zu beziffern, jetzt, da die Zahlungen ausblieben und die Erbschaft zu besteuern sein würde. Zwar gehe das nicht so einfach, weil es sich um ein Konto bei einer Liechtensteiner Bank handelte, doch sei zufällig und im Zuge anderer Ermittlungen französischen Agenten eine CD von einem frustrierten Bankangestellten aus Vaduz zugespielt worden, die streng vertrauliches Material über Hunderte ähnlicher Konten enthielt.

»Colonel Clamartin hatte nicht nur den einen, sondern gleich zwei Treuhandfonds«, erklärte der Brigadier. Seit 1989 seien Monat für Monat dreitausend US-Dollar von einem unbekannten Kostenträger auf dieses zweite Konto eingegangen. Es sei nie Geld abgebucht worden, so dass das Guthaben einschließlich aller Zinsen im Lauf von über zwei Jahrzehnten auf über eine Million Dollar angewachsen sei.

»Wir wollen wissen, wer dahintersteckt und ihm sehr viel mehr gezahlt hat als wir. Das Geld hat die üblichen Umwege über Banken auf den Kaimaninseln, den Niederländischen Antillen, Zypern und in Dubai genommen. Vor allem müssen wir herausfinden, was Clamartin für dieses Geld geleistet hat.«

»Dann hat wohl mein Verdacht, dass er womöglich keines natürlichen Todes gestorben ist, Ihr Interesse geweckt«, sagte Bruno, dem nun auch klar wurde, warum der Brigadier - Prunier und Jean-Jacques mitgebracht hatte. »Aber wir sollten jetzt vielleicht erst einmal essen. Die Grillkohle glüht.«

Er bat seine Gäste, nach draußen zu bringen, was er in der Küche zurechtgestellt hatte, legte die Champignons auf den Rost, schenkte jedem ein Glas Monbazillac ein und beobachtete den Brigadier dabei, wie er das frische Brot schnitt, während Jean-Jacques die Pâté verteilte.

»Das sehe ich jetzt zum ersten Mal«, sagte der Brigadier und musterte die verschiedenen Lagen von *foie gras* und schwarzen Trüffeln im Anschnitt der Pastete. Sie aßen in genussvoller Stille, und als der letzte Happen verputzt war, nahm Bruno die Pilze vom Rost, schob sie unter die heiße Kohlenpfanne und sah zu, wie der Ziegenkäse Blasen zu werfen begann. Als er annahm, dass die Pilze gar waren, bestreute er sie mit gehackten Walnüssen und träufelte ein paar Tropfen Honig darüber. Bevor er sie servierte, legte er die Forellen auf den Rost. Jean-Jacques öffnete von sich aus die Flasche *Bergerac sec*.

Als eine gute halbe Stunde später Forellen, Käse, Salat und das Dessert aus Vanilleeis mit Johannisbeerkompott verzehrt waren, servierte Bruno Kaffee. Er reichte dem Brigadier seine Notizen sowie eine Liste der Personen, mit denen Gilbert regelmäßig in Kontakt gestanden hatte. Dazu gehörten Crimson, Jewgeni, Raquelle, Nicole Larignac aus Bordeaux und der Notar aus der Auvergne. Außerdem hatte er Clothildes Namen hinzugefügt, weil er aus ihrer Reaktion auf Gilberts Tod den Schluss gezogen hatte, dass die beiden irgendwann einmal miteinander liiert gewesen waren.

Er hinkte ins Haus, um den Einkaufsbeutel zu holen, den er aus seinem Büro mitgenommen hatte. Darin befanden sich, in separate Plastiktüten verpackt, Marie-Françoise' Schuhe, Gilberts Handy, russische Zigarettenstummel, sein Flachmann, dessen Verschlusskappe und ein paar Haare, die Bruno aus einer Bürste in Gilberts Badezimmer gezupft hatte. Eine letzte Tüte enthielt ein Stück Draht von Rollos Weidezaun.

»Sie hätten mich ausgelacht, Jean-Jacques, wenn ich Sie

gebeten hätte, all diese Sachen im Labor untersuchen zu lassen, aber ich vermute mehr denn je, dass Colonel Clamartin auf der Geburtstagsparty des Patriarchen etwas in den Drink gerührt wurde«, sagte Bruno.

Er erklärte, dass Clamartin ein paar Tropfen aus seinem Glas auf die Schuhe einer jungen Frau gekleckert hatte, anhand deren die Kriminaltechnik würde feststellen können, was er getrunken hatte. »Das ist der Flachmann, den er bei sich trug. Wahrscheinlich war Wodka drin, aber ich möchte sichergehen. Außerdem habe ich hier eine Haarprobe von Gilbert, Reste von Zigaretten, die er geraucht hat, und sein Handy. Ich möchte, dass seine DNA verglichen wird mit der auf der Serviette in diesem mit ›Chantal‹ gekennzeichneten Beutel. Und vielleicht wäre die Kriminaltechnik außerdem so freundlich, dieses Stück Draht aus einem anderen Fall unter die Lupe zu nehmen.«

Der Brigadier wandte sich an Prunier. »Ich schlage vor, Ihre Fahrerin bringt die Beweismittel sofort ins Labor nach Bergerac. Wenn Sie bitte dort anrufen und höchste Dringlichkeit anmahnen würden …«

Bruno war beeindruckt, wie schnell Prunier Folge leistete und seiner Fahrerin die Tüten brachte. Wie weit der Einfluss des Brigadiers reichte, überraschte ihn immer wieder.

»Sonst noch etwas?«, fragte ihn der Brigadier.

»Ja, vielleicht. Ich stehe mit Gilberts Notar in Verbindung. Über ihn habe ich von den Treuhandfonds erfahren. Am Montag soll das Testament eröffnet werden, wozu ich eingeladen bin. Möglich, dass uns dann neue Erkenntnisse vorliegen. Sie sollten wissen, dass Gilberts Patenkind Chantal, Victors Tochter aus zweiter Ehe, als Haupterbin eingesetzt ist.«

»Die Tochter von Madeleine Desaix, die sich in die Nationalversammlung wählen lassen will?«, fragte Jean-Jacques.

Bruno nickte. »Ja, sie ist mit Sicherheit Chantals Mutter, aber ob Victor tatsächlich der Vater ist, wage ich zu bezweifeln. Ich schätze, das ist eher Gilbert. Deshalb schlage ich vor, ihre DNA mit der von Gilbert abzugleichen.

Da wäre noch etwas«, fuhr Bruno fort. »Ich habe drei Zeugen vernommen, die unabhängig voneinander beteuern, dass Gilbert Clamartin, kurz bevor es zu diesem Handgemenge gekommen ist, nicht betrunken war. Auch das spräche dafür, dass ihm irgendjemand etwas in den Drink gerührt hat. Von einem anderen Zeugen weiß ich, dass Gilbert kurz vor seinem Zusammenbruch ein privates Gespräch mit Ihrem alten Kollegen Jack Crimson geführt hat.«

»Interessant«, erwiderte der Brigadier. »Anfang der Woche haben unsere *écouteurs* ein Telefongespräch aufgeschnappt, das von einem nicht registrierten Handy geführt wurde und für kurze Zeit über eine Mobilfunkstation in Saint-Denis lief. Dank der automatischen Stimmprofilerkennung war der Anrufer schnell als Crimson identifiziert. Er sprach mit einem Kollegen in London, dem er mitgeteilt hat, dass die hiesige Polizei Fragen zu Clamartins Tod stellen und auf eine Untersuchung drängen würde.«

»Crimson und Clamartin waren alte Freunde«, sagte Bruno. »Von Crimson weiß ich, dass sie zusammen in Moskau waren. Und Sie haben einmal gesagt, dass Männer wie Crimson nie wirklich in Rente gingen. Umso mehr überrascht es mich, dass er zu glauben scheint, ein nicht registriertes Handy könnte ihm Anonymität garantieren. Ziemlich nachlässig von ihm.«

»Allzu nachlässig für einen alten Fuchs wie ihn. Vielleicht hat er uns eine diskrete Meldung machen wollen«, meinte der Brigadier. »Deshalb werden wir, Sie und ich, ihm so schnell wie möglich einen Besuch abstatten.«

26

M it der gefaxten Befugnis des Procureur de la République in der Tasche, im Todesfall Gilbert Clamartin zu ermitteln, machte sich Jean-Jacques sofort auf den Weg zum Weingut, um dessen Cottage zu durchsuchen und den Computer des Guts, den Gilbert mit benutzt hatte, zu beschlagnahmen. Prunier beantragte bei Gilberts Mobilfunkdienstleister eine Auflistung aller Verbindungsnachweise für sein Handy. Und Bruno hockte mit Balzac zu seinen Füßen auf der Rückbank seines Landrovers, der vom Brigadier zu Crimsons Haus gesteuert wurde.

Natürlich könnte Colonel Clamartin auch auf der Gehaltsliste der Briten gestanden haben, antwortete der Brigadier auf Brunos Nachfrage. Dafür seien die Zahlungen allerdings zu großzügig gewesen. Seltsam auch, dass die Überweisungen auf das zweite Konto nach Gilberts Ausmusterung und vermutlich auch Ausscheiden aus dem Geheimdienst vor zwei Jahrzehnten fortgesetzt worden seien. Pensionen wurden für gewöhnlich Überläufern gewährt, die ihr Land verlassen mussten und kein eigenes Einkommen hatten.

»Ich kann mir nicht vorstellen, dass er hier unten im Périgord eine Aufgabe wahrgenommen hat, die so viel Geld wert gewesen wäre«, sagte der Brigadier. »Soweit wir wissen, hatte er im Ruhestand keinen Zugriff auf geheimes

Material oder auch nur vertrauliche Geschäftsunterlagen. Falls er damals, als er noch in unserem Sold stand, für die Russen gearbeitet hat, müssten wir eine Unmenge von Daten zurückverfolgen und alle von ihm rekrutierten Agenten genauestens überprüfen.«

»Er war häufig mit Jewgeni zusammen, dem russischen Sohn des Patriarchen, der als Kunstmaler arbeitet«, gab Bruno zu bedenken. »Sie haben lange Abende miteinander verbracht und in Erinnerungen an Moskau geschwelgt. Jewgeni erbt jedenfalls auch von ihm.«

Der Brigadier nickte. »Den nehmen wir uns auch noch vor. Die Russen haben immer gern Künstler als Verwalter geheimer Fonds eingesetzt. Wer kann schon einschätzen, ob ein Gemälde fünfhundert oder fünftausend Euro wert ist? Gezahlt wird meist in bar, und der Künstler kann das Geld an Agenten vor Ort weiterreichen. Wie auch immer, wir müssen in Erfahrung bringen, womit Clamartin sein Geld verdient hat.

Haben Sie's auch bequem da hinten?«, fragte er und drehte sich zu Bruno um, der mit dem Rücken zwischen Lehne und Seitentür steckte und die Beine auf der Rückbank ausgestreckt hatte. Bruno grummelte, dass mit ihm alles in Ordnung sei, worauf der Brigadier weiterredete. »Auf der Fahrt nach Saint-Denis hat sich Jean-Jacques Gedanken darüber gemacht, ob diese Geschichte etwas mit dem Überfall auf Sie zu tun haben könnte. Was meinen Sie?«

»Das glaube ich nicht. Ich war diesem Wildhüter in einer ganz anderen Sache auf der Spur«, antwortete Bruno und erklärte, dass Fabrice rein zufällig für den Patriarchen und Victor arbeite.

»So viele Zufälle gibt's doch wohl nicht.« Der Brigadier bog in Crimsons Zufahrt ein, hielt an und half Bruno aus dem Wagen.

Crimson öffnete die Haustür und runzelte verwundert die Stirn. »Mein lieber Vincent, was führt Sie zu mir? Und Bruno, warum gehen Sie am Stock?«

Nachdem er auch Balzac begrüßt hatte, führte Crimson sie auf die Terrasse hinter dem Haus. Er bot Drinks an und rückte für Brunos Bein einen Stuhl zurecht. Der Brigadier entschied sich für ein Mineralwasser, woran sich Bruno ein Beispiel nahm. Balzac erkundete den Garten.

»Sie glauben also, Gilberts Tod geht auf ein Fremdverschulden zurück«, sagte er, den Blick auf Bruno gerichtet. Doch der Brigadier hob die Hand.

»Das ist nur ein Teil des Problems«, mischte er sich ein. »Wir sind auf einen geheimen Fonds in Liechtenstein gestoßen. Er hat seit seiner Rückkehr aus Moskau jeden Monat dreitausend Dollar erhalten, und wir wissen nicht, von wem oder wofür. Von Ihrem ehemaligen Dienstherrn vielleicht?«

»Nicht dass ich wüsste, und wahrscheinlich hätte ich Bescheid gewusst.«

»Von den Amerikanern?«

»Wohl eher nicht. Er war seit über zwanzig Jahren raus aus dem Spiel. Was hätte er anzubieten gehabt?«

»Das fragen wir uns auch«, erwiderte der Brigadier. »Kann es sein, dass er für sein Schweigen bezahlt wurde?«

Was hätte er verschweigen sollen?, fragte sich Bruno, der den Austausch zwischen den beiden Geheimdienstlern, einem noch aktiven und einem ehemaligen, mit großem Interesse verfolgte. Dass sich die beiden beim Vornamen nannten, ließ auf eine sehr viel engere Beziehung als nur einer zwischen zwei rangähnlichen Offizieren schließen.

»Bruno ist eingeweiht?«, vergewisserte sich Crimson.

»Seinetwegen bin ich hier«, antwortete der Brigadier. »Außerdem spielen Sie auf etwas an, was, wie Sie wissen, nie passiert ist.«

»Aber fast.«

Der Brigadier wandte sich an Bruno. »Wir, Jack und ich, haben uns während der Vorbereitungsphase einer Operation kennengelernt, die in allen Einzelheiten geplant, aber dann doch nicht durchgeführt wurde. Die Realität hat sie einfach überholt, und es war besser so. Und Gilbert war ebenfalls an den Vorbereitungen beteiligt.«

Begonnen hatte alles im Juli 1991 in Moskau, als Gilbert Paris vor einem Militärputsch warnte, der von Hardlinern geplant wurde, um Gorbatschow zu stürzen und dessen Reformen rückgängig zu machen. Fast gleichzeitig hatte Jack Crimson London darüber informiert. Die jeweiligen Botschaften vor Ort waren arglos oder in ihrer Einschätzung genauso unsicher wie etwa der amerikanische Botschafter. Präsident George Bush hingegen war immerhin so sehr in Sorge, dass er Gorbatschow anrief. Doch der schlug die Warnungen in den Wind und fuhr am 4. August in sein Ferienhaus bei Foros auf der Krim.

»In London und Paris fanden unsere Lageberichte Gehör«, sagte Crimson. »Mitterrand sprach mit John Major, unserem Premier, und plädierte dafür, einen Putsch ernsthaft in Betracht zu ziehen und einen Notfallplan zu entwickeln. Ich wurde nach London zurückgerufen, um ein anglofranzösisches Team zusammenzustellen. In diesem

Zusammenhang habe ich Vincent kennengelernt. Sie nennen ihn Brigadier, aber damals war er erst Hauptmann.«

Nach Bushs Anruf hatte Gorbatschow mit Boris Jelzin und dem kasachischen Präsidenten Nasarbajew diskrete Gespräche geführt und versucht, seine politischen Widersacher kaltzustellen: KGB-Chef Krjutschkow, Verteidigungsminister Jasow, Innenminister Pugo, Vizepräsident Janajew und Premierminister Pawlow. Überzeugt davon, dass die Armee unter Marschall Achromejew loyal bliebe, beschloss Gorbatschow, bis zu seiner Rückkehr aus dem Urlaub abzuwarten. Danach wollte er den neuen Unionsvertrag einer sehr viel dezentraleren Sowjetunion zum Gesetz erheben. Er ahnte nicht, dass Krjutschkow ihn observieren ließ und über seine personalpolitischen Pläne zur Schwächung seiner Gegner informiert war. Denen wollte der Vorsitzende des KGB zuvorkommen.

Am 17. August organisierte er im KGB-Gästehaus bei Moskau eine Konferenz wichtiger KP-Funktionäre, vor denen er aus dem neuen Unionsvertrag zitierte und erklärte, dass dessen Umsetzung das Ende der Sowjetunion bedeuten würde. Darauf spielte er ihnen einen Mitschnitt des Gesprächs zwischen Gorbatschow und Jelzin vor, in dem unmissverständlich zum Ausdruck kam, dass die politischen Gegner entmachtet werden sollten. Man verständigte sich darauf, eine Delegation auf die Krim zu schicken und Gorbatschow ein Ultimatum zu stellen. Gorbatschow verweigerte sich, worauf die Putschisten Ernst machten.

Der Telefonanschluss in Gorbatschows Datscha wurde gekappt, er selbst unter Hausarrest gesetzt. Krjutschkow rief alle entlassenen KGBler zurück in den Dienst und verdoppelte ihren Sold. In Moskau bereitete man dreihunderttausend Haftbefehle vor, eine Viertelmillion Handschellen wurden bestellt. Das Lefortowo-Gefängnis wurde vorsorglich geräumt, um neue Gefangene aufnehmen zu können. Janajew erklärte den Ausnahmezustand, der am 19. August morgens um sieben von der Nachrichtenagentur TASS verkündet wurde.

Bevor die Putschisten ihre für den Abend desselben Tages organisierte Pressekonferenz abhalten konnten, war Gilbert zu Besuch im russischen Regierungsgebäude und wurde Zeuge von Jelzins beherztem Aufruf zum Generalstreik. Außerdem hörte er, wie Major Ewdokimow, Stabschef des Panzerbataillons der Schützengardendivision Tamanskaya, dem russischen Parlament seine Loyalität zusicherte. An diesem ersten Tag informierte Gilbert Paris darüber, dass ein Blutbad drohe und der Putschversuch wahrscheinlich scheitern werde. Noch am Abend flog der Patriarch nach Moskau.

»Gilbert war zur Stelle, als Jelzin auf den Panzer kletterte, den Umsturzversuch verurteilte und das Militär aufrief, der Verfassung zu dienen und sich den Befehlen Janajews und seinem Komitee für den Ausnahmezustand zu verweigern«, sagte Crimson. »In London saßen wir vor dem Fernseher. Keiner von uns konnte glauben, dass Jelzin noch auf freiem Fuß und nicht schon längst von Putschisten eingebunkert worden war. Und nun wurde er von Panzern und Tausenden von Demonstranten und Fernsehkameras wirksam geschützt.«

Einer der in Paris und London ausgearbeiteten und von den USA unterstützten Pläne für den Ernstfall sah vor, ein

Sonderkommando nach Foros zu schicken und Gorbatschow in den Westen auszufliegen. Ein aus britischen und französischen Elitesoldaten zusammengesetztes Team sollte vom NATO-Luftwaffenstützpunkt Incirlik in der Türkei mit Hubschraubern zur Schwarzmeerküste fliegen und dann an Bord eines französischen Öltankers bis in Reichweite von Foros transportiert werden.

»An dieser Stelle kam ich als junger Hauptmann des ersten Marineinfanterieregiments zum Zug«, sagte der Brigadier. »Ich sollte an der Einsatzplanung mitwirken und an der Operation selbst teilnehmen. Einer der britischen Planer war Jack Crimson.«

»Als wir am 20. August loslegen wollten, war es mit dem Putsch schon vorbei«, fuhr Crimson fort. »Er brach in sich zusammen, als die Speznas-Einheiten Alfa und Wimpel erklärten, dass sie nur mit äußerster Gewalt gegen Jelzin vorgehen könnten und dass mit vielen Toten zu rechnen sei. Die Putschisten verloren daraufhin die Nerven. Die Truppen zogen sich nach Moskau zurück, und die Telefonverbindung mit Gorbatschow war wiederhergestellt. Er befahl, die Umstürzler zu verhaften, und kehrte sofort nach Moskau zurück.«

»Das war's«, resümierte der Brigadier. »Gilbert wurde in Paris als Held empfangen und gleich darauf nach Moskau zurückgeschickt, um seine Beziehungen zu Jelzin und der neuen Regierung fruchtbar werden zu lassen.«

»Wie lange blieb er noch in Moskau?«, fragte Bruno nach einer längeren Pause, während deren die beiden anderen, einander zugewandt, in eine gemeinsame Vergangenheit zurückzublicken schienen.

»Über ein Jahr«, antwortete der Brigadier. »Das diplomatische Korps hasste ihn, weil er recht gehabt hatte, und unsere Geheimdienstchefs, die seine Warnungen in den Wind geschlagen hatten, äußerten Befürchtungen, er würde die Seiten wechseln.«

»Regel Nummer eins zum Überleben in der politischen Bürokratie: Man sollte nie zu früh recht haben«, sagte Crimson mit einem bitteren Lachen. »Regel Nummer zwei: Irren ist nicht weiter tragisch, wenn alle anderen ebenfalls irren.«

Der Brigadier zuckte mit den Achseln und erwiderte: »Er war die meiste Zeit über betrunken. Wir haben ihn nach Hause zurückgeholt, amtsärztlich untersuchen lassen und ihn krankgeschrieben. Das hat er uns nie verziehen, was ich gut verstehen kann.«

»Mir hätte Ähnliches widerfahren können, wenn ich nicht kurz vor dem Putsch zurückbeordert worden wäre.« Crimson stand auf, sagte, »Herrje, ich brauche einen Drink«, und verschwand in der Küche. Zurück kam er mit einer Flasche Balvenie, drei Gläsern und einer kleinen Flasche Evian.

»Danach gab es für uns kaum mehr etwas, was auch nur halb so wichtig gewesen wäre. Oder auch so einfach«, sagte er und schenkte großzügig ein. »Manchmal denke ich mit Wehmut an den Kalten Krieg zurück.«

Die drei Männer tranken schweigend. Bruno blickte über Crimsons Garten auf den Waldrand, der sich golden verfärbte.

»Was also wusste Gilbert, oder was hat er über all die Jahre getan, das so hohe Zahlungen gerechtfertigt hätte?«, fragte er. Crimson schüttelte den Kopf und zuckte mit den Achseln. In diesem Moment klingelte das Handy des Brigadiers.

Er lauschte in den Hörer, sagte ein paar Worte und schloss mit einem »Danke schön«.

»Das war Prunier«, erklärte er. »Er hat sämtliche Verbindungsnachweise zu Gilberts Handynummer. Darunter kein Gespräch mit Moskau. Nach England hatte er nur einige wenige Male telefoniert, und zwar ausschließlich mit seinem Schneider in der Savile Row.«

»Ein Herrenausstatter könnte auch eine gute Tarnung sein«, murmelte Crimson.

»Wenn ich mir eine Frage erlauben darf. Pamela sagte, auf Marcos Party hätten Sie Gilbert beiseitegenommen, um unter vier Augen mit ihm zu sprechen. Worum ging es da?«

»Ich sagte nur, dass wir uns schon lange nicht mehr gesehen hätten und ob wir uns nicht zum Mittagessen verabreden wollten«, entgegnete Crimson. »Mehr nicht.«

Wieder wurde der Brigadier angerufen. Zum Schluss des Telefonats sagte er: »Dann kann ich es Ihnen überlassen, den Procureur zu informieren.« Er steckte sein Handy weg. »Das war Jean-Jacques mit einem vorläufigen Bericht der Kriminaltechnik«, erklärte er und fuhr sich mit der Hand über die Augen. »An den Schuhen, die Gilbert mit seinem Drink bekleckert hat, sind Spuren von Chloralhydrat und Orangensaft gefunden worden. Mit anderen Worten K.-o.-Tropfen. Ich glaube, in Amerika spricht man von Mickey Finn. Reste derselben Substanz waren am Verschluss des Flachmanns, den er bei sich hatte. Die Mengen in Drink und Flachmann könnten sich zu einer tödlichen Dosis summiert haben. Die Ergebnisse der DNA-Analyse stehen noch aus.«

»Es liegt also Fremdverschulden vor«, stellte Bruno fest.

»Und wir wissen weder, warum er getötet, noch, wofür er zu Lebzeiten bezahlt wurde.«

»Willkommen in der Schattenwelt der Geheimdienste«, gab Crimson zurück. »Selbst wenn wir die Fragen nach dem Warum und Wofür beantworten, bleiben uns die Hände gebunden. Wir können die Ergebnisse nur zu den Akten legen und darauf hoffen, dass sie uns irgendwann einmal nützlich sein werden.«

»So mag es in Ihrer Welt aussehen«, erwiderte Bruno. »Nicht in meiner. In der ist jetzt schlicht und einfach Polizeiarbeit gefragt. Wenn ich mich richtig erinnere, sagten Sie, Gilbert habe seinen Drink von einem der uniformierten Kellner bekommen. Wir müssen jetzt all diese Kellner zu einer Gegenüberstellung einladen und denjenigen, den Sie wiedererkennen, fragen, woher er den Orangensaft hatte und wer ihn aufgefordert hat, Gilbert zu bedienen.«

Der Brigadier holte sein Handy aus der Tasche. »Darauf setze ich Prunier an.«

27

Normalerweise hätte Bruno mit seinen Freunden vom Jagdverein schon früh am Morgen damit angefangen, in der Grube vor der Hütte im Wald Holz für das Grillfeuer aufzuschichten. Andere Mitglieder schafften auf Lastwagen und Anhängern Holztische und -bänke herbei, die der Rugbyklub zur Verfügung stellte, und bauten sie in der Scheune auf, in der Julien Marty, wenn das alljährliche Fest der Jäger vorbei war, sein Heu einlagern würde. Die Küchenschränke sowohl des Tennis- als auch des Rugbyklubs waren wie jedes Jahr leer geräumt worden, damit für die gut zweihundert erwarteten Gäste Gläser, Geschirr und Besteck in ausreichender Menge vorhanden sein würden.

Die Tradition dieses Festes im Herbst, das in erster Linie den Frauen und Kindern der Jäger zugutekommen sollte, reichte weit zurück. Manche behaupteten, es wurzelte in heidnischer Zeit und in den Feiern der Gallier zur Tagundnachtgleiche im Frühjahr und Herbst. Jedenfalls war es längst ein fester Termin im Kalender von Saint-Denis und genau die Art von Ereignis, die dazu beitrug, dass aus einer Stadt eine Gemeinschaft wurde. Schon der Tag der Vorbereitungen mit dem abschließenden Abendessen brachte das Stadtvolk wieder mit althergebrachten Traditionen in Verbindung und versetzte es in eine Zeit zurück, bevor es

Supermärkte und Tiefkühlkost gab, eine Zeit, in der man abhängig gewesen war von dem, was erjagt und geerntet werden konnte.

Bruno bedauerte sehr, in diesem Jahr nicht dabei sein zu können, wenn man sich vor der Waldhütte traf und Kaffee trank, bevor das Feuer gemacht wurde, wenn man die erbeuteten Wildschweine aufspießte, die Bauchhöhlen mit Kräutern füllte und mit Draht wieder zusammennähte. Für gewöhnlich lieferte Bruno jede Menge Lorbeerblätter, büschelweise Rosmarin, Salbei und wilden Knoblauch. Der Baron war immer derjenige, der das Feuer entzündete. Andere sorgten für die Marinade aus Honig und Wein, Salz, Pfeffer und anderen Gewürzen, die in Eimern zusammengerührt wurden. Mit einem großen Bratenpinsel, der aus langen, um das Ende eines Besenstiels gebundenen Rosmarinzweigen bestand und in die Marinade getunkt wurde, bestrich man später den Spießbraten über der Glut.

Dougal, der schottische Geschäftsmann, der Ferienwohnungen vermietete, hatte eine neue Tradition eingeführt und spendete eine Flasche Whisky, aus der jedes Wildschwein vor dem Anschnitt mit ein paar Spritzern getauft wurde, und was dann noch übrigblieb, teilten sich die Männer, indem sie die Flasche herumgehen ließen.

Bis zu zwei, drei Meter lang und entsprechend schwer waren die Holzscheite, die in der Grube den ganzen Vormittag über und bis in den frühen Nachmittag hinein brannten. Wenn schließlich nur noch Glut übrig war, wurden die Schweine am Spieß in die Halterung gehoben und mit Hilfe eines Transmissionsriemens, der über die Welle eines uralten Peugeot-Motors lief, zum Rotieren gebracht. Die

Vorrichtung war sehr provisorisch, funktionierte aber schon seit Jahren.

Der Jagdverein hatte zwanzig ordentliche Mitglieder, nicht mehr, nicht weniger. Mit dieser Anzahl glaubte man, ein gutes Verhältnis zur Reviergröße gefunden zu haben. Jedes Mitglied durfte bis zu zehn Gäste einladen und verpflichtete sich, mit Pâté aus der Dose, Gemüse und Wein für deren leibliches Wohl zu sorgen. Davon gab es immer genug, denn jeder kannte jeden und wusste aus jahrelanger Erfahrung, wie viel verzehrt wurde, und aus der Hütte im Wald war längst eine bestens eingerichtete, wenngleich rustikale Küche geworden.

Darin gab es einen alten Ofen aus Gusseisen, einen Kühlschrank und eine Gefriertruhe, ein Spülbecken und fließendes Wasser, eine alte Fleischtheke aus einem Metzgerladen sowie ein formidables Sortiment an Küchenmessern. Hier kochten die Jäger nach einem Tag auf der Pirsch herzhafte Suppen und Eintöpfe, Hasenpfeffer, gebackene Enten und Tauben und gegrilltes Wildbret. Hier stellten sie ihre Pâtés her und kochten Brombeeren und Schwarze Johannisbeeren für ihre Marmeladen ein, worin Sergeant Jules der Vereinsexperte war. Und wie Bruno wusste, würde heute Xavier von der Bäckerei schwere Töpfe voller Teig vorbeibringen, der in Quadrate ausgerollt, in dem großen Ofen blindgebacken, mit Kompott aus diesjährigen Äpfeln und Apfelstückchen belegt, mit Zucker bestreut und noch einmal in den Ofen geschoben wurde.

Die Männer aus dem Verein waren auf ihre Kochkünste ebenso stolz wie auf ihre Fähigkeiten als Jäger. Sie verbrachten viel Zeit zusammen und kannten sich untereinander sehr gut. Und so, wie sie dem Freund mit einer geladenen Waffe vertrauten, vertrauten sie sich auch in anderen Dingen. Wenn jemand krank war, arbeitslos wurde oder Familienprobleme hatte, taten sich die übrigen Vereinsmitglieder zusammen und versuchten zu helfen. Politisch waren von Tiefschwarz bis Dunkelrot alle Farben vertreten, doch zum Streit darüber kam es selten, weil alle Freundschaft und Loyalität für wichtiger erachteten. Trotzdem war es für Bruno ein Leichtes, aus den Gesprächsrunden im Jagdverein zuverlässige Wahlprognosen abzuleiten.

Bruno ließ sich all das durch den Kopf gehen, als er in seinem Land Rover, von Saint-Cirq kommend, den Weg zur Jägerhütte einschlug, und konnte deshalb kaum nachvollziehen, warum Fabrice, bevor er dem Jagdverein von Lalinde beigetreten war, die Mitgliedschaft in seinem ehemaligen Verein hatte aufgeben müssen. Bruno erinnerte sich an ausführliche Beratungen über das Für und Wider von Kandidaten, wenn es im Verein darum ging, einen frei gewordenen Platz neu zu besetzen. Fabrice hatte sich in seinem alten Verein offenbar sehr unbeliebt gemacht, und dass er in dem von Lalinde aufgenommen worden war, verdankte er wahrscheinlich nur der nachdrücklichen Fürsprache von Madeleine und Victor. Immerhin war es möglich, dass die Mitglieder dort längst nicht so eng miteinander verbunden waren wie seine eigenen Vereinsfreunde, dachte Bruno, und wahrscheinlich gehörte Madeleine und ihrem Mann sogar das Land, auf dem gejagt wurde, so dass sie in allen Belangen das letzte Wort hatten.

Bruno hatte seine Gäste beizeiten angemeldet: Pamela natürlich, Fabiola und Gilles, Crimson und seine Tochter,

Florence vom Collège und Yveline von der Gendarmerie. In letzter Minute auch den Brigadier mitzubringen würde seine Quote noch erlauben. Er hatte daran gedacht, auch Hubert vom Weinladen und Julien von der Domaine einzuladen, seine beiden Partner im Aufsichtsrat des städtischen Weinguts, doch die waren bereits Gäste des Barons – zusammen mit Philippe Delaron, dem Reporter, und Dr. Gelletreau.

Verführerischer Grillgeruch stieg ihnen in die Nase, als sich Bruno und der Brigadier dem Festplatz im Wald näherten. Balzac sprang ihnen voraus, um die Hunde der anderen Jäger zu begrüßen, die er im Lauf der vergangenen Monate kennengelernt hatte. Sie hockten vor dem Grill, nah genug, um den Duft genießen zu können, hielten aber gehörigen Abstand zur Glut. Hechelnd ließen sie ihre Zungen aus den Mäulern hängen, während die Augen starr auf die rotierenden Wildschweine gerichtet waren.

Der Baron und Sergeant Jules bestrichen sie mit Marinade und reichten dann ihre Besen an Dougal weiter. Alle drei Männer trugen dicke Lederhandschuhe und -schürzen zum Schutz vor der Hitze. Die Stirnbänder, die sie sich um den Kopf gebunden hatten, waren schweißdurchtränkt. Bruno und der Brigadier traten zu ihnen vor den heißen Grill. Wo Fett vom Schwein auf die Glut tropfte, züngelten kleine Flammen empor.

»Dauert nicht mehr lange«, sagte der Baron. »Noch eine halbe Stunde, und wir nehmen sie runter. Dann kann das Fleisch noch ein bisschen ruhen, bevor wir es aufschneiden.«

Es war eine Szene wie aus einer anderen Zeit. Die Grube voller Glut, die gerösteten Wildschweine und die drei Männer in den Lederschürzen hätten so vor mehreren hundert Jahren kaum anders ausgesehen, und nicht weniger alt waren die Rituale der Jagd und des Feierns, die sie noch immer zelebrierten. Widerwillig, aber aus Rücksicht auf sein verletztes Bein verzichtete Bruno darauf, sich ebenfalls Lederhandschuhe anzuziehen und seinen gewohnten Platz in der Gruppe der Männer einzunehmen, um die Spieße aus ihren Halterungen zu hieven. Stattdessen wandte er sich der Jagdhütte zu. Sie als *la cabane* zu bezeichnen war, wie Bruno fand, eine ziemliche Untertreibung, denn sein eigenes Haus wäre hinter der »Hütte« völlig verschwunden. Aber so hießen nun einmal die Niederlassungen, in denen Jäger ihr Wildbret zubereiteten und miteinander aßen.

Mit dem Stock in der einen Hand und einem Beutel voller frisch geernteter Salatköpfe in der anderen betrat er die Hütte, gefolgt vom Brigadier, der zwei Taschen mit sich trug. Die eine enthielt ein Dutzend Konservendosen von Brunos selbstgemachter Pâté, die andere Kartoffeln.

»Ah, Bruno«, überraschte ihn ein Gast, mit dem er nicht gerechnet hatte – der Patriarch. Er stand neben dem Bürgermeister, der ihn offenbar mitgebracht hatte und ihm gerade einen Drink einschenkte. »Gérard hat mir soeben von dem Angriff auf Sie berichtet. Schön, dass Sie trotzdem kommen konnten. Wie geht's Ihrem Bein?«

»So lala, danke der Nachfrage.« Bruno setzte den Salatbeutel ab und gab ihm und dem Bürgermeister die Hand. »Ich nehme an, Sie kennen beide *Général de brigade* Lannes. Er ist heute Abend einer meiner Gäste und war so gut, mich zu chauffieren.«

»Das heißt, Sie können trinken bis zum Abwinken«,

sagte der Bürgermeister. »Aber davon abgesehen, kann ich mir kaum vorstellen, dass Sergeant Jules heute Nacht mit Glasröhrchen kontrollieren lässt. Und sagten Sie nicht, Sie hätten auch Yveline von der Gendarmerie eingeladen?«

Brunos Freund Stéphane, der Käser aus Saint-Denis, stand am Spülbecken und winkte ihm zu. Er öffnete Weinflaschen von der Domaine, eine nach der anderen. Da jedes Mitglied des Jagdvereins auch Anteilseigner am städtischen Weingut war, kamen nur dessen Erzeugnisse in Frage. Hinter Stéphane stapelten sich sechs Kisten Rotwein und vier Kisten Weißwein. Aus langjähriger Erfahrung wusste man, dass genau so viel an diesem Abend getrunken werden würde. Zur Not standen aber noch weitere Kisten im Schrank bereit.

»Was führt die *éminence grise* des Innenministeriums ins Périgord?«, fragte der Patriarch den Brigadier in jovialem Tonfall. Er trank sein Glas leer und ließ es sich sogleich wieder füllen. »Welche finsteren Komplotte und Gefahren drohen diesmal der République?«

»Ich besuche nur meinen Freund Bruno«, antwortete der Brigadier und fragte an Bruno gewandt: »Kann ich mich irgendwie nützlich machen?«

»Wir haben zweihundert Kartoffeln, die in Alufolie gewickelt werden müssen, bevor wir sie in die Glut legen«, erwiderte Bruno. »Und dann müsste der Salat gewaschen und geschleudert werden. Aber probieren Sie doch erst einmal von unserem Wein.«

Stéphane schenkte Bruno und dem Brigadier vom trockenen Weißwein der Domaine ein, worauf sich alle drei daranmachten, Alufolie in Quadrate aufzuteilen und die Kartoffeln darin zu verpacken. Der Bürgermeister und der

Patriarch gesellten sich zu ihnen und legten die eingewickelten Kartoffeln in große Metallkübel, die gerettet worden waren, als die kommunale Wäscherei vor einer Generation hatte schließen müssen. Bruno öffnete die Konservendosen, die er mitgebracht hatte, teilte den Inhalt einer jeden in sechs Portionen und platzierte sie mit einer Handvoll Cornichons auf eine Servierplatte.

»Steht Ihr Besuch im Zusammenhang mit den Polizisten, die heute auf unser Weingut gekommen sind, um die Unterkunft zu durchsuchen, in der der arme Gilbert gewohnt hat?«, fragte der Patriarch.

»Wenn dem so wäre, dürfte ich es Ihnen nicht verraten«, entgegnete der Brigadier. »Haben sie gesagt, wonach sie suchen?«

»Keine Ahnung, ich war nicht da«, erwiderte der Patriarch gleichmütig und sorgte für eine neuerliche Füllung seines Glases. Die dritte, wie Bruno bemerkte. »Von meinem Sohn weiß ich nur, dass die Herrschaften eine vom Procureur unterschriebene Vollmacht vorlegen konnten. Er hat sie natürlich hereingelassen. Ich kann mir kaum vorstellen, dass noch was zu finden war, denn die Wohnung wurde schon vor einer Woche leergeräumt. Und jetzt liegt mein neuer Wildhüter verletzt und unter Polizeibewachung im Krankenhaus. Vielleicht könnten Sie, meine Herren, mir erklären, worum es eigentlich geht.«

»Ihr Wildhüter hat vergangene Nacht einen Polizisten mit einer Axt angefallen«, antwortete Bruno, hob seinen Blick vom Arbeitstisch und richtete ihn auf den Patriarchen, gespannt auf dessen Reaktion. »Und dieser Polizist war ich.«

»*Mon Dieu*, das wusste ich nicht.« Der Patriarch war

entsetzt. »Mein lieber Bruno, das tut mir schrecklich leid. Was um alles in der Welt steckt dahinter?«

Bruno berichtete kurz vom Anschlag auf Rollos Garten und von Fabrice' Verhaftung. Er war noch nicht ganz fertig, als draußen unter lautem Geächze die Wildschweine zum Tranchieren auf die Tische gehievt wurden. Stéphane und der Brigadier brachten die Kartoffeln hinaus zur Feuerstelle, wo Dougal einen Teil der Glut auf eine Stufe am Rand der Grube rechte. Derweil zog Sergeant Jules mit Hilfe des Barons den Spieß aus einem der Wildschweine und prüfte, ob das Fleisch durchgegart war.

Andere Gäste versammelten sich vor den aufgebauten Tischplatten, die als Bar und Tresen dienten. Stéphane brachte eine Kiste Wein nach draußen, um sie zu bedienen. Bierflaschen kühlten in Kübeln voller Eis, und auf dem Tresen standen Schalen mit Oliven, Kartoffelchips und Erdnüssen bereit. Bruno humpelte um den Tresen herum, um Stéphane beim Ausschenken zu helfen. Jeder, den er bediente, wollte von ihm wissen, wie es zu der Beinverletzung gekommen war. Der Überfall auf ihn hatte sich schnell herumgesprochen. Näheres wussten aber nur Brunos Gäste, und zwar von Fabiola, die ihnen auch gesagt hatte, dass die Verletzung nicht ernst war. Trotzdem umarmten ihn alle, erkundigten sich nach seinem Befinden und fragten, ob er sich nicht lieber setzen wolle. Pamela war so liebevoll wie immer.

In der Scheune hatte Bruno einen Biertisch für seine Gäste reserviert. Er stand zusammengerückt mit demjenigen, den der Bürgermeister in Beschlag genommen hatte. Am Kopfende saß der Patriarch, links und rechts von ihm nahmen Florence und Fabiola Platz. Bruno und der

Brigadier setzten sich einander gegenüber, und Pamela und Yveline, Crimson und der Bürgermeister, Crimsons Tochter und Jacqueline Morgan, die frankoamerikanische Historikerin und Freundin des Bürgermeisters, sowie Gilles und andere Gäste des Bürgermeisters schlossen auf sie auf. Insgesamt waren in der großen Scheune vier Reihen aus jeweils fünf Tischen – ein Tisch für jedes Vereinsmitglied – aufgestellt worden. Die daran stehenden Bänke füllten sich stetig, da Stéphane und der Baron die Gäste von der Bar zu ihren Plätzen führten, was eine Weile dauerte, weil sich hier und da noch alte Freunde begrüßen oder den Tisch ihres Gastgebers suchen mussten.

Auf jedem Tisch gab es eine große Platte mit Pâté und Cornichons, einen Laib Brot, ein halbes Kilo Butter, eine Schale Kirschtomaten, jeweils eine Flasche Rot- und Weißwein sowie einen Krug Wasser. Der Baron bat um Ruhe, indem er mit einem Löffel an sein Glas schlug, hieß alle herzlich willkommen und bat Pater Sentout um seinen Segen, den dieser löblich kurz fasste. Gleich darauf wurden die Tischgespräche wiederaufgenommen, und der Lärmpegel nahm beständig zu, während der Wein floss, die Platten und Schalen herumgereicht wurden, Geschirr klapperte und das Fest seinen Lauf nahm.

»So lebt es sich im wahren Frankreich«, schwärmte der Patriarch und hob sein leeres Glas, damit es neu gefüllt wurde. »In Paris gibt es das nicht«, sagte er zum Brigadier. »Da muss ich an die letzten Kriegsmonate denken, an den Marsch durch Polen und Preußen, die Feldküchen, oft eingerichtet in Scheunen wie dieser, und an Feuerstellen, über denen wir gegrillt haben, was an Vieh aufzutreiben war. Es war in jedem Fall eine willkommene Abwechslung zu den russischen Rationen.«

»Das Feuer muss doch deutsche Flieger angelockt haben, oder?«, fragte Florence.

Der Patriarch schüttelte den Kopf. »Zu dem Zeitpunkt gab's schon kaum mehr welche und noch weniger Treibstoff. Wir haben jedenfalls keine Kampfflieger gesehen und konnten uns deshalb auf taktische Maßnahmen beschränken, auf Truppenversorgung oder den Beschuss feindlicher Stellungen. Wenn das Wetter so schlecht war, dass wir nicht aufsteigen konnten, sind wir mit unseren russischen Freunden losgezogen, um Beute zu machen.«

Ohne die irritierten Blicke seiner Zuhörer zu bemerken, fuhr er mit schwerer Zunge fort: »Und dazu zählten auch Frauen. Darum geht's ja im Krieg vor allem, zumindest für die armen Frontschweine.«

Die russischen Soldaten seien auf Armbanduhren und Frauen scharf gewesen, sagte er kichernd. Aber die französischen Piloten hätten gelernt, dass die Schließfächer ländlicher Banken in Ostpreußen, für die sich die Russen nicht interessierten, jede Menge Juwelen, Goldmünzen und Gemälde enthielten. Wohlhabende Berliner hätten dort ihre Schätze untergebracht, als die alliierten Bomber die Keller und Banken der Hauptstadt unsicher machten. Und dank Stalins Geschenk von vierzig Jak-Jägern an das Geschwader Normandie-Njemen hätten die Franzosen ihre Beute auch nach Hause schaffen können.

»So konnte ich mir mein Apartment in Paris leisten«, sagte der Patriarch. »Ich fand das nur fair, denn die Deutschen hatten Frankreich vier Jahre lang geplündert. Sie hatten uns überfallen, und jetzt waren wir und unsere russischen Verbündeten an der Reihe. So geht's zu im Krieg. *À la guerre comme à la guerre.* Eine Schande, dass wir aus diesen Jahren keine Lehre gezogen haben. Russen und Franzosen sind natürliche Verbündete. Deutschland lässt sich nur kontrollieren, wenn ihm an zwei Fronten mit Krieg gedroht wird. Das war so 1914 und 1940 und gilt heute immer noch. Ideologien kommen und gehen, was sich nicht ändert, sind Geopolitik und geographische Tatsachen. De Gaulle hat das verstanden, wenn auch sonst niemand.«

Er hob sein Glas, rief »Auf die Russen!« und leerte es.

Es war still am Tisch. Die Mienen der Frauen waren wie erstarrt, die Männer tauschten verlegene Blicke. Nur der Brigadier schien sich zu amüsieren. Bruno überlegte noch, wie er den Helden seiner Jugend in ein angenehmeres Fahrwasser lenken könnte, als in knisternder Seide und mit einem Hauch von Parfüm Madeleine herbeirauschte und ihren Schwiegervater auf beide Wangen küsste.

»Papa, erzählst du wieder deine alten Geschichten vom Kampf an der Seite der Russen?«, sagte sie lachend, ergriff die Hand des alten Mannes und setzte sich neben Florence ans Ende der Bank. »Möglich, dass noch nicht alle hier am Tisch deine Kriegsabenteuer kennen, aber denk bitte an mich. Ich habe sie schon hundertmal gehört. Und jetzt brauche ich einen Drink. Und dürfte ich vielleicht von dieser köstlich aussehenden Pâté probieren? Ich bin die ganze Strecke von Bordeaux gefahren und habe einen Bärenhunger.«

Bruno reichte ihr sein Weinglas, von dem er noch nicht getrunken hatte, prostete ihr mit seinem Wasserglas zu und stellte Madeleine denen vor, die sie noch nicht kannten. Sie schenkte ihm einen dankbaren Blick und deutete ein Augenzwinkern an, das Bruno schmeichelte. Dann kehrte sie ihm den Rücken, plapperte munter auf ihren Schwiegervater ein und rückte die Weinflasche diskret von ihm weg.

Gilles fand einen noch unbenutzten Teller und Besteck auf dem Nachbartisch und servierte ihr ein Stück Pâté. Plötzlich brach Jubel aus, als Stéphane und der Baron die Scheune betraten. Sie trugen ein aus den Angeln gehobenes Türblatt zwischen sich, auf dem rund ein Dutzend Teller verteilt waren, alle belegt mit dicken Fleischscheiben. Ihnen folgte Dougal mit einer Schubkarre voller gebackener Kartoffeln.

28

Am nächsten Morgen auf der Fahrt von Saint-Denis nach Brive, wo sie Chantal abholen wollten, fragte Bruno den Brigadier, ob er den Patriarchen schon einmal so über die Russen habe reden hören. Ja, kam die Antwort, aber nur, wenn der alte Herr mehr getrunken habe, als ihm guttue. Immerhin treffe seine Bemerkung über de Gaulle zu, fuhr der Brigadier fort. Er habe den amerikanischen und britischen Verbündeten immer misstraut, Frankreich aus der Militärorganisation der NATO herausgehalten und seine eigene Entspannungspolitik mit den Russen verfolgt.

»Sie müssen bedenken, de Gaulle wuchs vor 1914 auf, zu einer Zeit, als Frankreich und Russland enge Verbündete und die Deutschen ein gemeinsamer Feind waren«, erklärte der Brigadier. De Gaulle hatte als Leutnant die Militärschule Saint-Cyr verlassen und war wenig später in den Krieg gezogen. Schon im ersten Gefecht wurde er verwundet und kehrte nach seiner Genesung 1915 an die Front zurück, um abermals verwundet zu werden. Im darauffolgenden Jahr wurde er in Verdun von einem Bajonett aufgespießt, verlor bei einem Giftgasangriff das Bewusstsein und geriet in Kriegsgefangenschaft. Fünfmal versuchte er zu fliehen. In einem Brief schrieb er, dass vom Kämpfen abgehalten zu werden sich anfühle, als würden einem Hörner aufgesetzt.

1940 marschierten die Deutschen wieder ins Land ein, doch diesmal besiegten sie die französische Armee, besetzten Paris und zwangen Frankreich ihren Frieden auf. Als Frankreich schließlich von britischen und amerikanischen Truppen befreit wurde, erinnerte de Gaulle immer wieder daran, dass die Russen die Hauptlast des Krieges getragen und die meisten Opfer gebracht hatten.

»De Gaulle traute den Angelsachsen nicht über den Weg und glaubte, dass Russland die beste Garantie gegen eine weitere Invasion der Deutschen sei«, fuhr der Brigadier fort. »Genauso empfindet auch der Patriarch. Nicht zuletzt deshalb waren die beiden eng miteinander befreundet. Für de Gaulle verkörperten Marco und sein Normandie-Njemen-Geschwader die französisch-russische Allianz. Dieses Denken, das 1914 und 1940 geprägt wurde, hat er nie abgelegt. Und ebenso wird Marco seine Kriegskameraden an der Ostfront nie vergessen.«

»Was wollen Sie mir damit sagen?«, fragte Bruno und fürchtete, der Held seiner Jugend könnte am Ende doch nicht der legendäre Patriot sein. »Dass er den Russen damals zu nahe stand? Dass er womöglich für sie gearbeitet hat?«

»Nein, das halte ich für ausgeschlossen, und es deutet auch nichts darauf hin. Glauben Sie mir, diese Möglichkeit wurde durchaus schon in Betracht gezogen«, antwortete der Brigadier, als sie auf den Parkplatz am Bahnhof von Brive abbogen. Es habe umfassende Ermittlungen gegeben, als die Russen mit einem Überschallflugzeug auf den Markt kamen, das der anglofranzösischen Concorde verblüffend ähnlich sah. Marco sei vollständig entlastet worden. Aus seiner Vorliebe für die Russen habe er ohnehin keinen Hehl gemacht, und er sei nie in der Lage gewesen, politisch weitreichende Entscheidungen zu treffen. Am Ende seiner Tage habe de Gaulle als Realist der Tatsache Rechnung getragen, dass Frankreich zum Westen gehörte. Ungeachtet seines Faibles für Russland und seines Argwohns den Deutschen gegenüber habe sich de Gaulle für ein Bündnis mit Adenauer starkgemacht und der weiteren Annäherung Frankreichs an Europa zugestimmt.

Bruno dirigierte den Brigadier von Brive über Argentat und Aurillac auf dem kürzesten Weg zur Kanzlei des Notars. Trotzdem waren sie gut zwei Stunden unterwegs. Chantal und ihr Bruder Raoul teilten sich den Beifahrersitz, während Bruno auf der Rückbank sein Bein ausstreckte. Er hatte nicht damit gerechnet, dass die junge Frau ihren Bruder mitbringen würde, und sie war von der Anwesenheit des Brigadiers überrascht. Bruno hatte ihn bei der Begrüßung am Bahnhof als Freund vorgestellt, der sich bereit erklärt habe, ihn zu fahren, weil er sich seines verletzten Beines wegen nicht selbst ans Steuer setzen könne.

»Raoul und ich haben keine Geheimnisse voreinander«, hatte Chantal erklärt, während sich der Halbbruder schützend hinter sie stellte. Bruno zuckte mit den Achseln und merkte freundlich an, dass er die beiden Tennis habe spielen sehen und beeindruckt gewesen sei. Er versuchte, Konversation zu machen, bekam aber keine Antwort. Raoul schaute sich misstrauisch auf dem Bahnhofsvorplatz um, bis Chantal ihn bei der Hand nahm und Bruno und dem Brigadier zum Parkplatz folgte.

Während der Fahrt wurde kaum gesprochen. Die Hügellandschaft, aus der Ferne betrachtet täuschend sanft gewellt, wurde immer schroffer, je näher sie ihr kamen. Schließlich türmte sich das Zentralmassiv aus erloschenen Vulkanen vor ihnen auf, auf denen nunmehr im Winter Ski gefahren wurde. Als der Gipfel des Puy Mary in Sicht kam, bemerkte Chantal, offenbar beeindruckt von der prächtigen Szenerie, dass sie diesen Teil Frankreichs nie zuvor gesehen habe. Raoul sagte, er sei auf einer Klassenfahrt schon einmal hier gewesen und erinnere sich an den Cantal-Käse und die imposanten Eisenbahnviadukte.

Bei Ségur-les-Villas bogen sie von der Hauptstraße ab und fuhren auf die kleine Ortschaft zu, in der der Notar wohnte. Sie kamen an Bauernhöfen mit grauen Mauern und dunkelgrauen Schieferdächern vorbei, die mit den Wolken, die über die Hügel heranzogen, zu verschmelzen schienen. Das Dorf des Notars bestand aus einer kleinen, klobigen Kirche und zwei Gebäuden, die sich hufeisenförmig um einen kleinen offenen Platz gruppierten. Das eine war ein Privathaus, von der Kirche nur durch einen schmalen Friedhof getrennt. Das andere Gebäude hatte einen einzigen Eingang, rechts und links davon jeweils ein Messingschild. Auf dem einen stand Mairie, auf dem anderen *office de notaire*. Hinter den Gebäuden standen ein paar Scheunen und ein leerer Melkschuppen. Am hintersten Ende einer fernen Weidefläche lagen ein paar Kühe im Gras.

Nun ging die Tür zum Bürgermeisteramt auf, und ein großer, dünner Mann trat heraus. Er war an die sechzig, hatte schüttere weiße Haare und trug einen dunklen Anzug mit weißem Hemd und einer sehr breiten Krawatte, wie sie vielleicht in seiner Jugend Mode gewesen war. In der Hand hielt er eine altmodische Tabakspfeife mit gebogenem Stiel.

»Willkommen.« Amédée Rouard kam ihnen entgegen, gab Bruno die Hand und fragte, was er mit seinem Bein angestellt habe. Bruno berichtete kurz und stellte seine Begleitung vor. Raoul und der Brigadier wurden gebeten, in der Mairie zu warten – ein großer Name für das, was nur aus einem Raum, einem Schreibtisch und zwei Holzstühlen bestand. Die Kanzlei des Notars war sehr viel größer und komfortabler eingerichtet mit hohen Regalen voller Bücher und Akten, einem Schreibtisch aus massivem Holz und einem dazu passenden Tisch, um den sich sechs Stühle mit Lederlehnen gruppierten. Der Notar trat ans Kopfende, forderte Chantal und Bruno mit einer Handbewegung auf, sich zu setzen, und bat Chantal um ihren Personalausweis. Sie händigte ihn aus, woraufhin sich der Notar setzte und einen Karton aus schwarzer Pappe öffnete, der vor ihm auf dem Tisch stand und mit »Clamartin, Gilbert« gekennzeichnet war. Auf seine Bitte hin schenkte Bruno aus einer bereitstehenden Kanne allen Kaffee ein.

»Ich möchte Ihnen nachträglich mein herzliches Beileid aussprechen«, sagte der Notar und begann dann, Gilberts Letzten Willen vorzulesen. Sein Besitz und Vermögen sollten fast in Gänze an Chantal übergehen. Davon ausgenommen war zum einen ein Ölgemälde, das als Aktbildnis einer jungen Frau bezeichnet wurde und an Jewgeni, der es geschaffen habe, zurückzugeben sei. Der Notar hatte Jewgeni bereits telefonisch unterrichtet und ihm eine Besitzurkunde mit einer vorläufigen Wertschätzung für Steuerzwecke zukommen lassen. Die zweite Ausnahme bestand in einem Briefumschlag, der ungeöffnet Nicole Larignac übergeben werden sollte. Auch mit ihr hatte sich der Notar bereits in

Verbindung gesetzt. Bei der dritten Ausnahme handelte es sich ebenfalls um einen Umschlag, der versiegelt und mit der Aufschrift »z. Hdn. eines Gesetzesvertreters im Falle meines Todes« versehen war.

»Ich glaube, dass Sie, Chef de police Courrèges, der richtige Adressat sind. Wenn Sie hier bitte unterschreiben würden und damit bestätigen, dass Sie den Umschlag unge-öffnet erhalten haben …«

Der Notar wandte sich nun wieder Chantal zu und informierte sie darüber, dass er einen Grundstücksmakler beauftragt hatte, Gilberts Haus und Besitz zu taxieren. Der Schätzwert belaufe sich derzeit auf 180 000 Euro. Der Makler habe sich anerboten, für sie einen Käufer für das Haus zu suchen, wenn sie es verkaufen wolle, sagte der Notar, der anschließend auf den Treuhandfonds in Vaduz zu sprechen kam, der, wie er vorab verriet, über 600 000 Euro enthielt.

Bruno stockte der Atem. Er rechnete damit, dass der Notar nun einen Brief Gilberts verlesen würde, in dem dieser sich zu seiner Vaterschaft bekannte. Doch eine solche persönliche Notiz gab es offenbar nicht. Stattdessen erklärte der Notar weitere finanzielle Details.

»Die Bank in Vaduz hat mich auf ein zweites Konto des Erblassers hingewiesen, auf das Ihr Patenonkel, als er mir seinen Letzten Willen diktiert hat, nicht explizit zu sprechen gekommen ist. Es weist fast dreimal so viel aus und geht ebenfalls auf Sie über. Nach Abzug aller Gebühren und Steuern erben Sie, Mademoiselle, etwas über zwei Millionen Euro.«

Chantal starrte den Notar fassungslos an. Bruno schenkte ihr eine zweite Tasse Kaffee ein, an der sie dankbar nippte.

Der Notar überreichte ihr einen großen, unversiegelten Umschlag und ließ sie eine Empfangsquittung unterschreiben. Außerdem bat er sie um die Daten ihrer Bankverbindung, um ihr, wie er sagte, das Geld überweisen zu können, sobald alle Formalitäten erledigt seien. Chantal holte ein Scheckheft aus ihrer Handtasche, trennte ein Blatt, auf dem die gewünschten Daten eingetragen waren, heraus und legte es vor ihm auf den Tisch.

»Übrigens, ich will nicht verschweigen, dass Ihr Patenonkel ein alter Freund von mir war. Wir kannten uns seit unserer Kindheit, und ich werde ihn sehr vermissen. Meine Frau und ich haben statt einer Trauerfeier in seinem Gedenken ein kleines Mittagessen vorbereitet, zu dem Sie herzlich eingeladen sind. Sie werden nach der langen Fahrt von Brive hierher bestimmt Hunger haben, und wir würden uns freuen, wenn Sie mit uns auf Gilbert anstoßen würden.«

Chantal stammelte ein *Merci beaucoup* und bat, als sich alle von ihren Plätzen erhoben, darum, kurz verschwinden zu dürfen. Als sie vom Badezimmer zurückkehrte, sah sie ruhig und gefasst aus und roch nach Toilettenseife. An ihren Haaren und auf der Schulter bemerkte Bruno Wassertropfen. Zusammen mit Raoul und dem Brigadier, die brav in der Mairie auf sie gewartet hatten, überquerten sie den Platz in Richtung auf das gegenüberliegende Haus, wo ihnen eine hagere Frau, die wie das weibliche Gegenstück zum Notar aussah, die Tür öffnete und sich als dessen Schwester vorstellte. Sie führte den Besuch in ein Wohnzimmer, das anscheinend nur selten benutzt wurde. Auf die uralten Polstersessel mit ihren verschossenen Bezügen hatte sich, wie Bruno vermutete, wohl seit Menschengedenken niemand mehr gesetzt. Er versuchte sich an den Namen der kleinen quadratischen Deckchen zu erinnern, die über den Lehnen hingen. Er hatte sie seit Jahren nicht gesehen.

Vor einer Wand stand ein Servierwagen mit zwei Etagen. Auf der unteren verteilten sich Pâtés, Aufschnitt, Käse, Brötchen und ein Haselnuss-Mohn-Kuchen, auf der oberen Teller, Besteck, Gläser und zwei Flaschen, ein Wein, der wie ein dunkler Rosé aussah, und ein Gentiane, ein gelblicher Aperitif aus den Wurzeln des Enzians, der in dieser Gegend wuchs.

Eine kleine, dralle Frau etwas jüngeren Alters kam mit einer Kaffeekanne und Servietten ins Zimmer. Es war die Frau des Notars. Sie sprach in einem so ausgeprägten Auvergner Dialekt, dass Bruno Schwierigkeiten hatte, sie zu verstehen, als sie fragte, was ihm lieber sei, Pâté oder Schinken. Rouard blieb stehen, drängte aber die Gäste, Platz zu nehmen, und ließ seine Schwester Teller und Gläser austeilen. Neben jedem Sessel stand ein kleiner, niedriger Tisch mit Spitzendeckchen. Bruno und der Brigadier ließen sich ein Glas Gentiane einschenken, Raoul und seine Schwester wählten den Wein. Die Augen des jungen Mannes weiteten sich, als er einen ersten Schluck nahm und die Lippen spitzte.

Die Unterhaltung wirkte leicht gezwungen, bis der Notar auf Gilberts Kindheit zu sprechen kam. Der Raum, in dem er nun seine Kanzlei habe, sei früher ein Klassenzimmer gewesen, sagte der Notar. Er habe jeden Tag von zu Hause aus drei Kilometer hin und drei zurück gehen müssen. Gilbert habe vom Hof seiner Familie einen noch weiteren Schulweg gehabt. Die Straßen seien unbefestigt gewesen und erst in den 1960er-Jahren geteert worden. Von den Bauern der

Umgebung hätten die ältesten Söhne die Höfe ihrer Eltern übernommen, manche Töchter die Söhne anderer Bauern geheiratet, und alle anderen jungen Leute seien nach Paris gegangen, wo die Auvergnats bekannt dafür waren, dass sie die meisten Bistros der Stadt führten.

»Es gab dort so viele von uns, dass sie ihre eigene Zeitung hatten, *L'Auvergnat de Paris*«, sagte die Schwester. »Die - haben wir auch hier bezogen.«

Sie aßen, stießen auf Gilbert an, dann bedankte sich die Gruppe um Bruno für die Gastfreundschaft und verabschiedete sich. Bruno streckte sich wieder auf der Rückbank aus, während erneut Raoul und Chantal mit dem Beifahrersitz vorliebnahmen. Er faltete die Straßenkarte auseinander und führte den Brigadier über eine andere Route zurück. Er wollte bei Bort-les-Orgues den Oberlauf der Dordogne überqueren, auf den Landstraßen über Margerides nach Saint-Angel fahren und ab dort die Autobahn nehmen. Der Zeitgewinn, den er sich davon versprach, blieb aus. Aber immerhin wurde jetzt geredet. Raoul brannte darauf, alle Einzelheiten des Testaments zu hören, doch Chantal schien darauf nicht eingehen zu wollen und machte sich stattdessen liebevoll über das altmodische Wohnzimmer des Notars lustig und über den sauren Wein, der ihnen angeboten worden war.

»Sie hätten mal den Gentiane probieren sollen«, sagte der Brigadier. »Die meisten finden ihn bitter, aber ich würde sagen, er ist süßsauer, jedenfalls sehr gesund. In Paris betreibt man fast einen Kult darum. Meine Großmutter empfahl ihn bei Verdauungsstörungen.«

Unter der Straßenkarte, die auf seinem Schoß lag, öffnete Bruno heimlich den Umschlag, den ihm der Notar gegeben hatte, und fand darin einen Zettel sowie einen weiteren verschlossenen Umschlag. Auf dem Zettel stand lediglich geschrieben, dass der Brief »nach meinem Tod« einem Gesetzesvertreter auszuhändigen sei, der ihn an die zuständige Behörde weiterleiten möge. Auf einen Tag vor gut drei Jahren datiert, war der Text mit Gilbert Clamartin samt abgekürztem Militärrang unterschrieben.

Bruno fragte sich, ob Gilbert einverstanden gewesen wäre, wenn er den Brief las, bevor er ihn weiterleitete. Der Brigadier, als leitender Beamter im Innenministerium, wäre bestimmt der richtige Adressat. Doch Bruno kannte ihn und ahnte, dass er selbst, wenn er ihm den Brief ungelesen überreichte, nie erfahren würde, was Gilbert geschrieben hatte. Und er war neugierig. Also öffnete er den zweiten Umschlag.

Im Juli 1989 teilte mir der Pförtner der französischen Botschaft in Moskau mit, dass ein Russe gekommen sei, um mit mir, dem Militärattaché, zu sprechen. Ich ließ ihn zu mir kommen. Es war ein junger Mann Mitte zwanzig, ordentlich gekleidet mit Jackett und Krawatte. Er sprach ein gebildetes Russisch mit sibirischem Akzent und bat um ein Gespräch unter vier Augen. Ich führte ihn in ein Nebenzimmer, in dem wir ungestört waren. Er zeigte mir seinen Personalausweis. Sein Name war Dmitri Iwanowitsch Gromow, geboren am 20. Oktober 1961 in Nowosibirsk, der Hauptstadt Sibiriens und drittgrößten Stadt Russlands. Er sagte, er wolle mir und Frankreich die

Wahrheit über den berühmten französischen Piloten und Helden der Sowjetunion, Jean-Marc Desaix, verraten. Er habe sie von seinem Vater erfahren, der Flugzeugmechaniker gewesen sei und dem Normandie-Njemen-Geschwader angehört habe. Er reichte mir einen Brief auf Russisch, der, wie er sagte, alles erkläre. Ich bat ihn, mir den Sachverhalt mit eigenen Worten vorzutragen.

Sein Vater Iwan Tomasowitsch Gromow war 1922 in Leningrad zur Welt gekommen, hatte dort eine Technische Hochschule besucht und wurde, als er seinen Militärdienst aufnahm, zum Flugzeugmechaniker ausgebildet. Nach seiner Grundausbildung wurde er Ende 1942 der 18. Garde-Luftlandedivision unterstellt. Im April 1944 wechselte er zur Normandie-Njemen-Escadrille, die bei Borowskoje in der Nähe von Smolensk stationiert war, wo er die neuen, mit panzerbrechenden 37-mm-Geschützen ausgerüsteten Jäger vom Typ Jak-9T zu warten hatte. Kurze Zeit später sollte die große Offensive der Roten Armee zur Befreiung Weißrusslands beginnen.

Ursprünglich nur eine Staffel von etwa einem Dutzend Piloten und in der Mehrzahl französischen Mechanikern, war das Normandie-Njemen-Geschwader auf vier Staffeln erweitert worden, in denen nun auch sehr viel mehr sowjetische Mechaniker und anderes Personal dienten, nicht zuletzt Frauen. Iwan Tomasowitsch bandelte im Frühjahr mit einer sehr hübschen Fallschirmpackerin namens Oksana an. Nachdem aber die Rote Armee Witebsk eingenommen und mit ihrem Vorstoß die Deutschen um zweihundert Kilometer zurückgedrängt hatte, wurde Iwan auf ein weiter westlich gelegenes Flugfeld versetzt. Oksana blieb auf dem Hauptstützpunkt von Normandie-Njemen, der nach Mikountani in der Nähe des damals polnischen Vilnius vorverlegt wurde. Zu dieser Zeit machte sich Leutnant Desaix an Oksana heran, die ihrem Iwan Treue geschworen hatte.

Bei seiner Rückkehr auf den neuen Stützpunkt Mikountani musste sich Iwan von Leutnant Desaix sagen lassen, dass er sich gefälligst von Oksana fernzuhalten habe, wenn er wisse, was gut für ihn sei. Diese Warnung wurde ausgesprochen an einem beliebten Erholungsort, der in der Nähe des Stützpunktes lag und Franzosenhügel genannt wurde, ein Massengrab, in dem fast zweihundert Gardisten Napoleons 1812 während des Rückzugs aus Moskau verscharrt worden waren. Iwan wünschte ihn zum Kuckuck. Am nächsten Tag wurde er vom Kommandanten seiner Einheit, Major Wdowin, festgenommen und wegen angeblicher übler Nachrede zum Nachteil Stalins den Sicherheitskräften des Volkskommissariats überstellt. Er wurde zu fünfundzwanzig Jahren Haft verurteilt. In dem Eilverfahren gegen ihn hieß es, dass sein Ankläger, Leutnant Marco Desaix, ein »loyaler Verbündeter« sei, der sich bereits mit dem Abschuss feindlicher Jäger für die Sowjetunion verdient gemacht habe und mit dem Rotbannerorden ausgezeichnet worden sei.

Iwan wurde in ein Arbeitslager im fernen Magadan

*an der sibirischen Ostküste abkommandiert, wo
er Holzfällerdienste verrichten musste. Als Nikita
Chruschtschow 1956 den Gulag schließen ließ, wurde
Iwan auf freien Fuß gesetzt unter der Auflage, dass er
sich in Sibirien niederließ und nicht in seine Heimat-
stadt Leningrad zurückkehrte. Er fand eine An-
stellung bei den Flugzeugwerken von Nowosibirsk,
heiratete und bekam einen Sohn, Dmitri. Dmitri
sagte, er habe die neugewonnenen Freiheiten in
Russland dazu genutzt, nach Moskau zu fahren,
um seinen Vater zu rehabilitieren, Marco Desaix als
»stukaltsch«, als Denunziant, anzuzeigen und die
französischen Behörden aufzufordern, Desaix zur
Rechenschaft zu ziehen.*

*Ich habe mir die Kontaktdaten des jungen Mannes
geben lassen und versprochen, mir über das weitere
Vorgehen Gedanken zu machen und mich bei ihm
zu melden. Dann las ich seinen schriftlichen Bericht, der im Wesentlichen das enthielt, was er mir
bereits gesagt hatte, und nahm mir vor, Daten und
Ortsnamen zu überprüfen. Es war in der folgenden
Woche, dass General Desaix zu einem seiner regelmäßigen Besuche in Moskau erwartet wurde.*

*Als enger Freund seines Sohnes Victor kannte ich
den General gut. Ich lud ihn zu einem Spaziergang
im Gorki-Park ein und unterrichtete ihn über den
sonderbaren Vorwurf Dmitris. Der General gestand,
dass er wie die meisten anderen französischen Piloten
romantische Beziehungen zu russischen Soldatinnen
auf den verschiedenen Stützpunkten unterhalten habe,*

und zwar unter Duldung von Kapitan Kunin, ihrem Verbindungsoffizier beim Volkskommissariat. An den berichteten Zwischenfall mit einem jungen russischen Mechaniker konnte er sich nicht erinnern, wohl aber an eine junge Frau namens Oksana, die von ihm schwanger geworden war und seinen russischen Sohn Jewgeni zur Welt brachte. Er hat sie nicht geheiratet, konnte aber mit der Hilfe von Kapitan Kunin dafür sorgen, dass sie nach Moskau zurückkehren durfte. Er unterstützt sie und den Sohn seitdem finanziell.

Der General wollte von mir wissen, was ich in dieser Angelegenheit zu tun gedachte. Ich sagte, ich würde Dmitris Bericht falsch abheften und Paris einen Erpressungsversuch melden, den ich abzuwenden gewusst hätte. Er bedankte sich und kam nie wieder auf die Sache zu sprechen. Jewgeni, der russische Sohn des Generals, kam am 2. Mai 1945 zur Welt. Er wurde demnach Ende Juli oder Anfang August des Vorjahres gezeugt, also zu einer Zeit, als Iwan Tomasowitsch fern vom Rest seiner Einheit auf einem vorgezogenen Flugfeld seinen Dienst verrichtete.

Nach etwa einem Monat erhielt ich Post, einen Umschlag, auf dem als Adresse nur das Wort Militärattaché geschrieben stand. Er enthielt die Kopie eines Artikels aus einer Nowosibirsker Zeitung, der vom Tod eines gewissen Dmitri Gromow berichtete, der bei einem Verkehrsunfall mit Fahrerflucht ums Leben gekommen war. Über dem Text stand in roter Tinte das russische Wort »ubiza«, Mörder. Ich fühle mich seit vielen Jahren schuldig.

Marco Desaix ist ein berühmter Kriegsheld und ein
großer Franzose. Wir sind befreundet. Aber er ist
auch ein alter Mann, und ich stelle mir vor, dass wir
beide tot sind, wenn dieser Brief gelesen wird. Ich
bin mir im Klaren darüber, dass dieser Bericht nur
auf Hörensagen beruht und dass Desinformation zur
Routine des sowjetischen Geheimdienstes gehörte.
Vielleicht hat sich der KGB *das alles nur ausgedacht,*
um uns zu verwirren. In dem Fall aber wäre es wahr-
scheinlich nicht bloß bei dieser einen Anschuldigung
geblieben. Außerdem glaube ich, dass der KGB *selbst*
diese Affäre lieber totgeschwiegen hätte. Ich gebe
dies zu Protokoll, weil ich der Meinung bin, dass
wir eine Pflicht gegenüber der Geschichte haben.
Ich habe Dmitris Aussage falsch abgelegt, und zwar
zu Tagungsberichten des Vereins der Französisch-
Sowjetischen Freundschaft aus den Jahren 1981–88.
Sie ist, genauer gesagt, an den Bericht für Januar 1985
geheftet, als das Treffen stattfand, bei dem Marco zum
Präsidenten des Vereins gewählt wurde. All das lagert
jetzt in irgendeinem Archiv in Paris.

So viel zum Helden meiner Jugend, dachte Bruno und
schaute noch einmal in den Umschlag. Doch da waren
keine russisch beschriebenen Seiten, geschweige denn ein
Zeitungsausschnitt mit anklagender Aufschrift. Er hatte
nur Gilberts Brief und seine Wiedergabe der Behauptungen
eines inzwischen toten Mannes enthalten.

29

Nachdem sie Chantal und ihren Bruder am Bahnhof in Périgueux abgesetzt hatten, vereinbarte der Brigadier telefonisch ein Treffen mit Prunier und Jean-Jacques im Polizeikommissariat in der Rue du 4 Septembre. Daraufhin klappte er sein Handy zu und sagte: »Lassen Sie mal sehen, was Sie da soeben gelesen haben. Ich vermute, es handelt sich um eine Art Testament des verstorbenen Clamartin.« Ohne eine Bemerkung über Brunos Entscheidung, den Brief zu öffnen, streckte er die Hand aus, nahm ihn entgegen und las, das erste Mal rasch und flüchtig, das zweite Mal sorgfältiger.

»Immerhin haben wir jetzt eine Erklärung für Gilberts Geld. Es könnte demnach sein, dass er für sein Schweigen bezahlt wurde«, sagte der Brigadier schließlich. »Was halten Sie davon, Bruno?«

»Wenn die Geschichte wahr ist, würde der Patriarch womöglich in Ungnade fallen, falls herauskäme, dass er ein Informant des Volkskommissariats gewesen ist, und das war zur Zeit des Krieges, wenn ich richtig informiert bin, eine Art KGB.«

»Ja. Das Volkskommissariat, kurz NKWD, war für innere Angelegenheiten zuständig, nicht zuletzt für die Staatssicherheit, um die sich später der KGB kümmerte. Fahren Sie fort. Welche Folgen hätte eine Offenlegung Ihrer Meinung nach?«

»Tja, wie würde der Patriarch wohl damit umgehen, wenn die französische Presse berichtete, dass er wegen einer Frau einen Mann in den Gulag geschickt hat? Außerdem wäre da der Verdacht, dass er den KGB auf diesen Dmitri angesetzt hat, nachdem Gilbert ihm von dessen Besuch berichtet hatte. Damit hätte er sich der Beihilfe zum Mord schuldig gemacht.«

»Das hieße, der KGB hätte all die Jahre etwas gegen ihn in der Hand gehabt.«

»Ja, aber so einfach kann es doch nicht sein, oder?«, fragte Bruno. »Es müssten doch noch andere von der Sache gewusst haben, insbesondere Oksana, Jewgenis Mutter. Hat sie nie ihrem Sohn davon erzählt? Und was ist mit Dmitris Mutter? Hat sie womöglich Gilbert den Zeitungsausschnitt mit der Mordanklage geschickt?«

Der Brigadier zuckte mit den Achseln und steckte Gilberts Brief ein. Als Bruno fragte, was er damit vorhabe, warf der Brigadier ihm einen barschen Blick zu. »Was würden Sie tun, Bruno?«

»An Ihrer Stelle? Die Entscheidung liegt bei Ihnen. Darum beneide ich Sie nicht. Er ist ein alter Mann. Seine Tat ist verjährt, und die Sowjetunion existiert nicht mehr. Den Verdacht der Spionage könnten nur weitere Details erhärten. Ganz Frankreich hält ihn für einen Patrioten, und man kann sich kaum vorstellen, dass er französische Interessen verraten hätte.«

»Spionage passt irgendwie auch nicht zu ihm«, erwiderte der Brigadier. »Ich vermute, er hatte eine sehr viel subtilere und wichtigere Aufgabe als Agent von Einfluss und als wohlwollender Vermittler zwischen Paris und dem Kreml. Aber kein Wort davon zu Prunier oder Jean-Jacques, wenn ich bitten darf!«

Im Kommissariat wurden sie in Pruniers geräumiges Büro geführt. An einer Wand hingen Fotos von Prunier in diversen Polizeieinheiten, an einer anderen Fotos von ihm in verschiedenen Rugbymannschaften. Jean-Jacques saß am Konferenztisch, auf dem Kaffee und Mineralwasser standen. Daneben lagen ein Laptop und mehrere Aktenordner. Aus einem quollen Ausdrucke von Telefonverbindungsnachweisen hervor. Bruno setzte sich ans Kopfende des Tisches, um sein Bein ausstrecken zu können, und lehnte seinen Stock an die Armlehne des Stuhls.

»Das Ergebnis des DNA-Tests ist mir soeben mitgeteilt worden«, sagte Jean-Jacques. Sein Hemd und seine Hose waren wie immer zerknittert, der Schlips hing schief. Er schien zufrieden mit sich und war wie Prunier aufgestanden, um die Neuankömmlinge mit Handschlag zu begrüßen. »Gilbert war Chantals biologischer Vater. Sie ist also nicht die Enkelin des Patriarchen.«

»Und von ihrem verstorbenen Vater hat sie heute rund zwei Millionen Euro geerbt«, sagte der Brigadier. Er zog einen eigenen, besonders abgesicherten Laptop aus seiner Tasche, legte ihn mit einem beiläufigen *»Vous permettez?«* auf Pruniers Schreibtisch und schaltete ihn ein. Prunier nickte zum Einverständnis und machte ihm sogar seinen Drehsessel frei. Er war, wie Bruno anerkennend bemerkte, offenbar kein Mann, der viel Aufhebens um protokollarische Regeln machte. Er kannte manche hochrangige *flics,* die in dieser Hinsicht ganz anders waren.

»Zwei Millionen Euro? Glückliches Mädchen!«, staunte Jean-Jacques. Er wandte sich an Bruno. »Dieser Kerl, den Sie ins Krankenhaus geschickt haben, Fabrice ... Wir haben eine Spur, die ihn mit dem Anschlag auf Rollos Garten in Verbindung bringt. Der Procureur wird Anklage gegen ihn erheben und wahrscheinlich Bernard Ardouin als *juge d'instruction* einsetzen, denn Bernard bearbeitet auch Ihren Fall. Er möchte Sie sprechen.«

»Welchen Juge hat der Procureur für die Untersuchung der Todesumstände im Fall Gilbert vorgesehen?«, wollte Bruno wissen. Die Qualität der ermittelnden Magistrate war sehr unterschiedlich. Polizisten hatten sie genau im Blick, ihre Leistungen, ihren Arbeitsstil und ihre politischen Neigungen. Manche waren gute Ermittler, aber bei den Mitarbeitern schlecht gelitten. Andere, meist die politisch ambitionierteren, drängten sich gern in den Vordergrund und waren scharf darauf, Schlagzeilen zu machen. Die besten *flics* wollten natürlich mit den besten Magistraten zusammenarbeiten und mit den interessantesten Fällen betraut werden. Weniger beliebten Magistraten blieben entsprechend nur schlechtere oder faulere *flics*. Bernard Ardouin stand hoch im Kurs. Bruno hatte schon mit ihm gearbeitet.

»Mit der Sache beschäftigt der Procureur sich höchstpersönlich«, antwortete Prunier mit einem mitfühlenden Blick auf Bruno, der sichtlich skeptisch reagierte. Diese Entscheidung mochte einerseits bedeuten, dass dem Fall höchste Priorität eingeräumt wurde und dass Kosten keine Rolle spielten, andererseits war zu befürchten, dass der Procureur, der ohnehin überlastet war, nur wenig Zeit dafür hatte.

»Keine Sorge, Bruno, er hat mich gebeten, ebenfalls ein

Auge auf die Ermittlungen zu haben, und ich habe bereits Jean-Jacques darauf angesetzt«, fuhr Prunier fort. »Wir haben heute Kollegen zu den Luftwaffenstützpunkten von Mont-de-Marsan und Mérignac geschickt, und die haben ein Foto von Gilbert unter denen rundgehen lassen, die auf der Geburtstagsfeier des Patriarchen gekellnert haben. Einer erinnerte sich, von Gilbert um ein Glas Orangensaft gebeten worden zu sein. Er konnte uns auch den Namen des Mannes nennen, der den Orangensaft ausgeschenkt hat. Von ihm haben wir erfahren, dass mehrere Leute Orangensaft getrunken haben und dass er ungefähr ein halbes Dutzend Gläser aus einem Krug gefüllt hat.«

»Aber sonst ist niemand zusammengebrochen, nur Gilbert«, sagte Bruno, irritiert von den neuen Informationen.

»Ja, die K.-o.-Tropfen müssen also nachträglich in Gilberts Glas gelangt sein. Wir haben deshalb Inspektor Jofflin in Bergerac beauftragt, alle uns bekannten Gäste der Geburtstagsparty zu kontaktieren und festzustellen, wer von ihnen Handyfotos gemacht hat – mit dem Ergebnis, dass uns nun Hunderte von Fotos vorliegen. Hier sind ein paar der besten und schärfsten.«

Per Knopfdruck rief er Dutzende daumennagelgroßer Fotos auf dem Bildschirm seines Laptops auf. Mit einem Doppelklick öffnete er eins davon – ein Selfie von Pamela und Crimson, die Arm in Arm beieinanderstanden und sich angrinsten. Hinter ihnen war deutlich Gilberts Gesicht zu erkennen; er sprach mit jemandem jenseits des Bildausschnitts. Links stand zurückgesetzt eine Person, offenbar eine Frau, von der nur ein braungebrannter Arm mit silbernem Kettchen und ein paar lange blonde Haare zu sehen waren. Sie hielt einen kleinen Kübel mit einer silbernen Zange und Eiswürfeln in der Hand.

»Eiswürfel«, murmelte Bruno wie zu sich selbst. Daran hatte er noch gar nicht gedacht. Prunier klickte auf das nächste Foto, wieder ein Selfie von Pamela, auf dem Crimson, einen Drink in der Hand, die Augen geschlossen hatte und nur unscharf zu sehen war. Umso deutlicher zu erkennen war Gilbert hinter ihm. Er lächelte jemanden an, der neben Pamela und Crimson stand, schien völlig nüchtern zu sein, war tadellos gekleidet und hatte ein Glas Orangensaft in der Hand.

»Er scheint die Frau mit den Eiswürfeln anzulächeln«, sagte Prunier. »Beide Fotos wurden kurz hintereinander gemacht. Auf manchen dieser Handyfotos sind Datum und Uhrzeit vermerkt.

Hier ist sie wieder.« Prunier hatte ein weiteres Foto angeklickt. »Diesmal ohne Eiswürfel. Aber dieselbe Kette, dasselbe Haar.«

Das Foto war von einem anderen Handy aufgenommen worden, ein Schnappschuss vom Patriarchen, der, eine Hand auf die steinerne Balustrade gelegt, die Treppe vom Balkon hinunterkam. Er lächelte einer Frau in einem gelben Kleid zu, die der Kamera den Rücken zugewandt hatte. Bruno erinnerte sich mit Schrecken, dass Chantal Gelb getragen hatte. Ein anderes Foto, das Prunier vergrößerte, zeigte dieselbe Frau, den Kübel in der einen, die silberne Zange in der anderen Hand. Sie sprach mit Madeleine. Das Gesicht verschwand hinter den Haaren, doch Bruno hatte jetzt keinen Zweifel mehr an ihrer Identität.

Das nächste Foto war wieder ein Selfie von zwei Personen, die Bruno nicht kannte. Auf dem Balkon hinter ihnen fuhr die Komtesse in ihrem Rollstuhl durchs Bild, angeschoben von ihm, Bruno, der den beiden jungen Frauen zulächelte. Marie-Françoise in Hellblau, Chantal in Gelb.

»Das Mädchen mit dem Eiskübel ist Chantal«, sagte Bruno, »Gilberts, ich meine Colonel Clamartins, Tochter, wie wir jetzt wissen.«

»Wenn sie die Eiswürfel in sein Glas gegeben hat, ist sie die Mörderin ihres eigenen Vaters«, sagte Jean-Jacques.

»Nur, wenn diese Würfel tatsächlich K.-o.-Tropfen enthielten und sie davon wusste. Und ich glaube, sie weiß noch gar nicht, dass Gilbert ihr Vater ist. Der Notar hat es ihr jedenfalls nicht gesagt«, fuhr Bruno fort. »Trotzdem, ich gratuliere, Sie haben ganze Arbeit geleistet. Wäre mir nicht eingefallen, die Handyfotos der Gäste zu sammeln. Aber eines, das zeigt, wie sie Eis in Gilberts Orangensaft gibt, haben Sie zufällig nicht, oder?«

»Noch nicht, aber wir sammeln noch, auch mit Hilfe unserer Kollegen in Paris, denn es sind einige Gäste von dort gekommen«, sagte Prunier. »Ich glaube aber, wir haben schon genug, um Chantal zu einer Vernehmung zu bitten. Wissen Sie, Bruno, wo sie sich zurzeit aufhält?«

»Sie sitzt mit ihrem Bruder im Zug nach Bordeaux. Wir waren heute zur Testamentseröffnung in der Auvergne.«

Mit einer für seine Körpermasse erstaunlichen Geschwindigkeit zog Jean-Jacques sein Handy aus der Tasche. »Können Sie mir sagen, wann der Zug in Bordeaux ankommt?«

»Wir sollten nichts überstürzen«, erwiderte Prunier. »Dass sie die Flucht ergreift, ist schließlich nicht zu befürchten, und ich würde gern zuerst alle verfügbaren Fotos sichten. Wir haben nicht einmal geklärt, woher sie die K.-o.-Tropfen hat. Außerdem würde ich gern Näheres von Ihnen hören über den Besuch beim Notar.«

Der Brigadier warf Bruno einen warnenden Blick zu, der allerdings nicht nötig war. Bruno hatte nicht die Absicht, Gilberts Brief zu erwähnen.

»Zu den K.-o.-Tropfen – Chantal studiert Weinbau und Önologie an der Uni, dazu gehört auch Chemie. Sie hat bestimmt Zutritt zu voll ausgestatteten Labors«, sagte Bruno. »Ich weiß nicht, wie einfach solche Tropfen zu beziehen oder herzustellen sind, auch nicht, ob sie sich einfrieren lassen. Dazu sollten wir einen Experten befragen. Mich würde zum Beispiel interessieren, wie sich diese Tropfen in einem langsam schmelzenden Eiswürfel dosieren lassen.«

»Richtig, das müssten wir klären«, sagte Prunier und wandte sich Jean-Jacques zu. »Könnten Sie es vielleicht einrichten, dass sich jemand in Bordeaux mit Chantals Chemieprofessor unterhält, ohne ihren Namen zu erwähnen? Und fragen Sie bitte im kriminaltechnischen Labor nach, was man dort von unserer Eiswürfeltheorie hält.« Er sah wieder Bruno an: »Fahren Sie fort. Sie wollten uns etwas über das Testament mitteilen.«

»Da gibt es zwei interessante Details«, erklärte Bruno. »Die Witwe eines seiner ehemaligen Mechaniker erhält einen versiegelten Umschlag, in dem sich wahrscheinlich Bargeld befindet. Es könnten allerdings auch Dokumente darin sein oder der Schlüssel für ein Schließfach. Ich weiß es nicht. Jewgeni, der russische Sohn des Patriarchen, bekommt ein Aktgemälde von Chantals Mutter Madeleine in jüngeren Jahren. Jewgeni hat es selbst gemalt, es hängt auch in seinem Schlafzimmer, scheint aber Gilbert gehört zu haben.«

Chantal, so rechnete Bruno nach, wurde aller Wahrscheinlichkeit nach in Moskau gezeugt, als Gilbert in der Botschaft und Madeleine als Sommerpraktikantin in der Handelsmission gearbeitet hatten. Der Brigadier verließ Pruniers Schreibtisch und trat vor das Bücherregal, das voller Fachliteratur und Nachschlagewerke war. Er zog ein *Qui est Qui?* daraus hervor, das französische Äquivalent zum *Who's Who*, und suchte nach dem Eintrag zu Marco Desaix. »Enkel«, las er laut vor, »Raoul, 1986 in Paris geboren, Sohn von Victor und dessen erster Frau Marie-Dominique. Chantal, geboren am 18. Mai 1991 in Périgueux, Tochter von Victor und dessen zweiter Frau Madeleine.

»Steht da auch, wann Victor das zweite Mal geheiratet hat?«, fragte Bruno.

»Am 15. November 1990 in Paris«, antwortete der Brigadier. »Interessant. Zu dem Zeitpunkt muss sie gewusst haben, dass sie von Gilbert schwanger war. Ob das auch Victor bekannt war?«

»Victor sieht in Chantal offenbar sein Kind. Wer weiß, wie er reagieren wird, wenn er erfährt, dass sie Gilberts Tochter ist. Er ist ein stolzer Mann«, sagte Bruno.

»Von seinem besten Freund zum Hahnrei gemacht«, murmelte Jean-Jacques und schüttelte den Kopf. »Es wäre ein Motiv gewesen, Clamartin zu töten.«

»Wenn er es herausfindet und die Scheidung verlangt, könnte das Madeleines politischen Plänen in die Quere kommen. Es wäre ein Skandal, und womöglich würde sie den Patriarchen als Unterstützer verlieren«, merkte Prunier an. »Auch sie hätte ein Motiv gehabt, Gilbert zum Schweigen zu bringen. Und dann die Tochter, die gerade sein ganzes Vermögen geerbt hat. Es wurde schon für sehr viel weniger gemordet. Die halbe Familie hatte ein Motiv.«

Er kennt die andere Hälfte nicht, dachte Bruno, versucht zu sagen, dass der Patriarch vielleicht das stärkste Motiv hatte. Aber er hütete seine Zunge und erklärte stattdessen: »Es gibt nicht den geringsten Hinweis darauf, dass Chantal von dem Geld wusste. Ich war dabei, als der Notar das Testament vorlas. Sie war fassungslos.«

»Interessant aber auch, dass sie ihrem Bruder nichts gesagt hat, als sie mit ihm im Wagen saß«, schaltete sich der Brigadier ein. Er saß an Pruniers Schreibtisch über seinen Computer gebeugt, und Bruno war überrascht, dass er dem Gespräch überhaupt folgte. Der Brigadier blickte auf und fragte Prunier: »Haben Sie einen Fotokopierer, einen von der alten Sorte, die zur Kopie nicht auch gleich noch eine abrufbare Bilddatei mitliefert?«

»In meinem Büro«, antwortete Jean-Jacques, worauf der Brigadier seinen Laptop unter den Arm klemmte und ihm nach draußen folgte.

Prunier wartete, bis sich die Tür hinter den beiden geschlossen hatte, und fragte dann Bruno: »Können Sie mir verraten, wieso dieser Herr aus Paris mit unserem Fall beschäftigt ist? Leute wie er interessieren sich doch eher weniger für Testamente und Mordgeschichten.«

»Er steht mit dem Patriarchen in Verbindung und ist neugierig darauf zu erfahren, warum Gilbert Clamartin zwei Zahlmeister hatte.«

»Das weiß ich selbst«, erwiderte Prunier geduldig. »Mir

scheint allerdings, dass da noch etwas anderes dahintersteckt.«

Bruno seufzte und hob beide Hände. Ihm lag auf der Zunge zu sagen, dass er den Brigadier selbst fragen solle, was ihm aber unangemessen und ein bisschen frech vorgekommen wäre, als ihm sein vibrierendes Handy aus der Verlegenheit half.

Es meldete sich eine aufgeregte Frauenstimme. »Bruno, ich bin's, Raquelle. Ich fürchte, Imogène ist übergeschnappt. Sie will Peyrefittes Sohn ihr Kitz geben. Ich dachte, ich hätte ihr das ausgeredet, aber sie hat mir eine Nachricht hinterlassen und scheint auf dem Weg ins Krankenhaus zu sein.«

»Wo sind Sie jetzt?«, fragte Bruno, der am anderen Ende im Hintergrund ein Auto hupen hörte.

»Auf dem Weg zum Krankenhaus in Périgueux. Ich werde frühestens in zwanzig Minuten dort sein. Vielleicht schaffen Sie es schneller und können sie noch aufhalten? In der Notiz heißt es, dass sie das Radio und die Zeitungen informiert hat, damit sie über ihre, wie sie sagt, Geste der Versöhnung berichten. Heute Morgen hat sie Post von Peyrefittes Anwalt bekommen. Peyrefitte will sie wegen Totschlags vor Gericht bringen und verlangt Schadenersatz.«

»Bin schon unterwegs«, sagte Bruno. »Wir sehen uns im Krankenhaus.« Er klappte sein Handy zu, erklärte Prunier seine Eile und fragte, ob er einen Fahrer für ihn hätte.

»Ich fahre Sie. Und wir nehmen zwei uniformierte Kollegen mit«, antwortete Prunier. »Vielleicht brauchen wir sie ja.«

30

Mit Blaulicht und einem Polizeitransporter dicht hinter ihm fädelte sich Prunier durch den abendlichen Berufsverkehr. Die beiden Fahrzeuge rasten über die Avenue Pompidou zum Centre Hospitalier, wo Imogène mit dem Kitz im Arm den Eingang versperrte. Peyrefitte drehte sich um und blickte mit weit aufgerissenen Augen Prunier entgegen, der aus dem Wagen sprang und, von zwei uniformierten Polizisten gefolgt, herbeieilte. Behindert durch sein Bein und weil er den Stock ablegen musste, um sich mit beiden Armen aus dem Wagen zu hieven, brauchte Bruno etwas länger.

Was er sah, lief für ihn wie in Zeitlupe ab. Mit wirrem Haar und nicht zu deutender Miene trat Imogène auf Peyrefitte zu und versuchte, ihm das verängstigte Kitz in die Arme zu drücken. Der wich zurück und hob die Hände, um sich zu schützen. Kamerablitzlichter zuckten.

Das Kitz wand sich aus Imogènes Armen und sprang auf das nächste Rasenstück zu, die von niedrigen Sträuchern eingefasste Insel eines Straßenrondells. Ein Krankenwagen mit heulender Sirene bremste scharf ab, um dem Tier auszuweichen, geriet ins Schlingern und streifte knirschend ein Auto, das vom Parkplatz in den Kreisel einbog. Reifen quietschten, und ein drittes Fahrzeug rammte den Krankenwagen von hinten.

Glas zerbarst. Airbags explodierten. Hupen plärrten. Schreiend hastete Imogène dem verstörten Kitz hinterher.

»Wir haben hier einen Notfall!«, brüllte ein Sanitäter, der aus dem Krankenwagen gesprungen war und zur Hecktür lief, die von dem aufgefahrenen Fahrzeug blockiert wurde. »Der Patient muss so schnell wie möglich in die Aufnahme.«

Als Imogène, immer noch schreiend, an Bruno vorbeilief, schnappte er sie mit beiden Armen, warf sie auf die Kühlerhaube von Pruniers Wagen und hielt sie mit seinem eigenen Gewicht in Schach. Vom blinkenden Blaulicht auf dem Dach geblendet und irritiert, schloss er die Augen, presste die Stirn in den Nacken der Frau und forderte sie auf, sich zu beruhigen. Doch sie trat mit den Füßen aus und traf mit den Fersen immer wieder seine Beine.

Die Zeit dehnte sich. Plötzlich stand ein Mann in einem weißen Kittel neben ihm und drückte Imogène eine Injektionsnadel in den Arm. Als sie erschlaffte, half der Arzt Bruno, sich aufzurichten. Zwei Pfleger legten Imogène auf eine Rolltrage und schoben sie davon. Bruno hatte seinen Stock und sein Käppi verloren.

Die am Unfall beteiligten Fahrzeuge waren voneinander getrennt, die Türen geöffnet worden. Airbags hingen schlaff von den Lenkrädern herab. Die Fahrer hatten sich schon ins Freie begeben. Auf der Verkehrsinsel lag etwas unter einer ausgebreiteten Decke. Bruno vermutete das Kitz darunter.

»Es scheint, ich bin zu spät gekommen«, meldete sich eine Stimme. Bruno drehte sich um und sah Raquelle. Sie bückte sich und hob seinen Stock vom Boden auf. Sie musterte ihn mit kritischem Blick, richtete seine Krawatte und seinen Kragen, zog ein Taschentuch aus dem Ärmel und betupfte damit eine wunde Stelle auf seiner Wange.

»Sie haben da einen Kratzer«, sagte sie.

Sie näherten sich dem Eingang des Krankenhauses, wo Peyrefitte, von Reportern umringt, gerade sagte: »Die Frau ist offenbar nicht recht bei Verstand. Sie sollte weggeschlossen werden, zu ihrem eigenen und dem Schutz der Allgemeinheit.«

Er sprach kühl und mit mühsam zurückgehaltener Wut. »Was für eine Unverschämtheit – verlangt von mir, dass ich dieses erbärmliche Geschöpf meinen Kindern gebe, die gerade erst miterleben mussten, wie ihre Mutter von einem dieser Tiere getötet wurde!«

Prunier nickte Bruno freundlich zu und deutete auf die beiden uniformierten Kollegen, die die Reporter zur Seite drängten. Dann nahm er Peyrefitte beim Arm und führte ihn lächelnd ins Krankenhaus. Sehr unaufgeregt und professionell, dachte Bruno. Er selbst entfernte sich, von Raquelle begleitet, und ging mit ihr zu einer Bank, von der aus er Pruniers Auto und den Krankenhauseingang im Auge behalten konnte. Als sie sich setzten, traf ein Abschleppwagen ein.

»Tut mir leid«, sagte Raquelle und steckte sich eine Zigarette an. »Ich hätte auf Imogène besser achtgeben sollen, dachte aber, sie hätte sich gefangen. Sie machte einen ganz entspannten Eindruck, doch heute Morgen kam ein Brief von Peyrefitte. Irgendwie hat er herausgefunden, dass sie in Le Thot arbeitet.«

»Vielleicht hat sie jemand dort erkannt«, meinte Bruno. »Schließlich ist sie nun seit etlichen Tagen so etwas wie eine lokale Berühmtheit.«

»Ich glaube, meine Schwägerin könnte es gewesen sein. Sie hat mich vor kurzem in Le Thot besucht und verärgert darauf reagiert, dass Imogène mit mir zusammenarbeitet. Und Madeleine kennt Peyrefitte.«

Bruno spürte einen heißen Schauer über seinen Rücken laufen, als er ihren Namen hörte. »Die beiden sind Parteifreunde. Ihre Schwägerin wird an seiner Stelle für die Nationalversammlung kandidieren.«

»Ja, sie redet von nichts anderem mehr und ist ständig unterwegs in Sachen Wahlkampf, fährt von einer Stadt zur anderen, klappert sämtliche Jagdvereine ab und vernachlässigt darüber das Weingut. Der arme Victor muss ihre Arbeit mit übernehmen, als hätte sie ihm nicht schon genug aufgebürdet.«

»Wie meinen Sie das?«, fragte er.

Sie warf ihm einen schiefen Seitenblick zu. »Was glauben Sie? Sie ist sehr viel jünger als er. Die Ehe funktioniert schon lange nicht mehr.«

»Armer Victor!« Bruno spürte, wie er rot wurde. Die Reaktion war typisch für ihn. Es erschien ihm manchmal, als wäre sein Gesicht unmittelbar mit seinem Gewissen verbunden.

»Mein Bruder ist ein unglücklicher Mann.« Raquelle schüttelte traurig den Kopf und blickte zu Bruno auf. »Oh, Bruno, sagen Sie jetzt bitte nicht, dass meine Schwägerin auch Sie um den Finger gewickelt hat.«

Er schaute auf seine Schuhspitzen und schwieg. Sein Gesicht brannte.

Raquelle seufzte tief und richtete ihren Blick auf das Krankenhaus. »Wie lange wird man Imogène wohl noch dortbehalten?«

Dankbar für die Ablenkung, erklärte Bruno das übliche Verfahren. Das Krankenhaus würde Kontakt mit Imogènes Hausarzt aufnehmen, also mit Fabiola. Die Polizei nähme den Vorfall auf, und gemeinsam würde man sich wahrscheinlich darauf verständigen, Imogène einer psychologischen Untersuchung zu unterziehen. Solange sie nicht gewalttätig wurde oder eine Gefahr für andere darstellte, würde man sie nicht auf Dauer gegen ihren Willen festhalten können.

»Ich werde Fabiola mitteilen, was passiert ist, und dann sehen wir weiter«, sagte er. »Sobald sich Peyrefitte beruhigt hat, wird er zugeben müssen, dass von einem Anschlag gegen ihn kaum die Rede sein kann. Wenn er etwas anderes behauptet, wird man Witze über ihn reißen, und er verliert an Ansehen, spätestens dann, wenn seine Klage gegen Imogène dazu führen sollte, dass sie ihr Haus verliert. Peyrefitte ist ein anständiger Mann und ein guter Anwalt mit politischen Instinkten, also kein Narr. Seinen Kindern zuliebe wird er einsehen, dass es an der Zeit ist, nach vorn zu blicken.«

»Was sind Sie doch für ein ungewöhnlicher *flic*«, erwiderte Raquelle und drückte ihre Zigarette aus. »Oder wird man so in der Polizeiakademie?«

»Nein, aber meine Mitbürger von Saint-Denis haben mich über die Jahre zu dem gemacht, der ich bin.« Peyrefitte und Prunier standen, wie Bruno sehen konnte, immer noch in der Eingangshalle und redeten miteinander.

»Was macht Ihr Roboterbulle?«, fragte er. »Wenn man den hier losließe, würde er bestimmt mehr Schaden anrichten als Imogènes Kitz.«

»Ich lasse ihn über unebenes Gelände laufen. Sieht nicht elegant aus, aber er schafft es. Haben Sie schon einmal von

Big Dog gehört, dem amerikanischen Militärroboter auf vier Beinen, der in jedem Gelände Versorgungsgüter und Verwundete transportieren soll? So ungefähr müssen Sie sich das vorstellen, nur dass Big Dog fünfzig Stundenkilometer schnell ist und mein Auerochse bloß sechs oder sieben.«

»Das könnte doch was für Jäger sein, eine Maschine, die deren Beute durch den Wald schleppt«, erwiderte er. »Ah, ich glaube, ich muss gehen. Da kommt Prunier, der Polizeirat. Er hat mich in seinem Wagen mitgenommen. Wir bleiben wegen Imogène in Kontakt.«

Bruno hinkte auf Prunier zu, der gerade Peyrefitte die Hand gab, worauf sich der Anwalt umdrehte und ins Krankenhaus zurückkehrte. Prunier winkte Bruno zu seinem Wagen. Als Bruno sich vorsichtig auf der Rückbank niedergelassen hatte, bat Prunier seinen Fahrer, sie nach Saint-Denis zu bringen. Er selbst tippte eine Nummer in sein Handy, das er, als der Angerufene antwortete, an Bruno weiterreichte, und sagte: »Der Brigadier möchte Sie sprechen.«

»Prunier bringt Sie jetzt zum Château des Patriarchen, wo wir auf Sie warten«, meldete sich die Stimme des Brigadiers. »Unterwegs können Sie ihn über Colonel Clamartins schriftliche Aussage aufklären, die aus seinem Brief hervorgeht, der dem Notar vorliegt. Prunier darf davon in Kenntnis gesetzt werden.«

Bruno gab das Handy zurück und sagte: »Das war schnell. Noch vor einer Stunde hat er mir eingeschärft, Ihnen kein Wort zu verraten. Wie haben Sie nur diesen Sinneswandel bei ihm bewirkt? Sie können ihn doch nur ein- oder zweimal angerufen haben.«

»Der Brigadier ist nicht der Einzige, der Freunde in Paris

hat«, antwortete Prunier. »Also, welche Botschaft hat Clamartin hinterlassen?«

»Dass der Patriarch möglicherweise über vier Jahre für die Russen gearbeitet hat«, sagte Bruno und wiederholte, woran er sich erinnerte.

Prunier nickte nachdenklich. »Gilbert wusste also seit 1989 Bescheid, der russische Geheimdienst vermutlich schon seit 1944. Und wir erfahren erst jetzt davon, obwohl wir angeblich seit vielen Jahren gutplazierte Agenten in Moskau haben.«

»Vom Brigadier weiß ich, dass der Patriarch vor etlichen Jahren unter die Lupe genommen worden, aber nichts dabei herausgekommen ist«, sagte Bruno, der nur noch Reste von Loyalität für den jungen tapferen Kampfflieger empfand, für den er als Kind und Jugendlicher geschwärmt hatte.

Er streckte sein Bein auf der Rückbank aus. Auf dem Beifahrersitz hatte sich Prunier umgedreht, um Bruno betrachten zu können. Seine Miene war neutral. Nach einem langen Schweigen nickte er, schien einen Entschluss gefasst zu haben und zog einen Ordner aus dem Aktenkoffer, der zwischen seinen Füßen stand.

»Ich habe hier was für Sie. Es geht um den Kerl, der Sie überfallen hat, Fabrice«, sagte er. »Wir wollten wissen, wie lange er auf Sie gewartet hat, und haben deshalb anhand seiner Mobilfunkdaten ein Bewegungsprofil erstellen lassen. Er hat sich fast drei Stunden lang nicht von der Stelle gerührt. Das Funksignal seines Handys kam die ganze Zeit über von einem Sendemast in der Nähe Ihres Hauses. Ungefähr eine halbe Stunde nach Ihrem Notruf war er auf dem Weg hierher ins Krankenhaus von Périgueux.

Und da wäre noch etwas«, fügte Prunier hinzu. »Während er auf Sie gewartet hat, erreichten ihn zwei Anrufe, beide von einem nicht registrierten Einweg-Handy mit einer Nummer, die er selbst am Vormittag angewählt hatte. Diese Nummer rief ihn das erste Mal kurz vor drei am Nachmittag zurück, dann ein weiteres Mal nach Mitternacht. Es scheint, dass ihn jemand über Ihren jeweiligen Aufenthaltsort informiert hat.«

»Wie lautet die Nummer?«, fragte Bruno, dem sofort klar war, dass an diesem Tag nur eine Person hatte wissen können, wo er am Nachmittag und späten Abend gewesen war.

Die Nummer, die Prunier laut vorlas, sagte Bruno nichts. Ergänzend fügte Prunier hinzu, dass das Handy mit dieser Nummer seit dem nächtlichen Anruf nirgends mehr eingeloggt gewesen sei.

»Und wo war es das letzte Mal eingeloggt?«, wollte Bruno wissen, obwohl er die Antwort schon zu wissen glaubte, eine Antwort, die unbestimmte Gefühle in ihm auslöste, darunter nicht zuletzt ein Empfinden von Scham und Abscheu darüber, dass er sich zum Narren hatte machen lassen.

»Bordeaux«, antwortete Prunier. »Beide Anrufe an Fabrice kamen aus Bordeaux, wohin auch sein Anruf an diese Nummer ging.«

Bruno nickte und fürchtete, dass ihm der Schrecken anzusehen war und Prunier nicht verborgen bleiben konnte, zumal dieser ihn aufmerksam beobachtete. Sein Ansehen als kompetenter Polizist, das er sich über all die Jahre in Saint-Denis erworben hatte, drohte sich in nichts aufzulösen.

»Sie haben ausgesagt, den ganzen Tag über in Bordeaux gewesen zu sein und nach einem späten Abendessen mit einem Freund nach Hause gefahren zu sein«, fuhr Prunier fort. Seine Stimme klang durchaus freundlich, aber auch unnachgiebig. »Ihre Mobilfunkdaten bestätigen das. Interessant ist, dass, als Sie von Bordeaux aus angerufen haben, Ihr Signal vom selben Sendemast weitergeleitet wurde wie die der Anrufe an Fabrice. Ein sonderbarer Zufall, nicht wahr?«

Bruno seufzte. »Ich bin ein Idiot. Ich habe mich wie ein Teenager verführen lassen.«

»Soll das heißen, Sie waren mit einer Frau zusammen? Mit derselben Frau, die mit dem Kerl in Verbindung stand, der darauf gewartet hat, Ihnen mit einer Axt den Schädel einzuschlagen?«

»Peinlich, nicht wahr?«, erwiderte Bruno kleinlaut.

»Ach, ich weiß nicht«, antwortete Prunier sichtlich amüsiert. »Denken Sie an die Scherze, die aufkommen werden, wenn Ihre Geschichte die Runde macht. Im Bett mit Madame Wie-heißt-sie-noch und sterben … Ich hoffe, Sie nehmen sich von jetzt an vor ihr in Acht.« Prunier wandte sich an seinen Fahrer. »Wenn die Sache bekannt wird, mache ich Sie, Marcel, dafür verantwortlich. Und dann gehen Sie für den Rest Ihres Berufslebens wieder auf Streife, und zwar nachts.«

Prunier kramte ein Flugblatt aus seinem Aktenkoffer, das am Abend der Podiumsdiskussion in Bergerac verteilt worden war und Madeleine bei dem Versuch zeigte, ihre elegante Schönheit weniger einschüchternd wirken zu lassen und sich wie das Mädchen von nebenan zu zeigen.

»Ist sie das?«, fragte er. »Wer wollte Ihnen da eine Schwäche verübeln? Für eine solche Frau nimmt man auch gern die Heimsuchung eines Verrückten mit Axt in Kauf.«

Bruno musste unwillkürlich grinsen. Ein bisschen Galgenhumor, bevor er sich wieder grämte. »Soll ich mein Amt niederlegen?«

»Warum sollten Sie, abgesehen davon, dass Sie nicht für mich arbeiten«, entgegnete Prunier. »Was Sie getan haben, ist doch nicht strafbar. Sie sind nicht verheiratet. Von Amtsmissbrauch kann keine Rede sein, und zum Kreis der Verdächtigen gehört Madame auch nicht. Oder?«

»Sie hatte ein Motiv, Gilbert kaltzumachen«, antwortete Bruno. »Und sie hat während ihres Studiums dieselben Kurse absolviert wie zurzeit ihre Tochter, das heißt, sie kennt sich in Chemie ebenso gut aus. Und in einer Weinregion wie unserer sind immer genug Labors zu finden.«

»Hatte sie auch Grund, Ihnen den Garaus machen zu lassen?«

»Nur den, dass ich an Gilberts Todesumständen meine Zweifel habe und Fragen stelle«, erwiderte Bruno und versuchte, Pruniers Standpunkt einzunehmen. Zu den Mobilfunkdaten würde Madeleine vernommen werden müssen, was in Anbetracht ihres politischen Aufstiegs heikel war. Wenn es gar zu einer Strafanzeige gegen sie käme, wäre es mit ihrer Karriere vorbei. Wenn nicht, hätte sich Prunier in der zukünftigen Abgeordneten der Nationalversammlung und dereinst womöglich noch höher stehenden Politikerin eine tödliche Feindin gemacht.

»Wir sollten schnellstens diesen Fabrice verhören«, sagte Prunier. »Übrigens, es hat sich auch schon ein sehr guter Anwalt bereitgefunden, ihn zu vertreten. Überraschend, nicht wahr? Der Kollege, der ihn im Krankenhaus bewacht, sagt, dass Fabrice reichlich verdutzt aus der Wäsche geguckt habe, als der Anwalt aufkreuzte und ihn als seinen Mandanten bezeichnete.«

»Ich dachte, Fabrice könne nichts hören«, sagte Bruno.

»Anscheinend war der Anwalt auch darauf schon vorbereitet. Er hatte einen Notizblock und seine Fragen an Fabrice aufgeschrieben. Die Ärzte rechnen damit, dass es noch zwei bis drei Wochen dauern wird, ehe er sein Gehör zurückgewinnt. Was haben Sie mit ihm angestellt?«

»Ich habe ihm meine Hände gleichzeitig auf beide Ohren geschlagen. So etwas lernt man in der Armee, für den unbewaffneten Nahkampf.«

»Das sollten Sie in der Vernehmung besser unerwähnt lassen. Anwälte sind immer schnell mit unverhältnismäßiger Polizeigewalt zur Hand, selbst dann, wenn ihre Mandanten Äxte schwingen.«

»Ich kann mir denken, wer den Anwalt beauftragt hat«, sagte Bruno.

»Falls Sie recht haben, sollten wir mehr als nur Mutmaßungen auf Lager haben.«

31

Die Haushälterin führte Bruno und Prunier in die Bibliothek. Raumhohe französische Fenster öffneten sich zur Terrasse, auf der Bruno mit der Roten Komtesse gestanden hatte. Bücher füllten die Wände, ein altmodischer Schreibtisch war zur Fensterseite ausgerichtet. Am anderen Ende des Raums saßen der Patriarch und der Brigadier in ledernen Ohrensesseln freundschaftlich beieinander. Zwei Gläser, ein Wasserkrug und eine Flasche mit rotem Inhalt und einem Etikett mit kyrillischen Buchstaben standen auf einem niedrigen Tisch zwischen ihnen.

Der Patriarch winkte die neuen Besucher zu sich, rückte zwei weitere Sessel zurecht und holte aus der kleinen Bar in der Zimmerecke zwei frische Gläser. Über dem Flaschenregal hingen zwei gerahmte Fotos von Kampfflugzeugen, die Bruno schon als kleiner Junge bewundert hatte: ein einmotoriger sowjetischer Jäger vom Typ Jak-9, der zu seiner Zeit das schnellste kerosinbetriebene Flugzeug der Welt gewesen war, und eine Dassault Mystère, das französische Düsenflugzeug, mit dem der Patriarch die Schallgrenze durchbrochen hatte. Der Patriarch schenkte ein.

»Pertsovka«, sagte er. »Wodka mit Chili, recht scharf, aber genau das Richtige, da wir heute einen russischen Themenabend haben.«

Bruno nippte an seinem Glas. Der Drink schmeckte tatsächlich wie flüssiges Feuer, bewirkte aber ein wohlig warmes Gefühl in der Brust. Es klopfte diskret an der Tür. Die Haushälterin brachte auf einem Tablett Salami, geräucherten Fisch und Schwarzbrot. Bruno sah sich an den Abend bei Jewgeni erinnert.

»Bedienen Sie sich. Das sind Sakuska, kleine Appetithappen«, sagte der Patriarch, der sich zu einem Stück Brot eine Scheibe Fisch nahm. »In Russland trinkt man nie, ohne auch etwas zu essen.«

»General Desaix hat mir soeben versichert, dass weder Colonel Clamartin noch irgendeine andere Person ihn jemals wegen dieser jüngst erhobenen Anschuldigungen erpresst hat«, sagte der Brigadier. »Die er im Übrigen als völlig falsch zurückweist.«

»Gilbert hat mir im Gorki-Park davon erzählt. Es war das erste und einzige Mal, dass mir diese Geschichte zu Ohren gekommen ist«, sagte der Patriarch. »Wer immer sie erfunden hat, hat zumindest seine Hausaufgaben gemacht. Soweit ich mich erinnere, treffen die Daten und Orte zu, ebenso die Namen der beiden Männer vom NKVD. Aber all das lässt sich auch in meinen Memoiren nachlesen. Die russische Ausgabe wurde ziemlich gut verkauft.«

»Hat Gilbert, als er hier nach einer Bleibe suchte, irgendwann einmal auf die Unterstellungen dieses jungen Mannes angespielt?«, fragte Prunier.

Der Patriarch schüttelte den Kopf. »Gilbert war Gast meines Sohnes auf dem Weingut. Mich hat er nicht um eine Unterkunft gebeten. Wir hatten überhaupt nur wenig miteinander zu tun. Trotzdem war er mir ein Freund – ein verdammt guter Pilot. Nein, von diesen Unterstellungen war nie mehr die Rede, nur dieses eine Mal in Moskau.«

»Sie sagen also, die Geschichte sei falsch«, meldete sich der Brigadier wieder zu Wort. »Haben Sie eine Ahnung, was dahintersteckt könnte?«

»Darüber habe ich noch nicht ernsthaft nachgedacht«, antwortete der Patriarch. »Naheliegend wäre, dass der arme Iwan Tomasowitsch die Geschichte erfunden hat, um seinem Sohn zu erklären, warum er in den Gulag geschickt worden war. Von einem miesen Ausländer verraten worden zu sein klingt doch besser, als zuzugeben, dass er mitten im Krieg die politische Führung kritisiert hat oder was auch immer ihm vorgeworfen wurde.«

»Wussten Sie, dass dieser junge Mann, Dmitri, durch einen Verkehrsunfall mit Fahrerflucht ums Leben gekommen ist, nachdem er unsere Botschaft besucht hat, um seine Anschuldigungen gegen Sie vorzutragen?«, fragte der Brigadier.

»*Mon Dieu*, nein. Ist das wahr?« Die Überraschung des Patriarchen wirkte echt.

»Wir überprüfen das«, antwortete der Brigadier. »Der Colonel hat jedenfalls per Post den Ausschnitt eines Artikels erhalten, der von diesem Unfall berichtete und mit dem Wort ›Mörder‹ überkritzelt worden ist. Deshalb glaubte er wohl, dass an der Sache etwas dran sei. Sonst hätte er wohl kaum dafür gesorgt, dass wir nach seinem Tod davon erfahren.«

»Sie verdächtigen mich also, vom KGB erpresst worden zu sein und jahrelang für ihn spioniert zu haben«, sagte der Patriarch. Er beugte sich vor, nahm noch ein Stück

Schwarzbrot und tat einen tiefen Schluck aus seinem Glas. »Zugegeben, das wäre durchaus plausibel. Dagegen spricht allerdings, dass sie etwas sehr viel Besseres gegen mich in der Hand gehabt hätten, nämlich meinen Sohn Jewgeni. Ein Ausreisevisum hat er nie bekommen. Er war gewissermaßen Geisel meines Wohlverhaltens.«

»Und? Haben Sie sich wohlanständig verhalten?«

»Kommt darauf an, wen Sie fragen. Ich habe meine Parteimitgliedschaft auslaufen lassen, als 1956 der Aufstand in Ungarn niedergeschlagen wurde, meine Entscheidung aber nie publik gemacht und die Partei nie öffentlich kritisiert. Ich habe ihre Funktionäre immer mit Respekt behandelt, als ehemalige Kriegskameraden. Und ich habe nie für oder gegen sie spioniert.«

»Aber Sie haben doch lange und regelmäßige Gespräche mit den Kremlchefs geführt«, sagte der Brigadier. »Sie haben zu allen da oben gute Beziehungen unterhalten, von Stalin über Chruschtschow und Breschnew bis zu Gorbatschow.«

»Gute Beziehungen kann man das nicht nennen. Ja, ich habe sie alle kennengelernt, auf offiziellen Empfängen, manchmal auch auf privaten Abendgesellschaften oder sogar an Wochenenden auf ihren Datschas bei Usovo. Mit Breschnew war ich sogar einmal in Sawidowo auf der Jagd. Ich habe ihnen meine Sicht auf die französische Politik und die des Westens geschildert, so wie ich unseren eigenen Präsidenten geschildert habe, wie ich über den Kreml denke. Und ja, wir haben über Außenpolitik diskutiert, aber was ich dazu beizutragen hatte, stammte nur aus den Zeitungen.«

»Nicht ganz«, entgegnete der Brigadier. »Wir wissen, dass

Sie in manchen Missionen für de Gaulle als informeller Unterhändler im Kreml aktiv waren.«

»Ich habe zu jeder dieser Missionen Berichte verfasst, die alle noch im Élysée liegen müssten, wenn de Gaulle sie denn aufbewahrt hat. Und falls Sie es noch nicht wissen sollten, das Gleiche habe ich für Pompidou getan, für Giscard d'Estaing und für Mitterrand, auf deren Wunsch, versteht sich. Manchmal habe ich persönliche Briefe verfasst, manchmal auch mündlich Auskunft gegeben. In jedem dieser Fälle wollte der Präsident offizielle Kanäle umgehen.« Naserümpfend winkte der Patriarch mit der Hand ab und sagte: »Der Quai d'Orsay leckt wie ein Sieb.«

Bruno grinste unwillkürlich und hörte, wie Prunier neben ihm leise gluckste. Die Straße am linken Seine-Ufer war schon lange als stellvertretende Bezeichnung für Frankreichs Außenministerium in Gebrauch.

»Könnten Sie das weiter ausführen?«, fragte der Brigadier.

»Ja, aber das werde ich nicht. Man hat mich gebeten, diese Gespräche vertraulich zu behandeln, und daran habe ich mich gehalten. Beide Seiten wussten, dass man sich auf mich verlassen kann. Fragen Sie Giscard, wenn Sie wollen. Er lebt noch.« Der Patriarch stellte sein Glas ab und blickte einem nach dem anderen in die Augen.

»Sie können sich wahrscheinlich nicht vorstellen, wie isoliert diese Männer im Kreml waren und wie sehr sie fürchteten, dass ihnen nur das gesagt wurde, was ihre Berater sie hören lassen wollten. Ich war ein Ausländer, der fließend Russisch sprach, und jeder wusste, dass ich für sie gekämpft hatte, an ihrer Seite, in ihren Maschinen. Sie wussten auch von meinen Verwundungen und dass ich eine russische Frau liebte, mit der ich einen Sohn hatte. Ich traf Chruschtschow und Breschnew während des Krieges, als wir alle Uniform trugen. Wir konnten im Jargon der Soldaten miteinander reden, wie Kavalleristen fluchen, von alten Zeiten, alten Schlachten schwärmen, uns über alte Bekannte austauschen.«

Bruno nickte unwillkürlich. Er wusste um die Kraft solcher Verbindungen und das tiefe Vertrauen, das sie mit sich brachten. Er schaute den Brigadier an, sah, dass er seinen Blick erwiderte und ebenfalls verstand.

»Wenn wir in Sawidowo in der *banja* saßen, uns gegenseitig mit Birkenreisig schlugen und uns, wenn es uns zu heiß wurde, im Schnee wälzten, wusste ich, dass ich glauben konnte, was sie mir sagten. Ich konnte es guten Gewissens an meinen eigenen Präsidenten weitergeben.«

Merklich bewegt von seinen Erinnerungen oder vielleicht auch von seiner Rhetorik, lehnte sich der Patriarch zurück und ließ den Kopf auf die Brust sinken. »Wenn man auch nur für einen Moment geglaubt hätte, ich wäre vom KGB gekauft und bezahlt worden, wäre ich für diese einsamen alten Männer im Kreml nutzlos gewesen. Sie hätten meinen Worten nicht getraut.«

Er schenkte sich noch ein Glas Wodka ein, leerte es in einem Zug und fuhr fort. »An der Stelle ist es für den armen Gilbert schiefgelaufen. Es lag nicht am KGB. Er wurde von Ihren Leuten, von Franzosen, missbraucht, die Geheimdienst spielen wollten. Deshalb war er völlig fertig mit den Nerven, als er aus Moskau zurückkehrte.« Er warf dem Brigadier einen vorwurfsvollen Blick zu. »Ihre Vorgänger haben ihm schrecklich zugesetzt. Er hatte für ein solches

Leben nicht die Statur, und er war auch nicht darauf vorbereitet worden.«

»Das hat er Ihnen gesagt?«, fragte der Brigadier und holte tief Luft. Auch Prunier an seiner Seite wirkte nervös. *Putain*, dachte Bruno, der ahnte, dass das, worüber hier gesprochen wurde, nicht für seine Ohren bestimmt war.

»Dass Ihre Leute ihn aufgefordert haben, Avancen des KGB nachzugeben, um ihn mit falschen Informationen zu füttern? Natürlich hat er mir das gesagt, der arme Esel. Er musste den Doppelagenten spielen, der er nicht war. Haben Sie eine Ahnung, wie belastend das ist? Kein Wunder, dass er trank. Gilbert war am Ende, und dann haben sie ihn aus Moskau zurückgepfiffen, ihm die Légion d'honneur ans Revers gesteckt und ihm ein großes Schild mit der Aufschrift ›Sicherheitsrisiko‹ umgehängt, damit die Russen nie sicher waren, ob das, was er ihnen verraten hat, ernst zu nehmen ist oder nicht.«

»Er hat alle Befehle ignoriert und sein eigenes Süppchen zu kochen versucht«, entgegnete der Brigadier, dem anzuhören war, dass er selbst nicht glaubte, was er sagte, sich aber dazu verpflichtet fühlte.

»Die Befehle waren unsinnig. Es hat sich herausgestellt, dass Gilbert in seiner Einschätzung Jelzins richtiglag«, erwiderte der Patriarch. »Vergessen Sie nicht, ich war damals selbst in Moskau und habe meinen alten Freund Achromejew getroffen. Auf ausdrückliche Aufforderung von Präsident Mitterrand.«

Er schüttete den Rest aus der Wodkaflasche in sein Glas, leerte es und stellte es mit Aplomb auf den Tisch zurück. »Das sollte reichen für heute«, sagte er wie zu sich selbst.

Dann schaute er dem Brigadier ins Gesicht. »Na, entscheiden Sie sich, *Général de brigade* Lannes. Entweder Sie nehmen mich fest, oder Sie und Ihre beiden Zeugen verabschieden sich jetzt. Ich bin neunzig und müde und möchte ins Bett.«

Er stopfte sich noch einen letzten Rest Schwarzbrot in den Mund und steuerte auf die Tür zu. Aus Respekt vor dem alten Mann mühte sich Bruno auf, als er an ihm vorüberging. Prunier und der Brigadier erhoben sich ebenfalls. Vor der Tür blieb der Patriarch noch einmal stehen.

»Übrigens, ich hatte eine interessante Anfrage von der *Paris Match*. Man bittet mich um ein Interview über meine Missionen im Kreml. Was spräche dagegen? Und ich könnte bei der Gelegenheit einige Leute daran erinnern, was ich weiß und wem ich gedient habe. Ich bin geneigt, der Bitte stattzugeben.«

Als sich die Tür hinter ihm schloss, schüttelte der Brigadier den Kopf, schaute irritiert auf seine Uhr und fragte Bruno: »Wo bekommen wir um diese Zeit noch etwas zu essen?«

»Bei mir zu Hause«, antwortete Bruno. »Ich hätte selbstgemachte Pâté anzubieten, einen *enchaud de porc,* den ich vor ein paar Wochen zu einem *confit* verarbeitet habe, und dazu Salat und Käse. Wäre im Handumdrehen aufgetischt.«

Eine halbe Stunde später standen die beiden Männer und Pruniers Chauffeur vor dem hohen Tresen in Brunos Küche und probierten den vom Brigadier mitgebrachten Malt Whisky. Bruno reichte ihm eine Dose Pâté und einen Dosenöffner und holte seinen Käse aus dem Kühlschrank.

Der Chauffeur bekam den Auftrag, in den Gemüsegarten zu gehen und einen Salat zu holen, und Prunier öffnete eine Flasche Rotwein von der Domaine. Aus der Tiefkühltruhe holte Bruno einen Beutel mit einem Viertel *tourte,* jenem kreisrunden Brot, das fast so groß wie ein Wagenrad war. Er hatte es für schnelle Mahlzeiten in Scheiben geschnitten, die er nun in den Toaster steckte.

Dann öffnete er ein großes Marmeladenglas, in dem er das Confit eingeweckt hatte, und nahm mit einem Löffel die gelbe Fettschicht ab, die das Fleisch darunter versiegelte. Aus seinem Gemüsekorb sammelte er ein Kilo Kartoffeln, säuberte sie mit einer Bürste unter fließendem Wasser und schnitt sie in Scheiben, die er in kochendes Salzwasser gab, während Prunier und der Brigadier im Esszimmer den Tisch deckten. Der Chauffeur wusch den Salat, für den Bruno ein Dressing aus Haselnussöl und Balsamessig verrührte. Schließlich holte er noch ein paar Cornichons aus dem Kühlschrank, und alle vier setzten sich an den Tisch, um seine Pâté und geröstetes Brot zu essen.

Anschließend kehrte Bruno in die Küche zurück, teilte das Confit, ließ einen Löffel Fett in einem Stieltopf zergehen und gab etwas Knoblauch dazu. Ein weiterer Löffel Fett kam in seine große Bratpfanne zum Andünsten kleingehackter Schalotten, die er mit einem Spritzer Weißwein ablöschte. Die Kartoffelscheiben waren fast gar. Bruno trocknete sie in einem Küchentuch ab und sautierte sie vorsichtig in der Pfanne. Er gab das aufgeschnittene Fleisch in den Stieltopf und bat den Chauffeur, etwas Petersilie aus dem Garten zu holen. Aus der Tiefkühltruhe fischte er eine der gräulichen, in Alufolie eingewickelten Sommertrüffeln, die er darin aufbewahrte. Er wendete die Kartoffeln in der Pfanne und bestreute sie mit fein gehackter Petersilie. Das Fleisch im Topf rührte er kurz um. Es war bereits gekocht und brauchte nur aufgewärmt zu werden.

Prunier trug den Enchaud im Topf zum Tisch, während der Brigadier die Bratkartoffeln in eine Servierschüssel umfüllte, die Bruno mit heißem Wasser angewärmt hatte. Nun nahmen sie wieder alle am Tisch Platz, wo Bruno die Trüffel über die *pommes sarladaises* schabte. Besser seien echte schwarze Wintertrüffeln, die berühmten schwarzen Diamanten des Périgord, erklärte er, aber dafür sei es noch zu früh.

Er verteilte das Fleisch, zwei dicke Scheiben für jeden, forderte seine Gäste auf, sich von den Kartoffeln zu nehmen, füllte sein Glas mit Rotwein und wünschte allen *bon appétit*. Hungrig machten sich die Männer über das Essen her. Bruno hatte angenommen, dass es die Anwesenheit von Pruniers Fahrer verbieten würde, das Gespräch mit dem Patriarchen zum Thema zu machen. Als aber das Hauptgericht gegessen war und die zweite Flasche Wein geöffnet wurde, fragte Prunier den Brigadier unbekümmert: »Wie gehen wir jetzt weiter vor?«

»Wir überprüfen, was sich überprüfen lässt, zum Beispiel dieser Verkehrsunfall mit Fahrerflucht, von dem die Nowosibirsker Zeitung im Sommer 1989 berichtet hat«, antwortete der Brigadier. Darüber hinaus sollten wir Unterlagen zum Prozess gegen Iwan Tomasowitsch, zu seiner Haft und Entlassung auszugraben versuchen, unsere eigenen Akten über den Patriarchen durchforsten, einen Bericht für den Innenminister verfassen und alles Weitere ihm überlassen.

Vielleicht lädt er Marco auf einen freundlichen Plausch ein, vielleicht auch nicht. Es würde mich jedenfalls wundern, wenn irgendetwas unternommen wird«, sagte der Brigadier. »Die ganze Angelegenheit erscheint mir reichlich vage, außerdem ist Marco zu alt, zu gut vernetzt, und es liegen keine belastenden Beweise gegen ihn vor. Im Fall Colonel Clamartin sieht die Sache anders aus, allein schon wegen dieses geheimen Kontos. Wir müssen alle seine Schritte, die er vor zwanzig Jahren gemacht hat, zurückverfolgen und können ihn leider nicht mehr selbst befragen.«

»Und ein allzu gründliches Vorgehen würde womöglich dafür sorgen, dass der Patriarch seine Kritik an Ihren Vorgängern wiederholt und Clamartin nachträglich in Schutz nimmt«, meinte Prunier. »Das könnte peinlich werden.«

»Allerdings«, bestätigte der Brigadier. »Deshalb passiert wahrscheinlich auch nichts dergleichen. Wir treten einen Schritt zurück und überlassen es Ihnen von der Police nationale, in dieser schwierigen anderen Sache zu ermitteln, der Tötung zum Nachteil des Colonel Clamartin.«

32

Der nächste Tag begann mit warmen Temperaturen und klarem Himmel. Er hatte schon etwas von goldenem Oktober, fand Bruno, als er vor die Tür hinkte. Seine Hüfte und das Bein fühlten sich schon besser an, und unter der Dusche hatte er gesehen, dass die Blutergüsse von Hellblau in ein gelbliches Violett übergegangen waren. Zum ersten Mal seit dem Überfall fühlte er sich wieder imstande, Auto zu fahren. Vorsichtig bestieg er seinen Polizeitransporter und fuhr über Saint-Denis, wo er vier frische, noch warme Croissants und ein Baguette kaufte, zu Pamela. An einen Ausritt war noch nicht zu denken, aber er wollte Hector und Balzac wiedersehen, und darauf, mit Pamela und Fabiola zu frühstücken, bevor die beiden die Pferde bewegten, freute er sich auch.

Als er das Anwesen erreichte und vor dem Stall anhielt, rührte sich nichts, abgesehen von Balzac, der herbeigelaufen kam, um ihn zu begrüßen. Bruno warf einen Blick auf die Uhr. Es war kurz vor halb acht. Normalerweise waren die Pferde um diese Zeit schon gesattelt, doch Hector und Victoria standen noch in ihren Boxen. Er überquerte den Hof und ging auf die Küchentür zu, als er den stattlichen alten Jaguar neben Pamelas 2CV parken sah. Crimsons Wagen. Peinlich berührt und verschämt blickte er zu den Fenstern im Obergeschoss auf, sah aber kein Anzeichen von Leben. Er näherte sich dem Jaguar und legte seine Hand auf den Kühler. Er war kalt. Der Wagen stand hier offenbar bereits die ganze Nacht.

Sei's drum, dachte er und überlegte, ob er die Croissants auf dem Wagendach oder doch lieber auf dem Klapptisch draußen vorm Küchenfenster ablegen sollte, was als nicht allzu anspielungsreicher Hinweis auf seinen Besuch zu deuten sein würde. Er besann sich eines Besseren. Pamela war eine erwachsene Frau und hatte entschieden, ihre Affäre zu beenden. Er stieg zurück in seinen Wagen, behielt Croissants und Baguette für sich und fuhr zurück in die Stadt, wo er den Transporter auf dem Parkplatz der Bank abstellte. Es war Markttag und der Platz vor dem Rathaus voller Stände. Bruno deponierte die Croissants bei Stéphane, bestellte vier Kaffee bei Fauquet und bat ihn, sie zum Tisch hinter Stéphanes Stand zu bringen, wo die Händler vormittags ihren Casse-croûte zu sich nahmen.

»Womit haben wir das verdient?«, fragte Gemüsehändler Marcel. Zusammen mit Léopold, dem hochaufgeschossenen Senegalesen, der Gürtel, T-Shirts und afrikanische Gewänder verkaufte, gesellte er sich zu Bruno und Stéphane zu einem improvisierten Frühstück. »Habe ich nicht gesehen, dass du diese Croissants vor zehn Minuten gekauft hast und dann wie gewöhnlich in Richtung Pamela weitergefahren bist?«

»Du hättest Detektiv werden sollen«, erwiderte Bruno. »Ich bin zurückgekommen, weil mir eingefallen ist, dass ich mit meinem kaputten Bein noch nicht wieder reiten kann.«

Marcel kniff die Augen zusammen, nickte aber andeutungsweise, verschlang sein Croissant, stürzte seinen Kaffee hinunter und kehrte zu seinem Stand zurück. Léopold bedankte sich bei Bruno, klopfte ihm mitfühlend auf die Schulter und ging ebenfalls. Ohne ein Wort zu sagen, holte Stéphane aus einem versteckten Fach unter seinem Stand eine Flasche Cognac hervor und goss einen Fingerbreit davon in Brunos und in seinen Kaffee, ehe er sich wieder seinen Kunden zuwandte.

Bruno gab Balzac den Rest seines Croissants und drehte die übliche Runde über den Markt, wobei er, wie ihm auffiel, den Stock kaum mehr nötig hatte. Er wollte gerade in sein Büro in der Mairie hochgehen, als ihn jemand beim Namen rief. Er drehte sich um und sah Jewgeni mit ausgestreckter Hand auf sich zueilen. Er bestand darauf, Bruno zu einer Tasse Kaffee einzuladen.

»Ich wollte Ihnen danken«, sagte er, als sie sich an einen Tisch auf Fauquets Terrasse gesetzt hatten. »Der Notar hat mir berichtet, dass Sie ihm dabei geholfen haben, mich ausfindig zu machen. Das Gemälde ist jetzt in meinem Besitz.«

»Das war es doch immer«, erwiderte Bruno. »Sie haben es gemalt, es hing bei Ihnen an der Wand, und niemand wusste, dass es Gilbert gehörte.«

»Ich wusste es«, entgegnete Jewgeni. »Er hat mir ausgeholfen, als ich dringend Geld brauchte und sauer auf Madeleine war. Sie hatte sich von mir abgewendet und Gilbert ihre Gunst geschenkt, also gab ich ihm das Bild und bekam Bares dafür. Anderenfalls hätte ich es vielleicht verbrannt.«

»Das wäre ein Jammer gewesen«, sagte Bruno, der sich

daran erinnerte, schon beim ersten Blick auf das Bild gewusst zu haben, dass der Künstler Madeleines Liebhaber gewesen sein musste.

»Sie haben es gesehen?« In Jewgenis Stimme klang Stolz an. Bruno war überzeugt davon, dass er es niemals verbrannt hätte.

»Zufällig«, antwortete er. »Ich habe nach dem Badezimmer gesucht und die falsche Tür geöffnet. Mir gefällt auch Ihr Selbstporträt, auch wenn es etwas eigentümlich war, beim Pinkeln von Ihnen angeschaut zu werden.«

»Ich glaube, für Madeleine war ich nur ein Moskauer Zeitvertreib, ein bisschen Lokalkolorit, das Techtelmechtel mit dem russischen Künstler. Ich war besessen von ihr, ahnte aber, dass sie nur oberflächlich an mir interessiert war«, sagte Jewgeni, als der Kaffee gebracht wurde. »Sehr viel wichtiger schien ihr Gilbert gewesen zu sein. Er sei ihre große Liebe, sagte sie, als sie mich verließ.«

»Wann war das? Im Sommer neunundachtzig? Nicht lange vor ihrer Hochzeit mit Victor?«, fragte Bruno. Die große Liebe hatte offenbar nicht lange gedauert, allenfalls lang genug, um schwanger zu werden und zu der nüchternen Einschätzung zu gelangen, dass der Sohn des Patriarchen ein passenderer Ehemann und Vater sein würde als ein ehemaliger Kampfpilot mit Alkoholproblemen.

»Wie ich sehe, haben Sie nachgerechnet, Bruno.«

»Hat Victor je in Erfahrung gebracht, dass er nicht der Vater ist?«

»Nein. Er ist viel zu gutgläubig. Ich habe es herausgefunden, und auch Raquelle hatte einen Verdacht.«

»Und Ihr Vater?«

Jewgeni zuckte mit den Achseln. »Marco lässt sich nicht in die Karten schauen. Er liebt es, Geheimnisse zu hüten.«

»Apropos Geheimnisse. Hat Ihre Mutter je von einem Mann namens Iwan Tomasowitsch gesprochen, einem Mechaniker Ihres Vaters während des Krieges?«, fragte Bruno. »Angeblich wurde er im Sommer vierundvierzig verhaftet und verbrachte mehrere Jahre in einem Gulag. Sie könnte ihm begegnet sein.«

Jewgeni schüttelte den Kopf. »Daran erinnere ich mich nicht. Noch etwas anderes: Raquelle hat mich heute früh angerufen und mir mitgeteilt, dass sie Ihnen auf Ihrem AB im Büro eine Nachricht hinterlassen hat, Sie aber nicht zurückgerufen haben. Sie feiert heute ihren Geburtstag und möchte Sie zu einer kleinen Party in Le Thot einladen, einem Picknick. Heute ist der Park für Besucher geschlossen. Sie würde sich freuen, wenn Sie kämen, denn sie scheint große Stücke auf Sie zu halten. Ich musste ihr versprechen, es Ihnen auszurichten.«

Als Jewgeni gegangen war, meldete sich Bruno bei Jean-Jacques und fragte, ob aus den gesammelten Handyfotos weitere Erkenntnisse gewonnen worden seien. Sie würden immer noch gesichtet, wurde ihm gesagt; ob er sich an eine andere junge Frau erinnere, die auf der Feier gewesen sei und ein blaues, vielleicht seidenes Kleid getragen habe?

Ja, antwortete er, die Beschreibung treffe auf Marie-Françoise zu, die Urenkelin der Roten Komtesse. Er, Jean-Jacques, müsse sie doch kennen, es sei das Mädchen aus der Höhle.

»Nein, ich hätte sie im Leben nicht wiedererkannt«, erwiderte Jean-Jacques. »Sie stand damals unter Schock, und das Gesicht war blutverschmiert, als wir sie aus dem Wasser gezogen haben.«

Jean-Jacques mailte die Fotos auf Brunos Handy, der bestätigte, dass es sich bei der Frau im Hintergrund eines Selfies um Marie-Françoise handelte. Sie löffelte Eiswürfel in ein großes, mit Orangensaft gefülltes Glas. Ein lächelndes junges Paar im Fokus des Fotos verstellte den Rest der Szene, so dass Bruno nicht sehen konnte, wer ihr das Glas hinhielt. Er rief Marie-Françoise auf ihrem Handy an und erreichte sie auf dem Weg zu einem Seminar. Ob sie sich daran erinnere, auf der Party des Patriarchen Eiswürfel ausgeteilt zu haben, fragte er.

»Ja, an Chantals Patenonkel, den, der gestorben ist«, antwortete sie. »Chantal wollte ihn bedienen, wurde aber von ihrem Bruder verlangt. Also gab sie mir den Kübel und bat mich, sie zu vertreten. Gilbert wollte immer Eis in seinen Drinks haben.«

»Wo ist Chantal jetzt?«

»Sie ist mit Raoul ins Périgord gefahren, zu irgendeinem Familientreffen, Geburtstag oder so.«

Bruno beendete das Gespräch, rief Jean-Jacques zurück und berichtete. Dann wollte er wissen, ob Chantals Chemieprofessor schon befragt worden sei.

Ja, bekam er zur Antwort. Chloralhydrat sei ganz einfach herzustellen, aus Chlor, Ethanol und einer sauren Lösung. Es werde mitunter in Weinlabors verwendet, und zwar zum Eindecken von Präparaten auf Mikroskop-Objektträgern. Ob Chantal damit zu tun habe, wisse er nicht, aber es wäre für sie kein Problem, an die Zutaten dafür heranzukommen.

»Dann ist sie also unsere Hauptverdächtige«, resümierte Jean-Jacques. »Mit zahllosen Motiven.«

»Wir sollten ihr ein paar Fragen stellen«, schlug Bruno vor. »Vielleicht ist alles komplizierter als gedacht. Vielleicht rufen Sie das Weinlabor von Bergerac an, vielleicht weiß man da, was Madeleine vorhatte. Sie kommt auch immer noch als Tatverdächtige in Betracht.«

Jean-Jacques schnaubte. »*Putain*, was für eine Familie!«

Bruno erklärte, dass er nach Le Thot fahren wolle, wo er wahrscheinlich auch Chantal und vielleicht sogar Madeleine antreffen werde.

»Der Procureur hat sich soeben mit dem Juge d'instruction beraten. Wir haben die Erlaubnis, Chantal wegen Gilbert und Madeleine wegen des Anschlags auf Sie zur Vernehmung ins Kommissariat zu zitieren. Wir können sie aber auch in Le Thot aufsammeln und nach Périgueux bringen. Wann werden Sie dort sein?«

»Gegen Mittag. Vielleicht ein bisschen früher, wenn ich Chantal erreichen und mich mit ihr verabreden kann.«

»Passen Sie auf sich auf. Ich melde mich, kurz bevor wir auftauchen.« Jean-Jacques legte auf.

Bruno rief im Krankenhaus an und erkundigte sich nach Imogène. Sie hatte eine ruhige Nacht gehabt und wollte nach Hause, aber auf Peyrefittes Veranlassung war eine psychologische Untersuchung anberaumt worden. Fabiola war, wie Bruno von ihr erfuhr, bereits informiert. Sie wollte am Nachmittag zu einer Sitzung ins Krankenhaus fahren und Imogène anschließend mit nach Hause nehmen. Die in Aussicht gestellte psychologische Untersuchung sei, sagte Fabiola, kein Grund, sie festzuhalten.

»Ich glaube nicht, dass wir uns Sorgen machen müssen«, fuhr sie fort. »Sie ist nie als gewalttätig aufgefallen, und dass sie jemandem ein Kitz schenken wollte, ist vielleicht etwas eigenwillig, aber sonst nicht weiter schlimm. Imogène hat einen festen Wohnsitz, einen Job und Freunde, die ihr beistehen. Würde Peyrefitte nicht auf dieser Untersuchung beharren, wäre sie schon entlassen.

Übrigens«, sagte Fabiola noch, »ich habe heute Morgen ein Auto gehört. Warst du bei uns?«

»Ja, mit Croissants. Aber als ich Crimsons Jaguar sah, bin ich lieber gleich umgekehrt.«

»Du glaubst wohl, er hätte die Nacht mit Pamela verbracht.«

»Etwa nicht?«

»Nein, er und seine Tochter haben nebenan in der freien Wohnung übernachtet. Sie hat ein bisschen zu viel getrunken und konnte nicht mehr fahren. Wir alle waren ziemlich angeheitert.«

Bruno war einen Moment lang sprachlos. Dann sagte er: »Schade, da scheint mir ja was entgangen zu sein.«

»Wie geht's deinem Bein?«

»Sehr viel besser. Ich kann wieder Auto fahren.«

»Komm in der Klinik vorbei, damit ich den Verband wechsle und einen Blick auf die Wunde werfen kann. Bist du in der Nähe?«

»Auf dem Markt. Bis gleich.«

33

Die Rückbildung der Blutergüsse wie auch die Wundheilung wurden für gut befunden, die Verbände gewechselt. Mit der Aussicht darauf, in weniger als einer Woche wieder reiten zu können, fuhr Bruno im eigenen Auto nach Le Thot. Balzac hockte auf der Rückbank und blickte neugierig nach vorn. Bruno trug über seinem blauen Diensthemd einen leichten Blazer. Das Uniformjackett hing hinten im Auto am Haken, und sein Käppi lag auf der Sporttasche. Eigentlich hätte er ganz entspannt sein können, doch er machte sich Sorgen.

Er fürchtete, dass Jean-Jacques und der Procureur auf dem Holzweg waren. Chantal unter einen so schweren Verdacht zu stellen wollte ihm nicht einleuchten, auch wenn sie Marie-Françoise überredet hatte, Gilbert die tödlichen Eiswürfel zu reichen. Sie wusste nicht, dass er ihr Vater war, und ihre Reaktion auf die Nachricht ihrer Erbschaft war ebenso wenig gespielt gewesen wie ihre Verblüffung über deren Höhe.

Viel eher als sie kam der Patriarch als Tatverdächtiger in Frage. Gilbert wusste von einem Geheimnis, das die Reputation des alten Mannes gefährdete. Nur konnte sich Bruno nicht erklären, warum diese Gefahr zwei Jahrzehnte lang geschlummert hatte und erst jetzt virulent geworden war.

Und wie stand es um Victor, der von seinem besten Freund hintergangen worden war und nichtsahnend ein Kuckuckskind großgezogen hatte? Hatte er die Wahrheit erfahren und sich gerächt?

Möglich, dachte Bruno, aber je konzentrierter er versuchte, die Motivlagen und komplexen Beziehungen innerhalb der Familie zu sortieren, desto stärker drängte sich ihm der Verdacht auf, dass bei Madeleine alle Fäden dieses Falles zusammenliefen. Gilbert hätte ihrem Ruf erheblich schaden, ihre Ehe womöglich scheitern lassen und ihren politischen Ambitionen, kaum dass sie sich zu verwirklichen anfingen, ein Ende setzen können. Eine Scheidung wäre sie teuer zu stehen gekommen, und der Verlust der Unterstützung durch den Patriarchen noch teurer.

Und dann ihre Skrupellosigkeit. Sie war doch tatsächlich imstande gewesen, mit ihm, Bruno, ins Bett zu gehen und gleichzeitig einen Killer auf ihn anzusetzen. Madeleine wusste, dass er den Befund eines natürlichen Todes Gilberts anzweifelte, dass er die wahren Hintergründe aufzudecken versuchte und damit ihre Pläne in Gefahr brachte. Dumm nur, dass er seinem Bauchgefühl nicht mehr vertraute, weil er voreingenommen war und den klaren Blick auf diesen Fall verloren hatte. Er hatte sich von ihr verzaubern lassen. Selbst jetzt noch konnte er nachempfinden, wie intensiv er den Abend mit ihr erlebt, alle Warnungen seiner inneren Stimme in den Wind geschlagen und sich der Lust und dem Genuss, den auch sie gehabt zu haben schien, hingegeben hatte.

Im Nachhinein aber kam es ihm vor, als sei es weniger die erotische Begegnung mit einer wirklichen Frau, als die mit einer Traumgestalt gewesen, mit einer surrealen Kopf-geburt. Und dafür schämte er sich, mehr noch, er zweifelte an seinem gesunden Menschenverstand. Zu allem Überfluss ärgerte es ihn maßlos, von ihr an der Nase herumgeführt, benutzt und abgelegt worden zu sein.

Andererseits mochte sie eine heimtückische und berech-nende Frau sein, aber das machte sie nicht zwingend zu einer Mörderin. Die Wahrheit um Chantals Geburt war zwei Jahrzehnte lang erfolgreich geheim gehalten worden, warum fürchtete sie jetzt, dass alles aufflog? Oder waren es einfach nur ihre hochfliegenden politischen Pläne, die sie dazu getrieben hatten, für klare Verhältnisse zu sor-gen?

Château de Losse kam in Sicht. Er hatte fast die Abfahrt nach Le Thot erreicht. Im Stillen salutierte er vor dem be-rühmten Patron des Schlosses Jean de Losse, dem alten Sol-daten, der einem König als Page, einem anderen als Lehrer gedient und für seine Könige gegen die Engländer, Nieder-länder, Österreicher, Italiener und Spanier gekämpft hatte. Wiederholt verwundet und in Gefangenschaft geraten, stand er während der Religionskriege auf Seiten der Engländer und sah seinen eigenen Sohn in einer Schlacht sterben, an der er als Kommandant teilnahm. Über das Portal seines Schlosses hatte er den Spruch meißeln lassen: »Der Mensch tut, was er kann, das Schicksal, was es will.«

Einverstanden mit Montaignes Aphorismus, bog Bruno von der Hauptstraße ab und hoffte, dass Raquelles Lunch-Picknick ihm einige weitere Antworten auf seine Fragen bringen würde, bevor Jean-Jacques aufkreuzte und zwei Gäste zum Verhör entführte. Als er aus seinem Landrover stieg und Balzac heraushalf, zögerte er kurz, entschied sich dann aber doch, seinen Stock mitzunehmen. Balzac würde bestimmt durch den weiten Park laufen wollen, und er hätte ohne Stock gewiss Probleme, ihm auf unebenem Gelände zu folgen.

Er war nicht der erste Gast. Jewgeni unterhielt sich mit Raquelle und Victor auf der rückwärtigen Terrasse, auf der ein langer Tisch voller Speisen, Geschirr und Gläser stand. Bruno sah einen kompletten Lachs, einen Schinken, Salate und Käse und eine Schale mit Hummerschwänzen und -scheren.

»Damit könnten Sie ja ein ganzes Heer bewirten. Wie viele Gäste erwarten Sie denn?«, fragte er Raquelle, nachdem er ihr zum Geburtstag gratuliert und ein Kochbuch, in Saint-Denis gekauft und als Geschenk verpackt, überreicht hatte.

»Nur die Familie und ein paar Kollegen aus Lascaux und Les Eyzies«, antwortete sie. »Die meisten werden Sie kennen, und viele werden sich freuen, dass Sie Ihren Hund mitgebracht haben.« Sie bückte sich, um die Ohren des Bassets zu streicheln, blickte zu ihm auf und sagte: »Vielen Dank für alles, was Sie für Imogène getan haben. Sie hat eben angerufen. Sie soll noch heute Nachmittag entlassen werden.«

»Sie haben ihr am meisten geholfen«, entgegnete er. »Was macht Ihr Roboterbulle?«

»Sehen Sie selbst«, antwortete sie, gab Balzac einen letzten freundlichen Klaps, richtete sich auf und zeigte auf den großen Auerochsen, den sie geschaffen hatte. »Er ist da draußen unter den echten Rindern, weil sie sich an ihn gewöhnen sollen.«

Bruno fand ihn, so starr und unbeweglich zwischen den anderen Tieren stehend, noch bedrohlicher. »Funktioniert's?«

»Das muss sich noch zeigen. Sie sind alle neugierig auf ihn zugekommen und haben ihn beschnüffelt, sind aber dann verschreckt zurückgewichen, als er sich bewegt hat. Wir versuchen, ihn so zu programmieren, dass er am Zaun entlanggeht. Es scheint aber, dass er wieder einmal nicht weiterweiß. Ich werde gleich mal nachschauen müssen, ob was schiefgelaufen ist. Gestern hätten wir ihn fast in der Grube neben dem Wollhaarmammut verloren.«

Raquelle eilte davon. Bruno drehte sich um, um Jewgeni und dann auch Victor zu begrüßen, der sich über seine Anwesenheit offenbar wunderte, ihm aber trotzdem höflich die Hand gab.

»Bin ich zu früh?«, fragte Bruno. »Wo sind die anderen Gäste?«

»Raoul und Chantal sind noch mit dem Zug unterwegs. Clothilde wird sie am Bahnhof von Les Eyzies auflesen. Papa ist unten und schaut sich das neue Exponat an«, antwortete Jewgeni. »Madeleine patrouilliert das Gelände und hält es in Schuss, wie sie sagt, womit sie meint, sie achtet darauf, dass die Kaninchen nicht überhandnehmen. Vielleicht haben Sie ihre Flinte krachen hören.«

Um diese Jahreszeit wurde im Périgord allenthalben gejagt, weshalb Bruno auch keine Schüsse bewusst wahrgenommen hatte. Ihm wurde ein Glas Champagner gereicht, worauf Jewgeni ihn von der Terrasse hin zu einem am Rand der Weide gelegenen Rasenstück führte, auf dem sich niedrige Tischchen, Liegestühle und Kissen gruppierten. Balzac pirschte sich an die grasenden Rinder heran und ließ dabei Schwanz und Ohren über den Boden schleifen.

»Raquelle möchte, dass wir hier essen. Unter freiem Himmel«, sagte Jewgeni und zündete sich eine Zigarette an, eine französische Gitane, wie Bruno registrierte, als er sich daran erinnerte, dass Gilbert russische geraucht hatte. »Vielleicht deshalb, weil sie nicht will, dass wir auf der Terrasse rauchen. Nun, ich wollte Sie etwas fragen. Haben Sie Raoul und Chantal schon einmal beobachtet, wenn sie zusammen sind?«

»Ja, sie scheinen sich sehr nahezustehen«, antwortete Bruno und dachte daran, wie sie im Swimmingpool der Komtesse miteinander herumgealbert hatten.

»Sie glauben, sie wären Bruder und Schwester oder zumindest Halbbruder und Schwester, aber Sie und ich wissen, dass das nicht stimmt«, sagte Jewgeni. »Jedenfalls sind sie nicht blutsverwandt. Unterschiedliche Mütter, unterschiedliche Väter. Gilbert hat sich deswegen Sorgen gemacht.«

»Wie meinen Sie das?«, fragte Bruno, den Blick auf Balzac gerichtet, der jenseits des Zaunes bäuchlings auf der Weide lag und die Schnauze in den Wind reckte.

»Ich weiß, dass Gilbert immer ein wachsames Auge auf Chantal hatte. Als sie jünger war, haben die beiden viel Zeit miteinander verbracht. Über die Nähe zwischen Raoul und Chantal macht man sich in der Familie ein bisschen lustig. Es heißt, sie wären füreinander geschaffen und würden ein gutes Paar abgeben, wenn sie nicht Bruder und Schwester wären. Als kleines Mädchen hat Chantal immer gesagt, wenn sie einmal groß sei, wolle sie ihn heiraten.«

»Warum hat sich Gilbert deswegen Sorgen gemacht?

Dass Kinder solche Wünsche äußern, ist nicht ungewöhnlich.«

»Er hat sie beim Wort genommen. Die beiden würden wirklich das perfekte Paar abgeben. Und er wusste, dass sie nicht verwandt sind, dass einer Ehe nichts im Wege stehen würde. Worüber er tatsächlich besorgt war, waren Papas Pläne für Raoul.«

Endlich glaubte Bruno zu wissen, worauf Jewgeni abzielte. »Sie meinen, dass er Raoul und Marie-Françoise miteinander verehelichen will? Das ist übrigens, wenn ich richtig informiert bin, auch der Wunsch der Komtesse.«

»Ja, und Papa kann seiner lieben Parischanka keinen Wunsch abschlagen.«

»Sie glauben also, Gilbert wollte diesen Plan durchkreuzen, indem er Chantal die Wahrheit sagte, damit sie frei wäre für Raoul? Und dass Gilbert daran gehindert wurde?«

»Exakt, *Monsieur le détective*. Und wem wäre mehr daran gelegen, dieses Geheimnis um jeden Preis zu hüten, als meiner lieben Schwägerin?«

»Das ist die Frage«, erwiderte Bruno und dachte, dass Jewgeni womöglich immer noch nicht darüber hinweggekommen war, von Madeleine verlassen worden zu sein. Und er fragte sich, wann er selbst sich diese Frau aus dem Kopf schlagen könnte. Jedenfalls würde er nicht ständig seine Wunden lecken und jede Nacht unter ihrem Akt einschlafen.

»Wenn man vom Teufel spricht ...«, sagte Jewgeni. Bruno folgte seinem Blick und sah Madeleine zwischen den Bäumen hervortreten. In der linken Hand hielt sie zwei tote Kaninchen bei den Ohren, in der rechten den Schaft einer doppelläufigen Flinte, die aufgeklappt an ihrer Schulter lehnte. Vorschriftsmäßig, dachte Bruno anerkennend.

Grüßend hob sie die beiden Kaninchen in die Höhe. Er winkte zurück. Jewgeni ignorierte sie und betrachtete den Roboterbullen, der sich wieder bewegte, aber nicht etwa programmgemäß am Zaun entlangging, sondern ein paar Schritte zurücksetzte und wieder nach vorn trat.

»Es scheint, Raquelle wird noch eine Weile mit der Fernsteuerung beschäftigt sein«, sagte Jewgeni. »Ich sollte jetzt wohl Papa holen. Die anderen könnten jeden Moment hier sein.«

Bruno schickte sich an, Jewgeni auf dem Weg zurück zur Terrasse zu begleiten, als er Madeleine wieder winken sah, energischer jetzt und mit der Aufforderung, zu ihr zu kommen. Von Balzac gefolgt, ging Bruno langsam auf sie zu. Auf der Weide zu seiner Linken sprang Raquelles Roboterbulle plötzlich hin und her, vor und zurück, als führte er ein verrücktes Tänzchen auf. Balzac blieb stehen, um diesem seltsamen Treiben zuzusehen, und reagierte dann seinerseits mit ruckartigen Bewegungen, offenbar völlig verunsichert von diesem Wesen, das wie ein Tier aussah, aber ganz anders roch. Lächelnd ging Bruno weiter, froh darüber, dass er seinen Stock mitgenommen hatte. Madeleine war vor dem Rand des Waldes stehen geblieben, der sich über die Hügel hinter ihr und bis zum Horizont erstreckte. Rechts von ihm befand sich ein Ziegengehege. Dahinter war die lebensgroße Nachbildung des Wollhaarmammuts zu sehen. Er erinnerte sich an die Grube, die ganz in der Nähe ausgehoben worden war, und nahm sich vor, Raquelle nach dem Grund zu fragen.

»Ich wollte mich entschuldigen«, sagte Madeleine und lächelte ihn an. Ihr Anblick versetzte ihm einen Stich. Oder war es seine Bestürzung darüber, dass sich hinter ihrer Schönheit so viel Rücksichtslosigkeit verbarg? Sie sah fantastisch aus. Die Haare waren zu einem losen Pferdeschwanz zurückgebunden, die Wangen leicht gerötet, die Augen leuchteten. Sie trug hautenge olivgrüne Jeans, die in kniehohen Stiefeln steckten, und ein khakifarbenes Hemd mit bis zu den Ellbogen hochgekrempelten Ärmeln. Um ihre schlanke Taille hatte sie einen breiten Ledergurt geschlungen, an dem ein Jagdmesser und eine Patronentasche hingen. Mit der geschulterten Flinte sah sie aus wie ein Model für Jägermode.

Aus einer spontanen Laune heraus holte er sein Handy aus der Tasche und machte ein Foto von ihr.

»Schick mir eine Kopie«, sagte sie lachend. »Damit ziehe ich vielleicht die Jägerschaft auf meine Seite.«

»Wofür bittest du um Entschuldigung?«, fragte er, denn dass sie sich auf den Überfall des Wildhüters bezog, war wohl ausgeschlossen. Allerdings musste ihr bekannt sein, was diesem Fabrice blühte. Wer wenn nicht sie hätte ihm sonst einen so teuren Anwalt an die Seite gestellt?

»Es war sehr unhöflich von mir, einfach so einzuschlafen. Aber die Strafe dafür bekam ich schon am nächsten Morgen mit der Enttäuschung, allein aufzuwachen«, sagte sie. »Trotzdem danke, ich habe herrlich tief und fest geschlafen.«

Bruno lächelte höflich und versuchte zu erahnen, worauf sie hinauswollte. Wenn sie wirklich geschlafen hatte, als er ihr Bett verließ, war sie erstaunlich schnell wieder aufgewacht, um Fabrice anzurufen. Hielt sie sich tatsächlich für so unwiderstehlich, dass sie glaubte, ihn mit ihrem Lächeln bezwingen zu können?

»Und entschuldige, dass ich dich beim Abendessen der Jäger nicht angemessen begrüßt habe, aber ich musste Papa davor bewahren, dass er sich zum Narren machte.« Sie lächelte wieder und hob die Kaninchen in die Höhe. »Würdest du sie mir bitte abnehmen?«

Als er sich ihr näherte, wich sie auf den Waldpfad zurück, bedeutete ihm, ihr zu folgen, und lachte dabei kokett mit den Augen. Sie gab ihm die Kaninchen, warf einen raschen Blick über seine Schulter, um sich zu vergewissern, dass sie niemand sehen konnte, küsste ihn auf den Mund und streichelte mit der Hand, die die Kaninchen gehalten hatte, seinen Nacken. Als er nicht so reagierte, wie sie es wünschte, neckte sie ihn mit der Zunge.

»In Bordeaux warst du nicht so schüchtern«, hauchte sie. »Verstehe, du denkst an die anderen auf der Terrasse und glaubst, sie könnten uns sehen.«

»Nein«, entgegnete er und löste sich von ihr. »Ich denke an Gilbert und frage mich, wann er dir mitgeteilt hat, dass er Chantal die Wahrheit über ihren Vater sagen wollte.«

»Was soll das heißen – Gilbert war ihr Vater?« Sie spuckte seinen Namen aus, und ihre Augen glühten. War es seine Frage oder seine Ablehnung, worauf sie so wütend reagierte? »Das ist doch Unsinn!«

»Seine und Chantals DNA-Proben stimmen überein.«

»Gilberts DNA?« Sie lachte laut auf. »Wie? Aus seiner Asche? Er ist verbrannt worden.«

»Ich habe ein paar Haare aus einer Bürste in seinem Cottage sichergestellt, als du mit Victor seine Papiere gesichtet und nach einem Testament gesucht hast. Ich habe es gefunden. Chantal erbt alles.«

»Dass die DNA-Probe tatsächlich von ihm stammt, kannst du nicht beweisen«, erwiderte sie kalt. »Wir mussten bei ihm saubermachen und all die leeren Flaschen entsorgen. Victor hat die Bürste benutzt.«

»Netter Versuch, Madeleine. Aber wir haben natürlich auch Proben von seinem Flachmann und von den russischen Zigaretten genommen, die er rauchte.«

»Okay, sie ist seine Tochter. Na und?«

»Außerdem wissen wir von dem Chloralhydrat im Orangensaft und von deinem nicht registrierten Handy, mit dem du Fabrice angerufen hast in der Nacht, als er mich zu erschlagen versuchte. Es ist vorbei, Madeleine. Der Chefermittler der Police nationale ist auf dem Weg hierher, mit einem Haftbefehl für dich, unterschrieben vom Procureur de la République.«

Er wandte sich ab und trat aus dem Wald ins Freie zurück, als er an zwei vertrauten Geräuschen hörte, wie sie zwei Patronen in den Lauf steckte und die Flinte schloss. »Halt!«, rief sie.

»Du wirst mir doch nicht in den Rücken schießen?« Bruno versuchte, seine Stimme im Zaum zu halten, und ließ die Kaninchen aus der Hand gleiten. Er hoffte, keine Angst zu zeigen, ruhig und zuversichtlich zu bleiben. »Es ist zu spät. Ich stehe schon im Freien und sehe Jewgeni und den Patriarchen. Raoul und Chantal sind gerade angekommen. Sie alle wären Augenzeugen des Mordes an einem unbewaffneten Polizisten.«

Er entlastete das verletzte Bein, indem er sich auf dem

Stock aufstützte, und winkte der Gruppe auf der Terrasse zu. Chantal und Raoul trugen Tabletts voller Speisen hinunter auf den Rasen, wo gepicknickt werden sollte. Die anderen folgten, Clothilde, Jewgeni und Victor, der seinem Vater half. Wo war Raquelle? Bastelte sie immer noch an der Steuerung ihres Roboters herum?

»Jewgeni hat mir gerade zugewinkt«, sagte er. Seine Kehle war trocken. »Sie alle sind mir zugewandt. Raoul und Chantal bringen das Essen.«

»In dessen Genuss du nicht mehr kommen wirst«, sagte sie mit flacher Stimme und endgültigem Unterton.

Balzac, der sich selbständig gemacht hatte, um Clothilde zu begrüßen und Bekanntschaft mit Chantal zu schließen, lief auf Bruno zu, machte aber dann halt, um das riesige Mammut zu untersuchen.

»Dreh dich um!«, forderte sie ihn auf. Er ignorierte sie und versuchte weiter, die anderen winkend auf sich aufmerksam zu machen. Chantal rief ihm etwas zu, aber er konnte sie nicht verstehen.

»Das ist deine Tochter, die du da hörst, sie ruft uns zum Essen«, sagte er. »Willst du, dass sie dir dabei zusieht, wie du mich rücklings über den Haufen schießt? Leg die Flinte ab, Madeleine.«

»Ein tragischer Jagdunfall«, sagte sie. Er hörte, wie sie den Pfad verließ und sich auf das Unterholz linker Hand zubewegte. »Im Dickicht stolpert man leicht.«

Oben auf der Terrasse zeigte sich nun Jean-Jacques in Begleitung eines uniformierten Polizisten. Bruno erkannte den Chefermittler an seiner stämmigen Gestalt. Offenbar begutachtete er die beeindruckende Tafel.

»Die Polizei ist da«, sagte Bruno. »Es ist vorbei, Madeleine.«

»Für dich, Bruno.«

Er sah, wie Balzac vor dem Mammut zurückwich, und hörte sein trotziges Knurren. Hinter dem Mammut tauchte plötzlich Raquelles Roboterbulle auf, der sich mit ruckartigen Bewegungen mal nach vorn, mal zur Seite bewegte, insgesamt aber näher kam. Raoul und Chantal hatten die Tabletts abgestellt und kamen auf Bruno zu. Jewgeni schien sein verzweifeltes Winken richtig gedeutet zu haben und machte sich im Laufschritt auf den Weg.

Er hütete sich, Madeleine anzusehen, hörte sie aber, gefährlich nahe, vielleicht fünf Meter entfernt und fast auf einer Höhe mit ihm. Aus dieser Distanz würde die Flinte ihm den Kopf abreißen.

»Willst du auch meinen Hund erschießen?«, fragte er.

»Wenn ich aus dem Dickicht heraustrete, wird man mich stolpern und stürzen sehen«, sagte sie. »Man wird hören, wie sich ein Schuss löst, der dich zu Boden streckt, und alle werden von einem tragischen Unfall sprechen.«

Er drehte sich um und sah das Gewehr auf sich gerichtet. Was ihn aber noch mehr erschauern ließ, waren ihre eiskalt lächelnden Augen. Wie traurig, dachte er, dass von allen Frauen in seinem Leben ausgerechnet diese Mörderin die Letzte sein sollte, mit der er geschlafen hatte, ihr Gesicht das Letzte, was er sehen sollte.

Bruno schloss die Augen und rief schöne Erinnerungen wach: Pamela, freudestrahlend und tief über die Mähne ihres Pferdes gebeugt, die im Galopp auf ihn zukam; Isabelle, aus seinen Bettlaken auftauchend, von Balzac an den Ohren geleckt und so herzhaft lachend, dass ihre hübschen Brüste zitterten; Katarina, am Ufer eines Flusses in Bosnien, wie sie ihm aus einem Gedichtband von Baudelaire vorlas.

»Adieu, Bruno, du naseweiser Narr.« Madeleine trat ins Freie, und plötzlich fing Balzac zu bellen an. Sie warf einen Blick auf den Hund und sah nicht, dass der Roboterbulle einen weiteren ruckhaften Schritt nach vorn machte. In seiner Verzweiflung hechtete Bruno auf sie zu, den Stock wie ein Florett auf sie gerichtet. Aber noch im Flug wusste er, dass er sie nicht erreichen konnte.

Und dann schüttelte es sie, ihr Kopf schnellte zurück, als der Roboterbulle mit roher Gewalt über sie herfiel. Schreiend kippte sie vornüber und stürzte, das Gewehr noch in den Händen, in die Grube.

Zwei Schüsse krachten, so kurz hintereinander, dass sie fast wie ein einziger klangen. Ihr Schrei endete abrupt, als der Bulle nach ihr in die Grube stürzte.

Bruno robbte nach vorn. Er roch Kordit und starrte in die Grube. Unter dem Wrack des Bullen sah er eine blonde Haarsträhne, einen Arm und eine Hand voller Blut, ein hässlich abgewinkeltes Bein.

Raoul hielt Chantal vom schaurigen Anblick in der Grube fern und führte sie zurück zum Haus, ihren Kopf an seine Brust gedrückt. Jean-Jacques trottete schwerfällig herbei. Victor stieß einen verzweifelten Schrei aus und sank auf der anderen Seite der Grube in die Knie. Jewgeni half Bruno auf die Beine und reichte ihm seinen Stock. Balzac schmiegte sich an seine Wade und blickte verstört zu seinem Herrchen auf.

»Ein Jagdunfall«, stellte der Patriarch leise fest, und seiner starren Miene war anzumerken, dass er keinen Widerspruch duldete.

Bruno nahm sein Handy aus der Tasche. Er hatte nach der Fotoaufnahme den Rekorder aktiviert. Jetzt drückte er auf die »Play«-Taste.

Ihre Stimme war dünn und blechern, und nur Jewgeni und der Patriarch standen nahe genug, um sie zu hören. Der entscheidende Satz aber war unmissverständlich. »Wenn ich aus dem Dickicht heraustrete, wird man mich stolpern und stürzen sehen. Man wird hören, wie sich ein Schuss löst, der dich zu Boden streckt, und alle werden von einem tragischen Unfall sprechen.«

Bruno musterte den Patriarchen, dachte an dessen Leistungen für Frankreich und an seine Heldenverehrung als Jugendlicher. Die Bilder verschmolzen mit dem von Madeleine in seinen Armen. *Mon Dieu*, wie leicht verführbar er doch war! Er blickte auf sein Handy und wusste, dass er das Foto, das er von ihr gemacht hatte, immer und immer wieder betrachten würde. Er sah den Patriarchen an, schaute zurück auf die »Record«-Funktion seines Handys. Seufzend drückte er auf »Rewind« und dann auf »Delete«.

»Wie Sie schon bemerkten, ein Jagdunfall«, sagte er.

Danksagungen

Wie alle Fälle von Bruno, Chef de police, ist auch der vorliegende frei erfunden. Mit Ausnahme einiger historischer Gestalten sind alle Figuren meine Schöpfungen, obwohl viele von ihnen durch meine Freunde und Nachbarn im Périgord inspiriert wurden. Meine Bücher versuchen ihrem bewundernswerten *Savoir-vivre* Ausdruck zu geben, einem Lebensstil, der geprägt ist von den herrlichen Gerichten und Weinen der Region, von Rugby und von der Jagd, von Markttagen und Festlichkeiten. Die Schilderung des Wildschwein-Barbecues im Jagdverein fußt auf meinen Erlebnissen mit unserer hiesigen *Association des Chasseurs,* an deren Dîners ich regelmäßig teilnehme. Darüber hinaus schätze ich mich glücklich, gewähltes Mitglied der *Confrérie du Pâté de Périgueux* wie auch des *Consulat de la Vinée de Bergerac* zu sein, das seit 1254 mit dem Schutz des Rufes unserer vorzüglichen Weine betraut ist. Die Périgourdins sind ein geselliges und gastliches Volk, das sein Glück zu würdigen weiß, in einem so schönen und geschichtsträchtigen Teil der Welt zu leben. So schätzen auch meine Familie und ich uns glücklich, dass wir seit nunmehr fünfzehn Jahren an diesem Privileg teilhaben dürfen. Die Bewohner des Périgord sind die eigentlichen Stars der Geschichten um Bruno.

Das Normandie-Njemen-Geschwader französischer

Jagdflieger an der Ostfront hat tatsächlich eine heldenhafte Rolle gespielt. Meine Beschreibung ihrer militärischen Großtaten beruht auf historischen Fakten. Fiktiv hingegen ist die Figur des Patriarchen. Als Korrespondent für *The Guardian* im sowjetischen Moskau während der 1980er-Jahre hatte ich das Vergnügen, einige der noch lebenden französischen Veteranen des Geschwaders sowie deren russische Kameraden persönlich kennenzulernen. Ich bin mehreren Autoren für ihre Bücher über das Geschwader dankbar, allen voran: Alain Vezin, *Régiment de Chasse Normandie-Niémen*, Paris, Éditions ETAI 2009; Yves Courrière, *Normandie Niémen. Un temps pour la guerre*, Paris, Presses de la Cité 1979; John D. Clarke, *French Eagles, Soviet Heroes*, Stroud (Gloucesteshire), Sutton Publishing 2005.

Die Einzelheiten des Putschversuchs gegen Michail Gorbatschow entsprechen der Wahrheit. Von französischen wie auch britischen Gewährsleuten wurde mir versichert, dass man plante, Gorbatschow notfalls aus seinem Gewahrsam auf der Krim zu retten. Es blieb aber nicht viel Zeit, diesen Plan auszuarbeiten. Die Ausschmückungen sind von mir. Ich traf auch mit Marschall Achromejew zusammen, der sich tatsächlich gern an Spam und Studebaker-Lastwagen erinnerte und als Soldat mit Stolz auf die Rolle der Alliierten im Zweiten Weltkrieg zurückblickte.

Lesern, die die Geschichte von Imogène und ihrem Rotwild übertrieben finden, sei gesagt, dass nach Angaben der Versicherungsgruppe Generali in Frankreich jährlich rund 40000 Verkehrsunfälle durch Rehe und andere große Tiere verursacht werden. Bernadette Chirac, die Gattin des ehemaligen Präsidenten, war 2012 selbst Leidtragende einer

Kollision mit einem Reh. In den USA sterben jedes Jahr fast 200 Menschen infolge von Verkehrsunfällen mit Rotwild.

Mein besonderer Dank gilt meinen lieben Freunden Pierre Simonnet, seiner Frau Francine, Raymond und Stéphane Bounichou sowie Francette Bogros, Jeannot und Claude Picot, Joe und Collette da Cunha, Gérard Fayolle und Gérard Labrousse. Zu großem Dank verpflichtet bin ich auch Patrick und Julien Montfort von meinem absoluten Lieblingsladen, dem legendären Weinkeller von Julien de Savignac in Le Bugue, der mir die Ehre erweist, einen Wein nach meiner Hauptfigur zu benennen – *Cuvée Bruno*. Zwei Freunden seit fünfunddreißig Jahren – Gabrielle Merchez, die meine Bücher ins Französische übersetzt, und ihrem Ehemann Michael – verdanke ich, dass sie uns ins Périgord gelockt haben.

Meine großartigen Lektoren Jane Wood in London, Jonathan Segal in New York und Anna von Planta in Zürich wirken Wunder in der Bearbeitung meiner Rohfassungen. Caroline Wood von Felicity Bryan Associates ist eine Literaturagentin sondergleichen. Ihnen allen verdanke ich unendlich viel.

Kein Mann kann mehr Glück haben mit seiner Familie als ich. Meine Frau Julia ist Koautorin des *Bruno-Kochbuchs*. Unsere ältere Tochter Kate pflegt die Website brunochiefofpolice.com, und Fanny behält den Überblick über Personen, Orte, Weine und Gerichte in den *Bruno*-Folgen, was von Jahr zu Jahr und mit jedem neuen *Bruno*-Abenteuer immer schwieriger wird. Unser Basset Benson charmiert weiterhin alle, die ihm begegnen, und achtet ein wenig auf meine Gesundheit, indem er mich an die Leine nimmt.

Das Diogenes Hörbuch zum Buch

Martin Walker
Eskapaden
Der achte Fall für Bruno,
Chef de police

Ungekürzt gelesen von JOHANNES STECK

8 CD, Spieldauer 619 Min.

Martin Walker
im Diogenes Verlag

»Martin Walker hat eine der schönsten Regionen Frankreichs, das Périgord, zum Krimiland erhoben und damit erst für die Literatur erschlossen.«
Die Welt, Berlin

Die Fälle für Bruno, Chef de police:

Alle *Bruno*-Romane in der Übersetzung
aus dem Englischen von Michael Windgassen
Sämtliche Hörbücher werden von Joachim Steck gelesen

Bruno, Chef de police
Auch als Diogenes E-Hörbuch

Grand Cru
Auch als Diogenes Hörbuch

Schwarze Diamanten
Auch als Diogenes Hörbuch

Delikatessen
Auch als Diogenes Hörbuch

Femme fatale
Auch als Diogenes Hörbuch

Reiner Wein
Auch als Diogenes Hörbuch

Provokateure
Auch als Diogenes Hörbuch

Eskapaden
Auch als Diogenes Hörbuch

Grand Prix
Auch als Diogenes Hörbuch

Revanche
Auch als Diogenes Hörbuch

Menu surprise
Auch als Diogenes Hörbuch

Außerdem erschienen:

Schatten an der Wand
Roman. Deutsch von Michael Windgassen

Germany 2064
Roman. Deutsch von Michael Windgassen

Brunos Kochbuch
Rezepte und Geschichten aus dem Périgord
Deutsch von Michael Windgassen
Fotografiert von Klaus-Maria Einwanger

Martin Walker
und Julia Watson
Brunos Gartenkochbuch
Deutsch von Michael Windgassen
Fotografiert von Klaus-Maria Einwanger

Martin Walker
Schatten an der Wand

Roman. Aus dem Englischen
von Michael Windgassen

Martin Walkers früher Roman über die Entstehung einer prähistorischen Höhlenzeichnung, deren Verwicklung in blutige Kriege und Intrigen zur Zeit der Höhlenmaler von Lascaux und während des Zweiten Weltkriegs. Die Geschichte gipfelt in dem erbitterten Kampf von fünf Menschen, sie heute zu besitzen. Denn wer diese Zeichnung findet, erhält den Schlüssel zur Aufklärung eines Verbrechens, das bis in die höchste Politik reicht und von dem bis heute keiner wissen darf.

Ein Thriller aus dem Périgord, vom Autor der erfolgreichen *Bruno*-Romane.

»Ausgerechnet ein Schotte ist es, der das Périgord auf die literarische Weltkarte gesetzt hat: Martin Walker. Schon vor 17 000 Jahren schufen prähistorische Picassos dort Kunstwerke von atemberaubender Schönheit. ›Sixtinische Kapelle der Wandmalereien‹ nennen sie die Höhlen von Lascaux.« *Gerd Niewerth / Westdeutsche Allgemeine Zeitung, Essen*

»Ein unterhaltsamer Krimi für Liebhaber der Kunstgeschichte.« *Main-Post, Würzburg*

»Martin Walker hat eine der schönsten Regionen Frankreichs, das Périgord, zum Krimiland erhoben und damit für die Literatur erschlossen.« *Tilman Krause / Die Welt, Berlin*

Martin Walker
Brunos Kochbuch
Rezepte und Geschichten
aus dem Périgord

100 marktfrische Lieblingsrezepte des Krimihelden Bruno, Chef de police, mit vielen Bildern aus dem gastronomischen Herzen Frankreichs, dem Périgord. Selbst innerhalb Frankreichs hat die Küche des Périgord einen besonderen Stand: Sie gilt als ursprünglich, köstlich und wird gern in möglichst großer Runde genossen.

Mit vielen Klassikern aus der Gegend wie *Tarte Tatin mit roten Zwiebeln, Kartoffeln à la sarladaise, Bœuf à la périgourdine* oder *Crème brûlée aux truffes,* mit Menüvorschlägen, auch vegetarischen, einem kleinen Weinführer, einer kurzen Produktkunde sowie Brunos hilfreichen Tipps.

Kochbuch und kulinarischer Reiseführer zugleich, garniert mit zwei delikaten Fällen für Bruno, Chef de police.

»Wunderbare Bilder von Gerichten, Märkten und der Landschaft machen unbedingt Appetit und wecken Sehnsucht nach Frankreich.«
Petra Haase / Lübecker Nachrichten

»Das ist alles sehr verlockend und einmal mehr eine große Liebeserklärung ans Périgord.«
Arno Renggli / Neue Luzerner Zeitung

Petros Markaris
im Diogenes Verlag

Petros Markaris, geboren 1937 in Istanbul, studierte Volkswirtschaft, bevor er zu schreiben begann. Er ist Verfasser von Theaterstücken, Schöpfer einer beliebten griechischen Fernsehserie, Übersetzer von vielen deutschen Dramatikern, u.a. von Brecht und Goethe, und er war Co-Autor des Filmemachers Theo Angelopoulos. Petros Markaris lebt in Athen.

Die Fälle für Kostas Charitos:

Hellas Channel
Roman. Aus dem Neugriechischen von Michaela Prinzinger

Nachtfalter
Roman. Deutsch von Michaela Prinzinger

Live!
Roman. Deutsch von Michaela Prinzinger

Der Großaktionär
Roman. Deutsch von Michaela Prinzinger

Die Kinderfrau
Roman. Deutsch von Michaela Prinzinger
Auch als Diogenes Hörbuch erschienen, gelesen von Tommi Piper

Faule Kredite
Roman. Deutsch von Michaela Prinzinger

Zahltag
Roman. Deutsch von Michaela Prinzinger

Abrechnung
Roman. Deutsch von Michaela Prinzinger

Zurück auf Start
Roman. Deutsch von Michaela Prinzinger

Offshore
Roman. Deutsch von Michaela Prinzinger

Drei Grazien
Roman. Deutsch von Michaela Prinzinger

Außerdem erschienen:

Balkan Blues
Geschichten. Deutsch von Michaela Prinzinger

Der Tod des Odysseus
Geschichten. Deutsch von Michaela Prinzinger

Wiederholungstäter
Ein Leben zwischen Istanbul, Wien und Athen. Deutsch von Michaela Prinzinger

Finstere Zeiten
Zur Krise in Griechenland

Quer durch Athen
Eine Reise von Piräus nach Kifissia. Deutsch von Michaela Prinzinger

Tagebuch einer Ewigkeit
Am Set mit Angelopoulos. Deutsch von Michaela Prinzinger. Mit einem Vorwort von Theo Angelopoulos